读客®

读客中国史入门文库

顺着文库编号读历史，中国史来龙去脉无比清晰！

红顶商人

讲透中国传统商人生存之道的至高经典

从店伙计到大清首富花了30年，从首富到倾家荡产只花了3天。
经商的看到生存的安全边界；从政的看到权力的雷区所在。

胡雪岩

高 阳 著

4

时局中的商机

江苏凤凰文艺出版社
JIANGSU PHOENIX LITERATURE AND ART PUBLISHING

原著作名《红顶商人》

第一章

“禀大帅，”戈什哈向正在“饭后一局棋”的曾国藩请安说，“浙江的差官求见。请大帅的示，见是不见？”

曾国藩正在打一个劫，这个劫关乎“东南半壁”的存亡，非打不可，然而他终于投子而起。

“没有不见之理。叫他进来好了。”

那名差官穿着一身破破烂烂的行装。九月底的天气，早该换戴暖帽了，而他仍是一顶凉帽，顶戴是亮蓝顶子，可知是个三品武官。

“浙江抚标参将游天勇，给大帅请安。”那游天勇抢上两步，跪下去磕头，背上衣服破了个大洞，露出又黄又黑的一块皮肉。

“起来，起来！”曾国藩看他那张脸，仿佛从未洗过似的，内心老大不忍，便吩咐戈什哈说，“先带游参将去息一息，吃了饭再请过来说话。”

“回大帅的话，”游天勇抢着说道，“卑职奉敝省王抚台之命，限期赶到安庆，投递公文，请大帅先过目。”

“好，好！你给我。你起来说话！”

“谢大帅！”

游天勇站起身来，略略退后两步，微侧着身子，解开衣襟取出一个贴肉而藏的油纸包，厚甸甸的，似乎里面装的不止是几张纸的一封信。

那油纸已经破裂，但解开来看，里面的一个尺把长的大信封却完好如新。曾国藩接到手里，便发觉里面装的不是纸，是一幅布或绸。翻过来先看信面，写的是：专呈安庆大营曾制台亲钧启。下面署明：王有龄亲笔谨缄。

再拆开来，果不其然，是一方折叠着的雪白杭纺。信手一抖，便是一惊，字迹黑中带红，还有数处紫红斑点，一望而知是血迹。王有龄和血所书的，有四个海碗大的字“鹄候大援”，另有一行小字“浙江巡抚王有龄谨率全省数百万官民百拜泣求”。

曾国藩平生修养，以“不动心”三字为归趋，而此时不能不色变了。

大营中的幕友材官，见了这幅惊心动魄、别具一格的求援书，亦无不动容，注视着曾国藩，要看他如何处置。

曾国藩徐徐卷起那幅杭纺，向游天勇说道：“你一路奔波，风尘劳苦，且先休息。”

“是，多谢大帅。”游天勇肃然答说，“卑职得见大帅，比什么都安慰，种种苦楚，这会儿都记不起来了。只求大帅早早发兵。”

“我自有道理。”看他不愿休息，曾国藩便问他浙江的情形，“你是哪天动身的？”

“卑职是九月二十从杭州动身的。那时余杭已经沦陷。”游天勇答道，“看样子，现在杭州已经被围。”

“杭州的城池很坚固。我记得《一统志》上说，是十个城门。”曾国藩念道，“‘候潮’听得‘清波’响，‘涌金’‘钱塘’定‘太平’。宋仁宗的时候，处士徐仲晦，愿子孙世世不离钱塘，说是永无兵燹之灾。想来杭州可以守得住。”

他念的那句诗，游天勇倒是听过，是拿杭州的十个城门候潮门、清波门等缀成诗句。至于什么宋朝人的话，他就莫名其妙了。只是听语气，说杭州守得住便无发兵之意，游天勇大为着急，不能不说话。

“杭州的城坚固，倒是不错。不过守不长久的。”

“喔，”曾国藩揸开五指，抓梳着胡须问，“这是什么道理？你倒说来我听听。”

“杭州存粮不足。”

杭州虽称富足，但从无积米之家。浙西米市在杭州东北方一百里处的长安镇，杭州的地主，每年所收租谷，除了留下一家食米之外，都运到长安镇待价而沽，所以城里无十日之粮。这年春夏，青黄不接之际，米价大涨，而杭州经过上年二月间的一番沦陷，劫掠一空，留下来的百姓艰苦度日，哪里来的钱购粮存贮？本来是想等新谷登场，好好作一番储粮的打算，谁知兵败如山，累累满野，都便宜了太平军。

“唉！”曾国藩深深叹息，“在浙东的张玉良、李定太，如果肯拼命抵挡一阵就好了。”他接着又问，“守城最要紧的是粮食丰足。王抚台难道就不想办法？”

“王抚台也在极力想办法，去年就出告示，招商采买，答应所过地方，免抽厘税。不过路上不平靖，米商都不敢来。”游天勇说，“卑职动身的时候，听说王抚台预备请胡道台到上海去采办粮食军火，也不知运到了没有。”

“哪个胡道台？”曾国藩问，“是胡元博吗？”

“不是。是胡雪岩。”

“喔，喔，是他！听说他非常能干？”

“是！胡道台很能干的。杭州城里，大绅士逃的逃，躲的躲，全靠胡道台出面，借粮借捐维持官军。”

曾国藩点点头，默想了一下杭州的形势，随又问道：“钱塘江南岸呢？现在浙江的饷源在宁绍，这条路总是畅通的吧？”

“是。全靠这条路。不过——”

“你说！有什么碍口的？”

“回大帅的话，过钱塘江，萧山、绍兴、宁波一带，都归王大臣管，他跟王抚台不和。事情——”游天勇略微摇一摇头，说不下去了。

王大臣是指钦命团练大臣王履谦。曾国藩亦深知其人，并且曾接到他来信诉苦，说绍兴、宁波两府，每月筹饷十万两银子解送省城，而王有龄未发一卒渡江。现在听游天勇的话，似乎事实并非如此。但不论谁是谁非，将帅不和、兵民相仇，总不是好兆。浙江的局势，真是令人灰心。

“你下去休息。”以曾国藩的地位，若有所处置，自不须跟游天勇明说，更不必向他作解释，只这样吩咐，“你今晚上好好睡一觉，明来取了回信，即刻赶回杭州去复命。公文、马匹、盘缠，我会派人给你预备。”

“是！”游天勇站起身来请个安，“多谢大帅。”

* * *

跑上海、安庆的轮船，是英商太古公司的四明号，船上的买办叫萧家骥，原是上海的富家子，生就一副喜欢搜奇探秘的性格。最初是因为好奇，他拜了古应春作老师学英文，再由他的“师娘”七姑奶奶而认识了“舅舅”尤五——他跟着七姑奶奶的孩子这样叫，因而对漕帮也有了渊源。但是，他跟胡雪岩一样，是一个深懂“门槛”里的内幕，却是个在“门槛”外面的“空子”。

为了曾国藩派李鸿章领兵援沪，四明号接连跑了几趟安庆。到得事毕，已在深秋，萧家骥方得抽空去看古应春。

古应春很得意了，先跟胡雪岩合作丝茶生意，很发了点财，及至江浙局势大变，丝茶来路中断，改行经营地皮。由于逃难的富室大族纷纷涌向上海租界，地价大涨特涨，越发财源茂盛。因为近水楼台，选地鸠工购料都方便，所以他在新辟的二马路上，造了一所极精致的住宅。一家三口——七姑奶奶生了个儿子，倒用了上十口的下人。

他们师徒的感情一向深厚，自然先谈些旅途情况之类的闲话。说不到几句，便听得七姑奶奶的声音，接着她便出现在他们面前。七姑奶奶浓妆艳抹，一张银盆大脸，白的格外白，红的格外红，加以首饰炫耀，更令人不可逼视。

“师娘要出门？”萧家骥站起身来招呼。

“是啊，有两个远道来的亲戚，去见见上海的市面。逛逛洋行兜兜风。”

“这么冷的天去兜风？”古应春打断她的话笑道，“你在发疯！”

古应春就爱捉他妻子话中的漏洞，七姑奶奶听惯了不理他，只管自己往下说：“中午请客人吃番菜，下午去看西洋马戏。晚上还没有定，要不要在一起吃饭？”

“不必了！晚上回家吃饭。这两天蟹好，我去弄一篓蟹来。”

“对！”七姑奶奶大为高兴，“今年还没有好好吃过一顿蟹。”接着又叹口气道，“遭劫！兵荒马乱，蟹的来路都断了。这个年头，做人真没味道。”

“好了，好了，不要不知足了！”古应春说，“你住在夷场上，不忧穿、不忧吃，还说做人没有味道，那么陷在长毛那里的人呢？”

“就为的有人陷在长毛那里，消息不通，生死不明，叫人牵肠挂肚，所以说做人没有味道。”说着，七姑奶奶便是满脸不欢。

“顾不得那么多了。”古应春用劝慰的语气说，“你们去逛逛散散心，晚上回来吃蟹。”

七姑奶奶没有再说什么，低着头走了。

古应春亦不免黯然。“局势很坏。”他摇摇头，“杭州只怕就在这几天完蛋。”

“胡先生呢？”萧家骥问道，“不晓得在杭州怎么样。”

“没有信来。”古应春忽然流下两滴眼泪，“这么一个好朋友，眼看他失陷在里面，也不晓得将来还有没有见面的日子。这两天晚上跟你师娘谈起来，都是一整夜睡不着觉。”

“吉人天相！”萧家骥劝慰他说，“我看胡先生，不管他的相貌、性情、行为，都不像是遭劫的人。再说，以胡先生的眼光、心思，又哪里会坐困愁城，束手无策？”

这几句话很有用，古应春想了好一会儿，点点头说：“我也怎么样都看不出他是短命相。”

在古家吃了饭，师徒二人同车而出。古应春将他送到了船公司，自己便到他的做地产的号子里，派“出店老司务”去买蟹，还特为关照：只要好，价钱不论。

有这一句话，事情就好办了。那老司务也很能干，到内河码头上等着，等到一只嘉兴来的船，载来十几篓蟹，眼明手快，先把住一篓好的不放手，然后再谈价钱。

“五钱银子一个，大小不论。这一篓三十二个，格外克己，算十五两银子。”

“十五两银子，还说克己？”

“要就要，不要拉倒。你要晓得，蟹在嘉兴不贵，这一路到上海，是拿性命换来的。难道不值五钱银子一个？”说着，就要来夺回他的货色。

老司务哪里肯放？但是也不能照数付价，他摸出十二两现银，塞到货主手里。此人不肯接，软磨硬吵，十四两银子成交。

将蟹送到古家，七姑奶奶刚好回家。拿蟹来看，只见金毛紫背，壮硕非凡，取来放在光滑如镜的福建漆圆桌上，八足挺立，到处横行。那老司务看着，不由得就咽唾沫。

七姑奶奶本性厚道，也会做人，当时便对老司务说：“买得多了，你拿几个带到号子里，跟同事分着尝尝。”说着便从篓子里拎了一串出来，恰好五尖五团，整整十个，就手递了过去。

老司务却不肯要，无奈七姑奶奶执意要大家分尝，只好带了回去。然后七姑奶奶亲自下厨，指挥厨子用紫苏蒸蟹，接着又开箱子找出一套银餐具，小钳子、小钉锤，做得极其玲珑可爱。

正在吃得热闹的当儿，只见人影幢幢，有人声，也有脚步声——七姑奶奶天不怕、地不怕，就怕见这种情形，一下子吓得手足发软、脸色苍白。因为她家在她六岁的时候，遭过一阵火灾，当时的情形就是如此，快三十年了，印象不消，余悸犹在。

“不要这样子，”她又气又急地喊，“你们在乱什么？”

一句话没有完，只见男仆扶进一个人来。七姑奶奶越发惊心，但总算还好，一眼瞥见古应春是好好的。古应春抢上几步，亲手揭开门帘，不断地喊：“扶好，扶好！”又抽空向里说了句，自是对七姑奶奶而发，“快叫人搬一张藤靠椅来！”

惊魂初定的七姑奶奶问道：“谁啊？”

不知从哪里闪出来一个萧家骥，接口说道：“胡先生！”

“哪个胡先生？”

“还有哪个？小爷叔！”

七姑奶奶一听心就酸了，急急往门口迎了出去，正好男仆扶着胡雪岩到门口，灯光映照。哪里还认得出来？

“是小爷叔？”

“七姐！”于思满脸、憔悴异常的胡雪岩勉强笑了笑，露出一嘴森森的白牙，“是我。”

“真是小爷叔？”七姑奶奶双泪交流，“怎么弄成这个样子？”

“这时候哪里有工夫说话！”古应春不耐烦地催促，“还不快搬藤椅来？”

七姑奶奶赶紧回身指挥丫头，搬来一张藤椅，铺上褥子。男仆们七手八脚地将胡雪岩扶着躺下，她这时才发觉，胡雪岩一条腿受伤了。

“快请医生来！拿姜汤！”古应春一迭连声地吩咐，“熬粥！”

事出突兀，七姑奶奶乱了枪法，倒是萧家骥比较镇静：“师父，你让胡先生先坐定了再说。”

胡雪岩那边坐定下来，已有丫头端来一碗红枣姜汤。他一面喝，一面喘气，手在发抖，腿在抽筋，那副样子看在七姑奶奶眼里，视线立刻就模糊了。

“这是虚极了！”古应春对他妻子说，“这时候还不能多吃东西。你把那支老山人参拿出来。”

这是因为胡雪岩已经两个月没有吃过一顿饱饭。他坐只小船一路逃出来，由于身上带着公事，不敢露面，昼伏夜行穿过一个接一个的“长毛窝”，沿途也不容易弄到食料。就算有，也不能尽情饱餐，因为他肠胃太弱，骤饱之下，无法消化。相传每年冬天开施粥厂，头一天总有几个穷汉因为过于贪心而胀死。七姑奶奶也懂这个道理，急急去取了那支出自大内、珍藏已久的吉林老山人参来，让胡雪岩嚼咽而食，扶保元气。

“小爷叔，”七姑奶奶望着他那条受伤的腿说，“我看看你的伤口。”

说着，她就要伸手去捧他的脚，胡雪岩急忙往里一缩。伤是在嘉兴附近为长毛盘问时，一句话不对劲被砍了一刀。无医无药，他在荒郊野庙胡乱找了些香火掩敷，从小褂子上撕了些布条扎紧。如今伤口正在溃烂，血污淋漓，肮脏不堪，所以胡雪岩不愿让她沾手。

“七姐，你不要动它。”胡雪岩说一句便喘气，停了一下又说了两个字，“我饿！”

“我晓得，我晓得！粥在熬了。”七姑奶奶想到一个办法，“我先弄些东西来给小爷叔吃。”

她亲自入厨，舀了一碗现成的鸡汤，撇去浮油，撕一块脯子肉剁成肉泥，倒在汤里，然后取一块米粉做的奶糕，在鸡汤中捣碎泡化，成了一碗“浆糊”，亲手捧给胡雪岩。

一闻见香味，胡雪岩先就忍不住连连咽着唾沫，接到手里恨不得一下子吞进肚里，但他想到，过于露出“馋相”，会伤他们夫妻的心，所以不得不强自抑制着，装得斯文从容地，一匙一匙舀着吃。

一大碗浆糊吃得光光，实在意犹未足，他便用无可奈何的声音说道：“七姐，五脏庙还在造反。”

“小爷叔，”古应春劝他，“等下再吃！”

“喔！”胡雪岩点点头，但脸上是异常失望的神色。

七姑奶奶大为不忍，但也不能不顾他的肠胃，随即说道：“这样吧，弄点吃不坏的东西来吃。”

于是她装了几盘零食，松子、杏仁、蜜枣、金橘饼之类，为他“煞馋”。而就在这个时候，伤科医生到了，检视伤口，认为相当严重，总要半个月才能行动。

“这，这办不到，”胡雪岩很着急地说，“至多三五天，我一定要回去。”

“什么？”七姑奶奶急急问道，“小爷叔，你还要回去？回杭州？”

“是啊！杭州城里，多少张嘴都朝天张大了在等我。”

“小爷叔是受王抚台的重托，特为到上海来买米的。”古应春向七姑奶奶解释，“这是救命的事，小爷叔确是不便耽搁。我已经派人去请五哥来商量了。不过，”他转脸向伤科医生问道，“先生，无论如何要请你费心。不管用什么贵重药，总要请你想个法子，让我们这位小爷叔三五天以内就能走动。”

“真的。”这时的七姑奶奶也帮着恳求，“郎中先生，你要做做好事。我们这位小爷叔早到一天，杭州城里就要多活好些人。这是阴功积德的大好事。郎中先生，你一生看过的病人，没有比这位再要紧的。”

最后这句话很有力量，伤科医生大为动容，将他的伤口左看右看，攒眉咂嘴了好半天，说出一句话来。

“办法是有，只怕病人吃不起痛苦。”

“不要紧！”胡雪岩咬一咬牙说，“什么痛我都不在乎，只要早好！”

“说说容易。”伤科医生大摇其头，“看你的样子，人是虚弱到了极点。痛得厉害，人会昏过去。等我想想。”他转脸问道，“古先生，你不是认识外国医生？”

这一说，提醒了古应春，他悔恨不迭。只因为胡雪岩的模样令人震惊，他一时昏瞀，竟想不起请西医，如今倒不便“另请高明”了。

"是嘛！"他只好先回答了再说。

"外国医生的看法来得慢，不过他们有两样药很管用，你能不能去要点止痛药来？"

"这——"古应春面有难色。他知道西医跟中医不同，不曾诊视过病人，不肯随便给药，而且止痛的药也不止一种，有外敷、有内服。

"要哪一种止痛药，总得有个药名才好。"

"药名就说不出来了，叽里咕噜的洋文，弄不清楚。"伤科医生略停一下，下了决心，"算了！耽误时候，也不是一回事，我先动手。"

于是他从药箱里取出一个布包，一打开来，雪亮耀眼，是几把大小不同的刀钳。然后他用新棉花擦拭伤口，运刀剜去腐肉，疼得胡雪岩满头大汗。古应春和七姑奶奶心惊肉跳，也陪着他淌汗，同时还得故作镇静，想出话来安慰病人。七姑奶奶像哄小孩似的，不断地说："不疼、不疼，马上就好了。"

毕竟好了，敷上止血定痛的"降香散"，包扎妥当。伤科医生自己也大大地舒了口气。"总算还好，没有变成破伤风。"他说，"'金疮出血太多，其脉虚细者生。'如今千万要好好照料，疏忽不得。"

接着他又说了许多禁忌，不能劳动，不能生气，不能大说大笑，还要"忌口"。咸、酸、辣和热酒、热汤都不能喝，连热粥也在禁忌之列。

"糟了！"七姑奶奶说，"刚喝了一大碗热鸡汤。"

"喝也喝过了，提它干什么？"古应春说，"以后小心就是了。"

等伤科医生一走，古应春要改请西医来看。七姑奶奶不赞成，胡雪岩也表示不必，因为他自觉痛楚已经减轻，证明这位伤科医生有些手段，自不宜更换医生。

"我精神好多了。"胡雪岩说，"办大事要紧。五哥怎么还不来？"

"今天是他一个徒弟续弦，在吃喜酒，我已经派人去追了。小爷叔，"古应春说，"有事你先分派我。"

"好！"他探手入怀，掏摸了好半天，才掏出一个油纸包，递了给古应春。

打开油纸包，里面是王有龄惊心动魄的两通血书。一通致闽浙总督庆端，乞援以外，更望设法督催一直逗留在衢州的李元度，带领所募的湘勇，往杭州这方面打，好牵制长毛，减轻杭州的压力。

还有一通是给江苏巡抚薛焕的，要求筹饷筹粮，同时附着一件奏稿，托薛焕代缮拜发。其中详叙杭州被围绝粮，归咎于驻在绍兴的团练大臣王履谦，他勾结劣绅，把持地方，视省城的危急如秦人之视越。更骇人听闻的是，他居然唆使莠民戕害命官——九月二十四，长毛窜陷钱塘江南岸与杭州隔水相望的萧山，绍兴知府廖宗元派炮船迎头拦击，但寡不敌众，官军败退。王履谦和萧绍一带的百姓，平时就与官军不和，猜忌甚深。这时以为炮船通敌，回来是替长毛带路，王履谦便下令包围活捉，格杀不论。

廖宗元得报，知道这纵非诬陷，也是极严重的误会，赶紧亲自出城弹压。暴民一声呼啸，将廖宗元从马上拉下来痛殴，王履谦袖手旁观，默赞其事。由这一番内讧，替敌人制造了机会。长毛长驱猛扑，兵不血刃而陷绍兴。长毛进城的前一天，王履谦携带家眷辎重，由绍兴逃到宁波，经海道逃到福建，而杭州的粮道，也就此断了。王有龄自然要参劾王履谦，措词极其严厉，甚至有“臣死不瞑目”的话，可以想见他对王履谦怨恨入骨。

“这两封血书，”古应春问道，“怎么样处置？”

“都送薛抚台……”

“好。”古应春不等他话完，就要起身，“我连夜送去。”

“这倒不必。明天一早送去好了。我还有话。”

“是！你说。”

“我要托你面见薛抚台。”胡雪岩虽然气弱，但低微的语声中，仍然显得很有决断，“米，我自己想办法。运米的船，回头要问五哥，能够不麻烦官府最好。不过，他要替我派兵护运。”

“这条路通吗？”

“有一条路好走，你不明白。五哥知道，等他来了再说。”胡雪岩又说，“还有几首诗，也请你送给薛抚台。你说我因为腿伤，不能当面去见他，要问杭州惨状到什么样子，请他看这几首诗就知道了。”

一面说，一面又在衣襟中摸索半天，才掏出几张极皱的纸。古应春摆在桌上抹平了细看，标题叫“辛酉杭城纪事诗”，作者名叫张荫榘。一共是十二首七绝，每首都有注解，看到第五首，古应春念道：

雍容铃阁集簪裾，九月秋清气象舒；

无数妖氛惊乍逼，十门从此断军书。

诗下的注解是：“九月二十六日，贼以数十万众围城，十门紧闭，文报从此不通，居民如笼中鸟，釜中鱼。”

古应春念到这里，屈指数了一下：“今天十一月初五，围了四十天了。”

“四十天不算多，无奈缺粮已久，围到第十天就人心大乱了。”胡雪岩叹口气说，“你再看下去。”

接下去看，写的是：

十面城门十面围，大臣谁是识兵机？

国人望岁君胡胄，传说张巡整队师。

注是：“十月初六日，张军门玉良援到，大获胜仗。即派况副将文榜于下午入城见王中丞有龄，请城内连夜移兵出扎，便可与张军门联络，以通粮道。饶军门从旁阻之云：‘明日总来得及。’不料伪逆李秀成连夜筑成木城，于是饷道与张营隔绝。而十城隔濠，亦遍筑土城。当张军门令况副将入城见中丞，以灭贼自任，百姓延颈觇伺，均言贼必扑灭。”

看完这首诗和原注，古应春问道：“饶军门是谁？”

“饶廷选。这个人因为救过广信府，靠沈夫人出了大名，其实没用。”

胡雪岩叹口气说，“我劝过王雪公多少次，说他因人成事，自己胆子小得很。王雪公不听我的话。救杭州就靠这个机会，错过这个机会，神仙来都没救了。”

“张玉良呢？”古应春又问，“这个人大家都说他不行，到底怎么样？”

“你再往下看，下面有交代。”

诗中是这样交代：

桓侯勇健世无双，飞炮当前岂肯降？
万马不嘶军尽泣，将星如斗落长江。

“怎么？阵亡了？”

“阵亡了。”胡雪岩摇摇头，“这个人也耽误了大事，嘉兴一败，金华、兰溪又守不住，杭州就危险了。不过，总算亏他。”

“诗里拿他比作张飞，说得他很好。”

“他是阵亡殉国的，自然要说得他好。”胡雪岩黯然说道，“我劝王雪公暂且避一避。好比推牌九摇摊一样，这一庄手气不顺，歇一歇手，重新来过。王雪公不肯，他说他当初劝何根云，守土有责，决不可轻离常州。现在自己倒言行不符，怎么交代得过去？”

“看起来王雪公倒是忠臣。”

“忠臣？”胡雪岩冷笑，“忠臣几个钱一斤？我看他——”

语声哽咽欲绝。古应春从未听胡雪岩说过什么愤激的话，而居然将“忠臣”说得一文不值，可以想见他内心的沉痛悲愤，只是苦于没有话可以安慰他。

“先吃饭吧！”七姑奶奶说，“天大的事，总也得吃饱了才好打主意。而且小爷叔真的也饿了。”

“提到杭州，我哪里还吃得下饭？”胡雪岩泪汪汪地抬眼，“你看最后那两首诗。”

古应春细细看了下，颜色大变，七姑奶奶不免奇怪。“怎么了？”她问，“说的什么？”

“你听我念！”古应春一个字一个字地念。

剜肉人来非补疮，饥民争啖事堪伤；
一腔热血三升血，强作龙肝凤脯尝。

“什么？”七姑奶奶大惊问道，“人吃人？”

古应春不即回答，一个字一个字地念着注解：“兵勇肆掠，居民鸣锣捕获，解送凤山门王中丞常驻之处。中丞询实，请王命尽斩之。尸积道旁，兵士争取心肝下酒，饥民亦争脔食之。‘食人肉’，平日见诸史乘者，至此身亲见之。”

就这一段话，将厅前厅后的人，听得一个个面无人色，七姑奶奶连连摇头：“世界变了！有这样的事！”

“我也不大相信。小爷叔，真有其事？”

“不但真有其事，简直叫无足为奇。”胡雪岩容颜惨淡地喘着气说，“人饿极了，什么东西都会吃。”

他接下来，便讲杭州绝粮的情形。这年浙西大熟，但正当收割之际，长毛如潮水般涌到，官军节节败退，现成的稻谷，反而资敌，得以作长围久困之计。否则，数十万长毛无以支持，杭州之围也就不解而自解了。

杭州城里的小康之家，自然有些存粮，升斗小民，却立刻就感到了威胁。米店在闭城之前，就已歇业。于是胡雪岩发起开办施粥厂，上中下三城共设四十七处，每日辰、申两次，每次煮米一石，粥少人多，老弱妇孺挤不到前面，有去了三四次空手而回的。

没有多久，粥厂就不能不关闭。但官米还在计口平卖，米卖完了卖豆子，豆卖完了卖麦子。有钱的人家，另有买米的地方，是拿黄金跟鸦片向旗营的八旗兵私下交换军粮。

又不久，米麦杂粮都吃得光光，便吃药材南货，熟地、米仁、黄精都可以代饭。枣栗之类，视如珍品，而海参、鱼翅等席上之珍，反倒是穷人的食料。

再后来就是吃糠、吃皮箱、吃钉鞋——钉鞋是牛皮做的，吃浮萍、吃草根树皮。杭州人好佛，有钱人家的老太太，最喜欢“放生”。有处地方叫小云栖，专养放生的牛羊猪鸭，自然一扫而空了。

“杭州城里的人，不是人，是鬼。一个个骨头瘦得成了一把，望过去脸上三个洞，两个洞是眼睛，一个洞是嘴巴。走在路上，好比‘风吹鸭蛋壳’，飘飘荡荡，站不住脚。”

胡雪岩喘口气，很吃力地说：“好比两个人在路上遇着，有气无力在谈话，说着说着，有一个就会无缘无故倒了下去。另一个要去扶他，不扶还好，一扶头昏眼花，自己也一跟头栽了下去，爬不起来了。像这样子的‘倒路尸’，不晓得有多少。幸亏是冬天，如果是夏天，老早就生瘟疫了。”

“那么，”七姑奶奶急急问道，“府上呢？”

“生死不明。”胡雪岩垂泪说道，“早在八月里，我老娘说是避到乡下好。全家大小送到北高峰下的上天竺，城一关，就此消息不知。”

“一定不要紧的。”七姑奶奶说，“府上是积善之家，老太太又喜欢行善，吉人天相，一定平安无事。”

“唉！”古应春叹口气，“浩劫！”

* * *

这时已经钟打八点，一串大蟹，蒸而又冷，但得知素称佛地的杭州，竟有人吃人的惨状，上上下下，谁都吃不下饭。七姑奶奶做主人的，自不能不劝，但草草终席，塞责而已。

吃饱了的，只有一个闻信赶来的尤五。吃他徒弟的喜酒，他自然被奉为上宾，席间听得胡雪岩已到的消息，急于脱身，但仍旧被灌了好些酒，方得离席。此时一见之下，他的酒意去了七八分，只望着胡雪岩发愣。

“小爷叔，怎么弄成这个样子？”

“五哥，你不要问他了。真正人间地狱，九死一生，现在商量正事吧！”

“请到里头来。”七姑奶奶说，“我替小爷叔铺排好了。”

她将胡雪岩的卧室安排在古应春书斋旁边的一间小屋。裱糊得雪白的窗子，生着极大的火盆，一张西洋铜床铺得极厚的被褥。同时又预备了“独参汤”和滋养而易于消化的食物，让他一面吃、一面谈。

实际上是由古应春替他发言。“五哥，”他说，“杭州的百姓都要活活饿死了。小爷叔是受王抚台的重托，到上海来办米的，越多越好，越快越好。”

“浙江藩库发了两万银子，现银没法带，我是空手来的。”胡雪岩说，“我钱庄里也不知道怎么样，五哥，这笔账只好以后再算了。”

“钱小事，”古应春接口说道，“我垫。”

“也用不着你垫，”尤五接口说道，“通裕庄一千石米在仓里，另外随时可以弄一千石，如果不够，再想办法。米总好办，就是怎么样运法？”

“运河不通了，嘉兴这一关就过不去。”胡雪岩说，“只有一条路，走海道经鳖子门。”

鳖子门在海宁，是钱塘江入海之处，在明朝是杭州防备倭患的第一门户。尤五对运河相当熟悉，海道却陌生得很，便老实说道：“这我就搞不清楚了。要寻沙船帮想办法。”

沙船帮走海道。从漕米海运之议一起，漕帮跟沙船帮就有势不两立的模样。现在要请他跟沙船帮去打交道，未免强人所难。胡雪岩喝着参汤，还在肚子里盘算，应该如何进行，古应春却先开口了。

“沙船帮的郁老大，我也有一面之识。事到如今，也说不得冒昧了。我去！”

说着，他就站起身来。尤五将他一拉，慢条斯理地说：“不要忙，等我想一想。”

胡雪岩依然非常机敏，看出尤五的意思，便挣扎着起身。七姑奶奶赶紧一面扶，一面问：“小爷叔，你要啥？”

胡雪岩不答她的话，站起身，叫一声：“五哥！”便跪了下去。

尤五大惊，一跳老远，大声说道：“小爷叔、小爷叔，你这是为啥？折煞我了。”

古应春夫妇双双将他扶了起来，七姑奶奶要开口，他却摇摇手说：“我是为杭州的百姓求五哥！”

“小爷叔，你何必如此？”尤五只好说痛快话了，“只要你说一句，哪怕郁老大跟我是解不开的对头，我也只好去跟他说好话。”

他跟郁老大确是解不开的对头。郁老大叫郁馥山，家住小南门内的乔家浜，以航行南北洋起家，发了好大一笔财。本来一个走海道，一个走运河，真所谓“河水不犯井水”，并无恩怨可言，但从南漕海运以后，情形就很不同了。尤五倒还明事理，大势所趋，不得不然，并非郁馥山有意想承揽这笔生意，打碎漕帮的饭碗。但他手下的小弟兄，却不是这么想。加以沙船帮的水手趾高气扬，茶坊酒肆，出手阔绰，漕帮弟兄相形见绌，越发妒恨交加，常起摩擦。

有一次两帮群殴，说起来，道理是漕帮这面欠缺。但江湖事，江湖了，而郁馥山听信了江苏海运局中几个候补佐杂的话，将尤五手下的几个弟兄扭到了上海县衙门。知县刘郇膏是江苏的能员，也知道松江漕帮是“百足之虫，死而不僵”，不愿多事；同时古应春在上海县衙门也算是吃得开的，受尤五之托，去说人情。两下一凑，刘郇膏大事化小，小事化无，传了尤五到堂，当面告诫一番，叫他具了“不再滋事”的切结，将人领了回去。

这一下结怨就深了。在尤五想，连县大老爷都知道松江漕帮不好惹，网开一面，郁馥山反倒不讲江湖义气，不想想大家都是“靠水吃水”，一条线上的人。既然如此，两不往返。尤五特地召集所属码头的头脑，郑重宣布：

凡是沙船帮的一切，松江漕帮，不准参预；有跳槽改行到沙船帮去做水手的，就算“破门”，从今见面不认。

郁馥山自己也知道做错了一件事，深感不安，几次托人向尤五致意，希望修好。尤五置之不理，如今却不得不违反自己的告诫，要向对方去低头了。

“为小爷叔的事，三刀六洞，我也咬一咬牙‘顶’了。不过这两年，我的旗号扯得忒足，一时无法落篷。难就难在这里。”

“五哥，你是为杭州的百姓。”胡雪岩说，“我腿伤了，没办法跟郁老大去办交涉。话说回来了，出海进鳖子门这一段，不要紧；一进鳖子门，反有风险。郁老大作兴不肯点头，只有你去托他，他要卖你一个交情，不肯也得肯。至于你说旗号扯得太足，落不下篷，这也是实话。我倒有个办法，能够让你落篷，不但落篷，还让你有面子，你看怎么样？”

“小爷叔，你不要问我，你说怎么样，就怎么样。其实我也是说说而已。真的没有办法也只好硬着头皮去见郁老大。”

“不会让你太受委屈。”胡雪岩转脸说道，“老古，我请你写封信，写给何制台……”

“写给何制台？”古应春说，“他现在不知道躲在哪里。”

“这难道打听不到？”

“打听是一定打听得到的。”尤五接口说道，“他虽然革了职，要查办，到底是做过制台的人，不会没人晓得。不过，小爷叔，江苏的公事，他已经管不到了，你写信给他为啥？”

“江苏的公事他虽管不到，老长官的账，人家还是要买的。”胡雪岩说，“我想请他交代薛抚台或者上海道，让他们出来替五哥跟郁老大拉拉场。”

“不必，不必！”尤五乱摇双手，“现任的官儿，我跟他们身份不配。这种应酬，场面上尴尬得很，多一事不如少一事。”

古应春倒觉得胡雪岩的话大有道理，便道：“冤家宜解不宜结，如有地方大员出面调停，双方都有面子，应该顺势收篷了。”

“这还在其次，”他接下来讲第二个理由，“为了小爷叔的公事，郁老大的沙船是无论如何少不了的。不过风险太大，就算买五哥你的面子，欠他的这个情，将来很难补报。有官府出面，一半就等于抓差。五哥，你的人情债不就可以轻得好多？”

“老古的话，一点不错。”胡雪岩连连点头，“我正是这个意思。”

既然他们都这样说，尤五自然同意。于是胡雪岩口述大意，古应春代为执笔，写好了给何桂清的信，约定第二天一早分头奔走，中午都得办妥。至于运米的细节，要等尤五跟郁馥山言归于好以后才谈得到。

安顿好了两拨客人，七姑奶奶上床已交半夜子时了。她向丈夫问起胡雪岩的公事，听说其中有写信给何桂清的这一段周折，当时就“跳”了起来。

“这是什么时候？还容得你们‘城头上出棺材，大兜大转’！且不说杭州城里的老百姓，都快饿死光了，光是看小爷叔这副样子来讨救兵，就该连夜办事。”她气鼓鼓地说，“真正是，看你们男子汉大丈夫，做事怎么这样子娘娘腔？”

古应春笑了。“你不要跟我跳脚，你去问你哥哥！”他说，“不是我劝，五哥跟郁老大的过节还不肯解呢！”

“等我去！”七姑奶奶毫不迟疑地，“等我去跟五哥说。”

不用她去，尤五恰好还有私话要跟妹夫来说，一开门就遇见，见她满脸不悦的样子，不由得诧异。

“怎么？跟哪个生气？”

古应春一听这话，赶紧拦阻：“七姐，你跟五哥好好说。五哥有五哥的难处，只要你讲得有道理，五哥会听的。”

“好，我就讲道理。五哥，你进来坐。我请问你一句话，是小爷叔的交情要紧，还是什么制台、抚台的面子要紧？”

“你问这话啥意思？”

“自然有讲究。你先回了我的话，我再讲缘故给你听。”

"当然小爷叔的交情要紧。"

"好！"七姑奶奶脸色缓和下来了，"我再问一问，杭州一城百姓的命，跟我们漕帮与郁老大的过节，五哥，你倒放在天平上称一称，哪一方来得重？"

尤五哑然，被驳得无话可说。古应春又高兴，又有些不安。因为虽是娘舅至亲，到底要保持一份客气，有些话不便率直而言。现在有了"女张飞"这番快人快语，足以折服尤五，但他又怕妻子得理不让人，再说下去会使得尤五起反感，希望她适可而止。

七姑奶奶长了几岁，又有了孩子，自然亦非昔比。此时她声音放得平静了："依我说，小爷叔是想替你挣面子，其实主意不大高明。"

"这样说，你必有高明主意。"古应春点她一句，"倒不妨慢慢说给五哥听一听，看看行不行得通？"

"要做官的出来拉场，就有点吃罚酒的味道，不吃不行……"

"对！"尤五一拍大腿，大为称赏，"阿七这话说到我心里了，小爷叔那里我不好驳，实实在在是有点这样的味道。"

"江湖事，江湖了。"七姑奶奶又有些慷慨激昂了，"五哥，你明天去看郁老大，只说为了杭州一城百姓的性命，小爷叔的交情，向他低头，请他帮忙。这话传出去，哪个不说你大仁大义？"

尤五凝神想了一下，倏然起身，一句话不说就走了。他要跟妹夫说的私话，就是觉得不必惊动官府，看看另外有更好的办法没有。这话，现在也就不必再说了。

一到小南门内乔家浜，老远就看到郁家的房子，既新且大。郁馥山的这所新居，落成不久，就有小刀会起事为刘丽川头尾盘踞了三年。咸丰五年大年初一，江苏巡抚吉尔杭阿由法国海军提督辣尼尔帮忙，克复了上海县城。郁馥山收复故居，大事修葺，比以前更加华丽了。

尤五还是第一次到郁家来，轻车简从，无人识得。他向来不备名帖，只指一指鼻子说："我姓尤，松江来的。"

尤五生得劲气内敛，外貌不扬，衣饰亦朴素得很。郁家的下人不免轻视，当他是来告帮求职的，便淡淡地说了句："我们老爷不在家，你明天再来。"

"不，我有极要紧的事，非见你家老爷不可。请派人去找一找，我就在这里立等。"

"到哪里去找？"郁家的下人声音不好听了。

尤五是极有涵养的人，而且此来既然已下了降志以求的决心，亦就容易接受委屈，便用商量的语气说道："既然如此，你们这里现成的条凳，让我坐等，可以不可以？"

郁家门洞里置两条一丈多长的条凳，原是供来客随带的跟班和轿夫歇脚用的。尤五要坐，有何不可？尽管请便就是。

这一坐坐了有个把时辰，只见来了一辆极漂亮的马车。跨辕的俊仆跳下车来，将一张踏脚凳放在车门口，车厢里随即出来一名华服少年，昂然入门。

这个华服少年是郁馥山的大儿子郁松年，人称"郁家秀才"。郁馥山虽发了大财，但总觉得子侄不得功名，虽富不贵，心有未足，所以延请名师，督促郁松年下帷苦读。但郁松年"场中莫论文"，一直连个秀才都中不上，因而郁馥山捐银五万，修葺文庙。朝廷遇有这种义举，不外两种奖励，一种是饬令地方官为此人立牌坊褒奖，一种是增加"进学"，也就是秀才的名额。郁馥山希望得到后一种奖励，经过打点，如愿以偿。

这是为地方造福，但实在也是为自己打算。学额既已增加，"入学"就比较容易，郁松年毕竟得青一衿。秀才的官称叫作"生员"，其间又有各种分别，占额外名额的叫作"增生"，但不论如何，总是秀才。称郁松年为"郁家秀才"，表示这个秀才的名额是郁家斥巨资捐出来的，当然有点菲薄的意味在内。

但是郁松年倒非草包。他虽不免纨绔习气，却是有志于学，彬彬有礼。

当时他已经在下人一片“大少爷”的招呼声中，进入屏门，忽然发觉有异，站定了，回身注视，果然看到了尤五。

“尤五叔！”他疾趋而前，请了个安，惊喜交集地问，“你老人家怎么在这里？”

“我来看你老人家，”尤五气量甚宽，不肯说郁家下人的坏话，“听说不在家，我等一等好了。”

“怎么在这里坐？”郁松年回过脸去，怒声斥责下人，“你们太没有规矩了，尤五爷来了，怎么不请进去，让贵客坐在这里？”

原先答话的下人，这才知道自己“有眼不识泰山”。自家主人跟尤五结怨，以及希望修好而不得的经过，他平时早就听过不止一遍。如今人家登门就教，自己反倒慢客，因此而得罪了尤五，过在不宥，说不定就此敲碎了绝好的一只饭碗，所以吓得面无人色。

尤五见此光景，索性好人做到底了。“你不要骂他，你不要骂他。”他赶紧拦在前面，“管家倒是一再邀我进去，是我自己愿意在这里等，比较方便。”

听得这一说，郁松年才不言语。“尤五叔，请里面坐！”他说，“家父在勘察城墙，我马上派人去请他回来。”

“好的，好的！实在是有点要紧事，不然也不敢惊动你老人家。”

“尤五叔说哪里话？请都请不到。”

肃客入厅，只见华堂正中悬一块蓝底金字的匾额，御笔四个大字：功襄保赤。这就是郁馥山此刻去勘察城墙的由来。当上海收复时，外国军舰在浦江南码头开炮助攻，从大南门到大东门的城墙，轰坏了一大片，朝廷以郁家巨宅曾为刘丽川盘踞，郁馥山难免资匪之嫌，罚银十万两修复城墙，而经地方官陈情，又御赐了这一方匾额。如今又有长毛围攻上海的风声，郁馥山怕自己所修的这段城墙不够坚固，万一将来由此攻破，责任不轻，所以连日勘察，未雨绸缪。

听郁松年说罢究竟，尤五趁机安了个伏笔。“令尊一向热心公益，好极、好极！”他说，“救人就是救己，我今天就是为了这件事来的。”

“是！”郁松年很恭敬地问道，“尤五叔是先吩咐下来，还是等家父到了再谈？”

“先跟你谈也一样。”于是尤五将胡雪岩间关乞粮的情形，从头细叙。谈到一半郁馥山到家，打断了话头。

“尤五哥，”郁馥山是个中号胖子，走得上气不接下气，又喘又笑地说，“哪阵风把你吹来的？难得，难得！”

“无事不登三宝殿，有件事来求你，正跟你们老大谈。”

郁松年接口提了一句：“是要运粮到杭州……”

郁馥山脑筋极快，手腕极其圆滑，听他儿子说了一句，立刻就猜想到一大半，急忙打岔说：“好说，好说！尤五哥的事，总好商量。先坐定下来。多时不见，谈谈近况。尤五哥，你的气色好啊，要交鸿运了！”

“托福，托福。郁老大，今天我来……”

“我晓得，我晓得。”郁馥山不容他谈正事，转脸向他儿子说道，“你进去告诉你娘，尤五叔来了，做几样菜来请请尤五叔，要你娘亲手做。现成的‘糟钵头’拿来吃酒，我跟你尤五叔今天要好好叙一叙。”

尤五早就听说，郁馥山已是百万身家，起居豪奢，如今他要他结发妻子下厨，亲手治馔款客，足见不以富贵骄人。这点像煞不忘贫贱之交的意思，倒着实可感，尤五也就欣然接受了盛情。

摆上酒来，宾主相向相坐。郁馥山学做官人家的派头，子弟侍立执役，任凭尤五怎么说，郁松年不敢陪席。等他执壶替客人斟满了，郁馥山郑重其事地双手举杯，高与鼻齐，专敬尤五，自然有两句要紧话要交代。

“五哥，”他说，“这几年多有不到的地方，一切都请包涵。江海一家，无分南北西东。以后要请五哥随处指点照应。”说着，他仰脸干了酒，翻杯一照。

尤五既为修好而来，自然也干了杯。“郁老大，”他也照一照杯，“过去的事，今天一笔勾销。江海一家这句话不假，不过有些地方，也要请老大你手下的弟兄，高抬贵手！”

“言重，言重！”郁馥山惶恐地说了这一句，转脸问道，“看福全在不在？”

尤五也知道这个人，是帮郁馥山创业的得力助手，如今也是面团团的富家翁。当时将他唤了来，不待郁馥山有所言语，他便兜头作了个大揖，满脸赔笑地寒暄：“尤五叔，你老人家还认得我吧？”

“喔，”尤五有意眨一眨眼，做出惊喜的神气，“是福全哥，你发福了。”

“不敢当，不敢当。尤五叔，你叫我小名好了。”

“真的，他们是小辈，尤五哥你客气倒是见外了。”郁馥山接着转脸告诫福全，“你关照下去，江海一家，松江漕帮的弟兄，要当自己人一样，处处尊敬、处处礼让。尤五叔有啥吩咐，就跟我的话一式一样。”

他说一句，福全答应一句，神态不但严肃，而且诚恳。江湖上讲究的是“受人一尺，还人一丈”，尤五见此光景，少不得也有一番推诚相与、谦虚退让的话交代。

多时宿怨，一旦解消，郁馥山相当高兴。从利害关系来说，沙船帮虽然兴旺一时，但漕帮到底根深蒂固，势力不同，所以两帮言归于好，在沙船帮更尤其来得重要。郁馥山是个极有算计的人，觉得这件事值得大大铺张一番，传出去是尤五自己愿意修好，岂不是足可以增加光彩与声势的一件好事？

打定了主意，他当即表示，就在这几天，要挑个黄道吉日，大摆筵宴，略申敬意。他言语恳切，尤五不能也不宜推辞，当下未吃先谢，算是定了局。

这一下情分就更觉不同，郁馥山豪饮快谈，兴致极好。尤五却颇为焦急，他是有要紧事要谈，哪有心思叙旧？但又不便扫郁馥山的兴致。这样下去，等主人喝得酩酊大醉，岂不白来一趟？

等了又等，也是忍了又忍，快将忍不住时，郁松年看出苗头，提醒他父亲说："爹！尤五叔有事要跟爹商量呢！"

"喔，喔，是的。"郁馥山不能再装马虎了，随即转脸说道，"尤五哥，你倒请再说一遍看。"

"是这样的，有一批米，要借重老大你的船，走海道，由海宁进鳖子门，入钱塘江，运到杭州。"尤五又说，"杭州城里的百姓，不但吃草根树皮，在吃人肉了。所以这件事务必要请老大你帮忙，越快越好。"

"尤五哥，你的事，一句话。不过，沙船帮的情形，瞒不过你。鳖子门这条路从来没有去过，水性不熟，会得搁浅，岂不耽误大事？"他紧接着说，"当然，漕帮弟兄可以领路，不过沙船走江里，路道不对。这样子，我马上找人来商量，总要想条万全之计。好不好明天给你回话？"

听得这一说，尤五颇为不悦。他心里在想，这种兵荒马乱的时候，到哪里都是冒险，就算承平时候，风涛险恶，也没有什么保险不出事的把握，说要想一条万全之计，不就是有心推托？

想是这样想，当然绝没有发作的道理，不过话要点他一句。"郁老大，"他说，"亲兄弟，明算账，人情归人情，生意归生意。请你仔细盘算一下，运费出公账，何必放着河水不洗船？"

"言重，言重！尤五哥，你误会了，我决不是在这上头打算盘。为的是——"郁馥山觉得怎么样说都不合适，而且也要问问路上的情形，便改口问道，"尤五哥，那位胡道台，我久仰大名，好不好领我会一会儿他？"

胡道台就是胡雪岩，这几年连捐带保，官运亨通，成了浙江省城里亦官亦商的一位特殊人物。尤五原就有意替他们拉拢见一面，现在郁馥山自己开口，当然毫无推辞，而且表示："说走就走，悉听尊便。"

"今天太匆促了！一则喝了酒，二则，草草未免不恭。准定明天一早，我去拜访。不知道胡道台耽搁在哪里？"

"他住在舍亲古应春家。明天一早我来接。"

"原来是老古那里。我们也是熟人，他府上我去过。不必劳驾，我自己去就是了。"

谈到这里，告一段落，而且酒也够了，尤五起身告辞。一回到古家，七姑奶奶迎上前来，虽未开口，那双眼睛却比开口还显得关切。

“怎么样？”

尤五不答，只问胡雪岩的伤势如何。这倒是使得七姑奶奶可以高兴的，夸赞伤科医生有本事。胡雪岩的痛楚大减，伤口好得很快，预计三天以后，就可以下床走动了。

“这也是人到了这里，心就安了。”七姑奶奶又说，“人逢喜事精神爽，郁老大如果肯帮忙，真比吃什么药都有用。”

“帮忙是肯帮的，事情没有那么快。先跟小爷叔谈了再说。”

于是从头谈起。一旁静听的七姑奶奶，先是一直含着笑，听到郁馥山说要明天才有回话，一下子跳了起来。

“这明明是推托嘛！”

“七姐，”胡雪岩赶紧拦住她说，“人家有人家为难的地方，你先不要着急，慢慢儿商量。”

“我是替你着急，小爷叔！”

“我晓得，我晓得。”胡雪岩依旧从容不迫地，“换了我是郁老大，也不能不仔细。海面上没有啥，一进了鳖子门，走在钱塘江里，两岸都是长毛，他自然要担足心事。这件事只有这样办。一方面，我们要跟他说实话，哪里有危险，哪里没有危险，出了危险，怎么样应付；一方面得要请他放点交情，冒一冒险。俗语说，‘前半夜想想人家，后半夜想想自己。’我们现在先想自己，有什么好处到人家那里，人家肯看交情上头，冒一冒险。”

“对！”尤五不胜倾倒，“小爷叔这两句话入情入理，照这样去想，事情就可以办通了。”

“好吧！”七姑奶奶无可奈何，转个念头，自己女流之辈，可以不必来管这桩大事，便即说，“天塌下来有长人顶，与我不相干，你们去商量。”说完转身就走。

“七姐！”胡雪岩急忙喊道，“有件事非跟你商量不可。你请回来！”

她自然又立脚站定。胡雪岩原是听她的话近乎赌气，其实并没有什么事要跟她商量，不过既已说出口，倒又不得不找件事跟她商量了。

他灵机一动，开口只道：“七姐，上海我半年不曾来过了，最近有没有好的馆子？”

“有啊！”七姑奶奶答道，“新开一家泰和馆，一统山河的南北口味，我吃过几次，菜呱呱叫。”

“地方呢，宽敞不宽敞？”

“岂止宽敞？庆兴楼、复新园、鸿运楼，数得出的几家大馆子，哪一家都没有它讲究。”七姑奶奶问道，“小爷叔，你是不是要请客？”

“我的心思瞒不过七姐。”胡雪岩笑着回答，是有意恭维她一句。然后胡雪岩转脸看着尤五说：“五哥，你既然委屈了，索性看我们杭州一城百姓的面上，委屈到底。请你出面请个客，拿郁老大手下的大小角色都请到。我们漕帮弟兄，最好也都到场，给足了他面子，看他怎么说？”

“好的。一句话。”

“那就要托七姐了，定泰和馆的席。名归五哥出，钱归我出……”

“这用不着你交代。”七姑奶奶抢着说，“就不知道有多少人，要定多少桌席？”

这当然要问尤五，他慢吞吞地答道：“要么不请，请了就不管他多少人了。我只备一张帖子，统请沙船帮全体弟兄。拿泰和馆包下来，开流水席，有一桌算一桌。”

“这倒也痛快。就这么说了。”胡雪岩向七姑奶奶拱拱手，“拜托，拜托！”

七姑奶奶最喜欢排场热闹，一诺无辞，但粗中有细，想了想问道：“哪一天请？”

“不是要快嘛！”尤五答说，“要快就在明天。”

七姑奶奶不作声，将挂在门背后的皇历取了下来，翻了翻说：“明天怕不成功，是好日子，总有人做亲，在它那里请客。后天是个平日，‘宜祭祀、订盟，余事不宜’。不晓得可以不可以？”

“可以！”胡雪岩接口便说，“我们这就算‘订盟’。”

事不宜迟，七姑奶奶当时便取了一封银洋，亲自坐马车到泰和馆去订席。尤五便找古家的账房赵先生来，写好一封大红全帖，送到乔家浜郁家，同时又派人去找他一个心爱的徒弟李得隆来办事。

* * *

他们兄妹在忙，胡雪岩一个人躺在床上盘算。等尤五再回进来时，他已经盘算停当了。

“五哥，我们现在一桩桩来谈。米怎么样？”

“我已经关照下去，今天下午就可成局。”尤五答道，“虽说多多益善，也要看郁老大有多少船。总而言之一句话，只要他有船，我就有米。”

“那好，我们谈船。郁老大怕来怕去，最怕长毛。不过不要紧，长毛在岸上，我们在江里，他们没有炮船，就不必怕他们。至多坐了小划子用洋枪来攻。我们自己能有一批人，备他几十杆好枪，说开火就开火，打他个落花流水。”胡雪岩又说，“这批人，我也想好了。不知道老古跟杨坊熟不熟？”

尤五懂他的意思，点点头说：“很熟的。就不熟也不要紧。”

“何以呢？”胡雪岩问。

“小爷叔，你的意思是不是想借洋将华尔的人？”

“对啊！”胡雪岩问，“不是说洋将跟上海道的交涉，都是杨坊在居间接头的吗？”

“一点不错。杨坊是‘四明公所’的董事，宁波也是浙江，为家乡的事，他没有不肯出力的道理，就算不认识，一样也可以请他帮忙。”

“我对此人的生平不大清楚，当然是有熟人从中说话，事情更容易成功。不过，我想是这样，行不行得通，还不晓得。先要问一问老古，不知道他什么时候回来。”

“不必问他，”尤五手一指，“现成有个人在这里。”

这个人就是萧家骥。他是一早跟了古应春去办事的，由于胡雪岩关照，王有龄的两封血书要面递薛焕，所以古应春一直守在江苏巡抚设在上海的行署中，等候传见。为怕胡雪岩惦念，他特地先派萧家骥回来送信。

“你看，”胡雪岩对尤五说，“这就是我刚才盘算，要借重洋将的道理。官场办事，没有门路，就行不通。要见薛抚台一面都这么难，哪里还能巴望他派兵替我们护粮？就算肯派，也不是三天两天就走得动的。”他加重语气又说，“我主意打定了，决定我们自己想办法。”

于是尤五将他的打算告诉了萧家骥，萧家骥静静地听完，并未作声。

“怎么样？家骥！”胡雪岩催问着，已看出他另有主意。

“这件事有个办法，看起来费事，其实倒容易。”他说，“不如请英国或者法国的海军提督，派兵船护送。”

“这——”尤五首先就表示怀疑，“这行得通吗？”

“行得通的。”萧家骥说，“外国人另有一套规矩，开仗是一回事，救老百姓又是一回事。如果说这批米是军粮，他们就不便护送。为了救老百姓，当然可以。”

听这一说，胡雪岩大为高兴，但是——“这要怎么样说法，跟哪个去接头？”他问。

“我就可以去！”萧家骥自告奋勇，但立刻又加了一句，“不过先要问问我师父。”

“你的师父当然赞成，”尤五接口说道，“不过，我始终不大相信，只怕没有这么好的事。”

“那也不妨双管齐下。”胡雪岩问萧家骥，“你看，我们自己出钱，请华尔派几十个人保护，这个办法可以不可以试一试？”

“试是没有什么不可以试的。”萧家骥答说，“不过，我看很难。为什么呢——”

为的是第一，华尔部下的“佣兵”，已经为上海道吴煦“惯”坏了，花了大钱，未必能得他们的出死力；第二，这批佣兵是“步军”，在水上能不能发挥威力，大成疑问。

“说得有道理。”胡雪岩最不肯掩没人的长处，对萧家骥大为欣赏，“家骥，这件事倒要请你好好帮我一个忙。”

“胡先生言重了，有什么事，尽管吩咐就是。”

一个赏识，一个仰慕，于是尤五有了一个计较，但暂且不言，要等古应春回来了再说。

“薛抚台见着了。”古应春的神情不愉，“小爷叔，王雪公要想指望他肯出什么大力，恐怕是妄想。”

“他怎么说？”胡雪岩很沉着地问。

不问还好，问起来教人生气。薛焕叹了一大遍苦经，又怪王有龄在浙江自己不想办法练军队，军饷都接济了皖南和江西，如今局势一坏，连带上海亦吃紧；又提到他在江苏的时候，如何跋扈刚愎，言下大有落到今日的光景，是自取其咎之意。

“也难怪他！”古应春又说，“京里闹得天翻地覆，两个亲王都送了命，如今又是恭王当政，一朝天子一朝臣，曾国藩也快到两江来了，薛抚台署理两江总督跟实缺江苏巡抚的两颗印把子，看起来摇摇欲坠，心境当然不好。”

“我知道。”胡雪岩说，“你没有来之前，我跟五哥还有家骥都商量过了，本来就不想靠他。不过，他到底是江苏巡抚，王雪公的折子，一定只有请他拜发。不知道这件事，他办了没有？”

“这他不敢不办。”古应春说，“连催李元度的公事，都已经交代下去。我还怕下面太慢，特意打了招呼，答应所有的公事，明天都一起办出。”

“那就不管它了。我们商量我们的。”

于是尤五和萧家骥将刚才所谈经过，原原本本说了给古应春听。这在他是个很大的安慰。本来他为了要见薛焕，将大好时光白白糟蹋，不但生气，而且相当着急。照现在看起来，路子甚多，事情并不是无处措手，因此愁怀一去，精神大为振作。

“既然如此，我们要把宗旨先定下来。请兵护送的事，能够说动英、法提督，派兵护送，不但力量够强，足可保险，而且还不用花钱。不过有两层顾虑，第一，恐怕仍旧要江苏巡抚出公事；第二，不是三五天之内可以办得成的。”

“慢就不行！”胡雪岩立即答说，“我现在度日如年，巴不得明天就走。”

“要快只有雇华尔的部下。这笔钱，恐怕不在少数。”

“要多少？”

“要看雇多少人。每个人起码三十两银子，死一个抚恤一千。照五十个人算，最少一千五。如果——”

如果全数阵亡，就得另外抚恤五万。话到口边，古应春才发觉这话太丧气，果然如此，胡雪岩的性命自然也就不保，所以把话硬咽了下去。

胡雪岩却不以为意。“一千五就一千五。带队官总要多送些，我不在乎。倒是，”他指着萧家骥说，“他的顾虑不错，只怕在岸上打惯了仗的，一上了船，有劲使不出，有力用不上。”

“这要问他们自己才知道。虽说重赏之下，必有勇夫，但性命到底是拿钱换不来的。如果他们没有把握，当然不敢贸然答应。我们局外人，不必自作聪明。”

古应春最后这句话，颇有告诫学生的意味，因而原有一番意见想陈述的萧家骥，就不便开口了。

“说到杨坊，我也认识，交情虽不深，倒承他不弃，还看得起我。今天晚上我就去看他。”

“对了！我们分头行事。此刻大家规定一下，米跟沙船，归我，请洋将归你。”尤五对古应春说，“还有件事，你要调一批现头寸来。”

“这不要紧！”胡雪岩从手上取下一个戒指，交给古应春，“我往来的几家号子你是晓得的，看存着有多少头寸，你随意调度就是。”

戒指是赤金的，没有一两也有八钱，其大无比，其俗也无比，但实际上是一枚图章。凭戒面上“胡雪岩印”四个朱文篆字，调集十万八万银子，叱咤立办。不过以古应春的实力，也还用不到此。

“不必！你这个戒指片刻不离身，还是你自己戴着。”

“不然！”胡雪岩说，“我另外还有用意。这一次回杭州，好便好。如果将来再不能见面，一切托你料理。人欠欠人，等我明天开出一张单子来交给你。”

托到后事，无不惨然。古应春也越发不肯收下他那枚戒指图章，拉过他的手来，硬要替他戴上。正在拉拉扯扯的时候，七姑奶奶回来了，少不得询问究竟。大家都知道她重感情，说破了一定会惹她伤感，所以彼此使了个眼色，随意扯句话掩饰了过去。

“菜定好了，八两银子一桌的海菜席，包他们四十桌。”七姑奶奶说，“那里老板说是亏本生意，不过要借这桩生意创招牌。人家既然看得这么重，人少了，场面不够热闹，面子上不好看。五哥，我倒有点担心。”

“担什么心？叫人来帮场面、吃酒席，还怕没有人？回头我会关照李得隆。”

“那么郁老大那里呢？”

“这你更可以放心。小爷叔想的这个办法，在郁老大求之不得，来的人一定多。”尤五又说，“你再要不放心，我叫李得隆放个风出去，说我们包了泰和馆，大请沙船帮，不来就是看不起我们。”

“那好。我叫人去通知，再预备十桌在那里。”七姑奶奶一面说，一面就走了出去。

“七姐真有趣。”胡雪岩笑道，“好热闹，一定是福气人。”

“闲话少说。我还有一桩事，应春，你看如何？”尤五说道，“小爷叔要人帮忙，我说实话，你我去都没啥用处。我派李得隆，你派萧家骥，跟了小爷叔一路到杭州。”

“嗯！”古应春略有迟疑的神情。

“不必，不必。”胡雪岩最知趣，赶紧辞谢。

古应春实在很为难。因为萧家骥跟他的关系，与漕帮的情形不同。漕帮开香堂收徒弟，师父之命，其重如山，而且出生入死，不当回事。萧家骥到底只是学洋文、学做生意的徒弟，到这种性命出入的事，不便勉强，要问问他本人。

但是胡雪岩这方面的交情，实在太厚。能有一分力，一定要尽一分力，决说不出推辞的话来。同时他看出胡雪岩口称“不必”，脸上却有失望的表情，越觉得过意不去了。

想一想他只有老实说：“小爷叔，如果我有个亲兄弟，我都一定叫他跟了你去。家骥名为徒弟，到底姓萧，我来问问他看。”说到这里，他发觉话又不妥。如果萧家骥胆怯不肯去，岂不又显得自己的徒弟“不够料”？因而他只好再加一句掩饰的话：“他老太太病在床上，如果病势不碍，我想他一定会去的。”

话刚完，门外有人接口，是萧家骥的声音，他正好走了来听见，自告奋勇道：“我去！我一定去！”

这一下解消了古应春的难题，古应春也觉得脸上很有光彩，但胡雪岩却不能不辞谢。他也知道萧家骥母亲病在床上的话，是古应春为了体恤徒弟，有意留下的一个退步。只是“光棍好做，过门难逃”，而且这个“过门”古应春不便来打，要自己开口。

“家骥，我晓得你义气，不过为人忠孝当先，令堂老太太身体不舒服，你该留下来侍奉。”

“不碍，不碍！”萧家骥也很机警，很快地答说，“我娘胃气痛是老毛病，两三天就好了。”

“那就这样吧！”古应春站起身来，“既然你要跟了去，一切事情要接得上头才好，你跟我一起去看‘大记’杨老板。”

杨坊开的一家专销洋庄的号子，就叫“大记”。师徒二人到了那里，杨坊正在大宴客商，相邀入座应酬一番，亦无不可，但古应春为了表示事态紧急，坚辞婉拒，同时表示有个不情之请：需要当时就单独交谈。

“好！”杨坊慨然许诺，“请到这面来。”

他们就在客厅一角，促膝并坐。古应春开门见山地道明来意，杨坊吸了口气，样子显得颇为棘手似的。

“杨兄，恕我再说句不该说的话，浙东浙西，休戚相关，看在贵省同乡的面上，无论如何要请你想办法。”

“我自然要想办法，自然要想办法。”杨坊一迭连声地说，“为难的是，最近华尔跟吴道台闹意气。洋人的脾气很倔，说好什么都好，犯了他的性子，不容易说得进话去。现在只有这样，我先派人去约他，今天晚上见个面。等我敷衍完了客人，我们一起去。便菜便酒，你何妨就在这里坐了。”

说到这话，古应春自然不便再推辞，入席酬酢，同时在肚子里盘算如何说动华尔。

“师父，我想我先回去一趟，等下再来。”萧家骥忽然说道，“我要好好去问一问胡先生。”

“问什么？”

“洋人做事情仔细，又是打仗，路上的情形，一定要问得清清楚楚，不然决不肯答应。”

“一点不错。”杨坊大为赞许，“这位小阿弟实在有见识。那你就快去吧，两个钟头谈得完谈不完？”

“够了。”

“好。我就约华尔九点钟碰头。八点半钟请你无论如何赶了来。”

萧家骥不到预定的时间，就已去而复回，他除了将他想到该问的情形都问明白以外，还带来胡雪岩一句话。

“师父！胡先生叫我跟师父说，请将不如激将！”

这真有点“军师”的味道了。运筹帷幄，决胜千里，付下来这样一个“锦囊”。古应春在颠簸的马车上，反复体味着“请将不如激将”这六个字。

华尔扎营在沪西静安寺附近。杨坊是来惯的，营门口的卫兵拿马灯一照，挥挥手放行，马车一直驶到华尔的“签押房”。

介绍过后，四个人围坐在一张小圆台上。杨坊开个头，说古应春是浙江官场的代表之一，有事相恳。接着便由古应春发言，首先补充杨坊的话，表明自己的身份，说浙江官场的正式代表是胡雪岩，一个受有清朝官职的很成功的商人，而他是胡雪岩所委派的代表。

说到这里，华尔提出第一个疑问：“胡先生为什么要委派代表？”

“他受伤了，伤势很重。为了希望在三到五天以内赶回去，他需要遵守医生的嘱咐，绝不能行动。”古应春说，“他就住在我家养伤。”

“喔！”华尔是谅解的神态，“请你说下去。”

于是古应春道及本意。他在提出希望以外，还有一番恭维，说华尔一定会站在人道的立场，助成这场义举，而他的勇敢的部下，亦一定会圆满达成任务。

说到一半，华尔已在不断摇头。等古应春说完，他随即用冷峻的声音答道：“抱歉！我很同情，但是没有办法给你们什么帮助。”

“这太教我失望了。”古应春问道，“你能不能告诉我，不能予以帮助的原因？”

“当然！第一，浙江不是我应该派兵的范围；第二，任务很危险，我没有把握。”

“第一个理由，似乎不成立。我已经说过，这是慈善任务……”

“不！”华尔抢着说，“我有我的立场。”

“你的立场不是助顺——帮助中国政府吗？”

“是的。”华尔很勉强地说，“我必须先顾到上海。”

“但是，抽调五十个人，不至于影响你的实力。”

“是不是会影响，要我来判断。”

“上校，”杨坊帮着说好话，“大家都对你抱着莫大的希望，你不应该这样坚拒。”

“不！”华尔尽自摇头，“任务太危险，这是毫无价值的冒险。”

“并不危险！”古应春指着萧家骥说，“他可以为你解释一切情况。”

“不！我不需要听他的解释。”

这样子拒人于千里之外，且大有藐视之意，古应春忍不住火发。但想到胡雪岩的话，他立即有了计较，冷笑一声，面凝寒霜地对杨坊说：“人言不可信。都说客将讲公理正义，急人之急，忠勇奋发，谁知道完全不是这回事。一群胆怯贪利的佣兵而已！”

听到最后这一句，华尔勃然变色，霍地站起来，居高临下地俯视着古应春喝道：“你说谁是胆怯贪利的佣兵？”

“你应该知道。”

“我当然知道！”华尔咆哮着，“你必须道歉，我们不是佣兵。”

“那么，你是正规军队？”

“当然。”

“正规军队，一定受人指挥。请问，你是不是该听命于中国官员？是薛还是吴？只要你说了，我自有办法。”

这一下击中了华尔的要害，如果承认有人可以指挥他，那么找了可以指挥他的人来下命令，岂不是自贬身份。

“说老实话，贪利这一点，也许我过分了，但是我不承认说你胆怯也是错了！”

“你最大的错误，就是这一点。说一个军人胆怯，你知道不知道是多么大的侮辱？”

古应春丝毫不让，针锋相对地顶了过去：“如果是侮辱，也因为你自己的表现就是如此！”

“什么！”华尔一把抓住了古应春的肩，使劲地摇撼着，“你说！我何处有胆怯的表现？”

一看他要动武，萧家骥护师心切，首先就横身阻挡，接着杨坊也来相劝。无奈华尔的气力大，又是盛怒之际，死不放手。

古应春却是神色泰然，冷冷说道：“凡是胆怯的人，都是勇于私斗的。”

一句话说得华尔放了手，转身对杨坊说道：“我必须维持我的威信。此人的行为，所侮辱的不是个人，是整个团体。这件事相当严重。如果他没有合理的解释，他将要担负一切不良的后果。”

杨坊不知道古应春葫芦里卖的什么药，不免怨责：“这样子不大好！本是来求人的事，怎么大破其脸？如今，有点不大好收场了。”

他是用中国话说的，古应春便也用中国话回答他：“你放心！我就要逼得他这个样子！我当然有合理的解释。”

杨坊哪知道他是依照胡雪岩“请将不如激将”这条“锦囊妙计”，另有妙用，只郑重其事地一再嘱咐：“千万平和，千万平和，不要弄出纠纷来。”

“你请放心，除非他蛮不讲理，不然一定会服我。”古应春用中国话说了这几句，转脸用英语向华尔说，“上校！杭州有几十万人，濒临饿死的命运。他们需要粮食，跟你我现在需要呼吸一样。如果由于你的帮助，冒险通过这条航路，将粮食运到杭州，有几十万人得以活命。这是‘毫无价值的冒险’吗？”

一句话就将华尔问住了。他卷了根烟就着洋灯点燃，在浓密的烟氛中喷出答语：“冒这个险，没有成功的可能。”

“是不是有可能，我们先不谈。请你回答我的话，如果冒险成功，有没有价值？”

华尔被逼得没有办法，只能承认：“如果能成功，当然有价值。”

“很好！”古应春紧接着他的话说，“我认为你是一个有价值的人，当然也愿意做有价值的事。你应该记得，我向你说过，这个任务并不危险，萧可以向你说明一切情况。而你，根本不作考虑，听到洪、杨的部队，先就有了怯意……”

“谁说的！”华尔不大服气，“你在侮蔑我。”

“我希望你用行为表现你的勇敢，表现你的价值。”

“好！”华尔受激，脱口说道，“让我先了解情况。”说着，便站起身来，走到一张地图面前立定。

事情有了转机，杨坊既佩服，又兴奋，赶紧取了桌上的洋灯，同时示意萧家骥去讲解情况。古应春也一起跟着过去。在洋灯照映下，他们都望着墙壁上所贴的那张厚洋纸画的地图。这种地图比中国的舆图复杂得多，又钉着好些红蓝小三角旗，更让人看不明白。但萧家骥在轮船上也常看航海图，所以略略注视了一会儿，便已了然。

“在海上不会遭遇任何敌人。可能的危险从这里开始。”萧家骥指着鳖子门说，“事实上也只有一处比较危险的地方，因为海面辽阔，洪、杨部队没有炮艇，不能威胁我们的船只。只有这一处，南北两座山夹束，是个隘口，也就是闻名的‘浙江潮’所以造成的由来，冲过这个隘口，江面又宽了，危险也就消失了。”

“那么这个隘口的江面，有多宽？”

“没有测量过。但是在岸上用长枪射击，就能打到船上也没有力量了。”

华尔摇摇头：“我不怕步枪。”他接着又问，“有没有炮台？”

“绝没有。”古应春在旁边接口。

“即使没有炮台，也一定有临时安置的炮位。如果是我，一定在这里部署炮兵阵地。”

“你不要将洪、杨部队，估计得太高。”古应春又说，“他们不可能了解你们的兵法。”

这一点，华尔认为说得不错。他跟长毛接过许多次仗，对此颇有了解，他们连用洋枪都不十分熟练，当然不会懂得用火力扼守要隘的战法。再进一步看，即使懂得，亦用不着防守这个隘口，因为在这一带的清军，兵力薄弱，更无水师会通过这个隘口增援杭州。如果布炮防守，岂不是置利器于无用之地。

但是，“多算胜”的道理，中外兵法都是一样的。华尔觉得还是要采用比较安全的办法，所以又问：“这个隘口，是不是很长？”

“不会。”古应春估计着说，“至多十里八里路。”

“那么，用什么船呢？”

“用海船。”

所谓海船就是沙船。华尔学的是陆军，对船舶是外行，不过风向顺逆之理总知道的，指着地图说道：“现在是西北风的季节，由东向西行驶，风向很不利。”

“这一点，”古应春很谨慎地答道，“我想你不必过虑，除了用帆以外，总还有其他辅助航行的办法。海船坚固高大，船身就具备相当的防御力，照我想，是相当安全的。”

“这方面，我还要研究，我要跟船队的指挥者研究。最好，我们能在黑夜之间，偷渡这个隘口，避免跟洪、杨部队发生正面的冲突。”

这样的口气，已经是答应派兵护航了，杨坊便很高兴地说：“谢谢上校！我们今天就作个决定，将人数以及你所希望补助的饷银，定规下来，你看如何？”

“你们要五十个人，我照数派给你们。其他的细节，请你们明天跟我的军需官商量。”

“好的！”杨坊欣然答道，“完全遵照你的意思。”

于是“化干戈为玉帛”，古应春亦含笑道谢，告辞上车。

* * *

“老古，”在车中，杨坊表示钦佩，“你倒是真有一套。以后我们多多合作。”

“侥幸！亏得高人指点。”古应春说，“也是胡道台一句话：请将不如激将。果然把华尔激成功了。”

“原来胡道台也是办洋务的好手。”

“他倒不十分懂洋务，只是人情熟透、熟透！”

“几时我倒要见见他。”杨坊又说，“华尔的‘军需官’，也是我们中国人，我极熟的。明天晚上我约他出来吃花酒，一切都好谈。”

“那好极了。应该我做东。明天早晨，我就备帖子送到你那里，请你代劳。”

“你做东，还是我做东，都一样，这就不去说它了。倒是有句话，我要请教。杭州不是被围了吗？粮船到了那里，怎么运进城？”

这句话让古应春一愣。“啊，”他如梦初醒似的，“这倒是！我还没有想到。等我回去问了，再答复你。”

“可以不可以今天就给我一个确实回音？”

到了杭州的事，此刻言之过早，而且米能不能运进杭州城，与杨坊无干，何以他这么急着要答复？看起来，别有作用，倒不能不弄个明白。

这样想着，古应春便即问道：“为什么这么急？”

“我另外有个想法。如果能运进杭州城，那就不必谈了，否则——”杨坊忽然问道，“能不能此刻就替我引见，我想跟胡道台当面谈一谈。”

“这有什么不可以？”

于是马车转向，直驶古家。车一停，萧家骥首先奔了进去通知。胡雪岩很讲究礼节，要起床在客厅里迎接会面。七姑奶奶坚决反对，结果折中办法，起床而不出房门，就在卧室里接见客人。

女眷自然回避。等古应春将杨坊迎了进来，胡雪岩已经穿上长袍马褂，扶着萧家骥的肩，等在门口了。

彼此都闻名已久，所以见礼以后，非常亲热，互相仰慕，话题久久不断。古应春找个机会，插进话去，将与华尔交涉的经过，略略说了一遍。胡雪岩原已从萧家骥口中，得知梗概，此刻少不得要向杨坊殷殷致谢。

“都是为家乡的事，应当出力。不过，”杨坊急转直下地转入本题，“粮船到了杭州，不晓得怎么运进杭州？”

提到这一层，胡雪岩的脸色，马上转为忧郁了，叹口气说：“唉！这件事也是失策。关城之先，省城里的大员，意见就不一，有的说十个城门统统要关，有的说应该留一两个不关。结果是统统关了。这里一关，长毛马上在城外掘壕沟，做木墙，围困得实腾腾。”他一口气说到这里，喘息了一下又说：“当初还有人提议，从城上筑一道斜坡，直到江边，作为粮道。这个主意听起来出奇，大家都笑，而且工程也浩大，所以就没有办。其实，此刻想来，实在是一条好计。如果能够这么做，虽费点事，可是粮道不断，杭州就能守得住！”接着，他又是一声长叹。

听得这样说法，古应春先就大为着急。“小爷叔，”他问，“照你这么说，我们不是劳而无功？”

“这也不见得。”胡雪岩说，“只要粮船一到，城里自然拼死命杀开一条血路，护粮进城。”

杨坊点点头，看一看古应春，欲语不语。胡雪岩察言观色，便知其中有话。

“杨兄，”他说，“你我一见如故，有话尽请直说。”

“是这样的，我当然也希望杭州的同乡，有一口活命的饭吃。不过，凡事要从最坏的地方去打算。万一千辛万苦将粮船开到杭州，城里城外交通断绝，到时候，胡先生，你怎么办？”

“我请问杨兄，依你看，应该怎么办？”

“在商言商。这许多米，总不能送给长毛，更不能丢在江里。”杨坊说道，“如果运不进杭州城，可以不可以请胡先生改运宁波？”

原来他急于要见胡雪岩，是为了这句话。古应春心想，此人倒也是厉害角色，“门槛”精得很，不可小觑了他。因此，很注意地要听胡雪岩如何回答。

“杨兄的话很实在。如果米运不进杭州城，我当然改运别处，只要不落在长毛手里，运到什么地方都可以。”说到这里，胡雪岩下了一个转语，“不过，杨兄的话，我倒一时答应不下。为什么呢，因为宁波的情形，我还不晓得。许了杨兄，倘或办不到，岂不是我变成失信用。”

“宁波的情形，跟上海差不多。”

因为宁波也有租界。江苏的富室逃到上海，浙东的大户，则以宁波租界为避难之地。早在夏天，宁波的士绅就条陈地方官，愿集资五十万两银子雇英法兵船代守宁波。及至萧绍失守，太平军一路向东，势如破竹，攻余姚，下慈溪，陷奉化，宁波旦夕不保，于是英、法、美三国领事会商以后，决定派人到奉化会晤太平军守将范汝增，劝他暂缓进攻宁波。

范汝增对这个请求，不作正面答复，但应允保护洋人。因此三国领事已经会衔了布告，保护租界。但陆路交通近乎断绝，商旅裹足，也在大闹粮荒。杨坊的打算，一方面固然是为桑梓尽力，另一方面亦有善价而沽，趁此机会做一笔生意的想法。

不过杨坊的私心，自然不肯透露。“胡先生，”他说，“据我晓得，逃在宁波的杭州人也不少。所以你拿粮食改运宁波，实在是不得已而求其次的唯一出路。”

“那么，到了宁波呢？如果不能上岸，又怎么办？”

“不会的。英、法、美三国领事，哪一位都可以出面保护你。到那时候，我当然会从中联络。”

“既然如此……”胡雪岩矍然而起，他想好了主意，一时兴奋，忘却腿伤，一下子摔倒在地，疼得额上沁出黄豆大的汗珠。

萧家骥动作敏捷，赶紧上前扶起。古应春也吃了一惊，为他检视伤势。乱过一阵，胡雪岩方能接着他自己的话说下去。

“杨兄，既然如此，我们做一笔交易。杭州缺粮，宁波也缺粮，我们来合作。宁波，我负责运一批米过去，米、船，都归我想办法。杭州这方面，可以不可以请你托洋人出面，借个做善事的名义，将我这一批米护送进城？”

“这个办法……”杨坊看着古应春，颇有为难的神情。

“小爷叔，做生意，动脑筋，不能不当你诸葛亮。”古应春很委婉地说，“可惜，洋务上，小爷叔你略为有点外行，这件事行不通。”

“怎么呢？”

“因为外国领事，出面干预，要有个名目。运粮到宁波，可以‘护侨’为名，为的是洋人不能没有食物接济。但杭州的情形就不同了，并无英、法、美三国侨民需要救济。而救济中国百姓，要看地方。在交战区域，民食军粮是无从区分的。”

等古应春解释完了，杨坊接着补充：“八月里，英国京城有一道命令给他们的公使，叫作‘严守中立’。这就是说，哪一面也不帮。所以胡先生的这个打算，好倒是好，可惜办不通。”

胡雪岩当然失望，但不愿形诸颜色，便又将话题回到杨坊的要求上，慨然说道：“那就一言为定了。这批米如果运不进杭州城，就转运宁波。不过，这话要跟郁老大先说明白。到时候，沙船不肯改地方卸货，就要费口舌了。”

“这一层，我当然会请应春兄替我打招呼。我要请胡先生吩咐的是粮价……”

“这不要紧！”胡雪岩有力地打断他的话，“怎么样说都可以。如果是做生意，当然一分一厘都要算清楚，现在不是做生意。”

“是，是！”杨坊不免内惭，自语似的说，“原是做好事。”

谈话到此告一段落，古应春怕胡雪岩过于劳累，于伤势不宜，便邀了杨坊到客厅里去坐。连萧家骥在一起，几人商定了跟华尔这方面联络的细节，直到深夜方散。

* * *

第二天大家分头办事，只有胡雪岩在古家养伤。他行动不便，不能出房门，一个人觉得很气闷，特为将七姑奶奶请了来，不免有些微怨言。

“我是不敢来打扰小爷叔，让你好好养伤。”七姑奶奶解释她的好意，“说话也费精神的。”

“唉！七姐，你哪晓得我的心事。一个人思前想后，连觉都睡不着，有人谈谈，辰光还好打发。”

谈亦不能深谈，胡雪岩一家，消息全无，谈起来正触及他的痛处。因此，平日健谈的七姑奶奶，竟变得笨嘴拙舌，不知道说什么好。

“七姐，”胡雪岩问道，“这一阵，你跟何姨太太有没有往来？”

何姨太太就是阿巧姐。从那年经胡雪岩撮合，随着何桂清到通州。不久，何桂清果然由仓场侍郎外放浙江巡抚，升任两江总督，一路扶摇直上。阿巧姐着实风光过一阵子。

“好久没有见到她了。”七姑奶奶不胜感慨地，“那时候哪个不说她福气好？何大人在常州的时候，我去过一次。她特地派官船到松江来接我，还有一百个兵保护，让我也大大出了一次风头。到了常州，何大人也很客气。何太太多病，都是姨太太管事，走到哪里，丫头老妈子一大群跟着，那份气派还了得！人也长得越漂亮了，满头珠翠，看上去真像一品夫人。哪晓得何大人坏了事！前一晌听人说，她人都老得认不得了。伍子胥过昭关，一夜工夫急白了头发，看起来真有这样的事。”

“这样说起来，她倒还是有良心的。”

“小爷叔是说她为何制台急成这个样子？”

“是啊！”胡雪岩说，“我听王雪公说，何制台的罪名不得了。”

“怎样不得了？莫非还要杀头？”

胡雪岩看着她，慢慢点头，意思是说：你不要不信，确有可能。

“这样大的官儿，也会杀头？”七姑奶奶困惑地，大有不可思议之感。

“当然要杀！”胡雪岩忽然出现了罕见的激动，“不借一两个人头做榜样，国家搞不好的。平常作威作福，要粮要饷，说起来是为了朝廷、为了百姓。到真正该他出力的时候，收拾细软，一溜了之。像这样的人，可以安安稳稳拿刮来的钱过舒服日子，那些尽心出力、打仗阵亡的人，不是太冤枉了吗？”

七姑奶奶从未见过胡雪岩有这样气急败坏的愤激之态，因而所感受的冲击极大。同时她也想到了他的境况，心里有着说不出的难过。

“小爷叔，”她不由自主地说，“我看，你也用不着到杭州去了，粮船叫五哥的学生子跟家骥押了去，你在上海养养伤，想办法去寻着了老太太，拿一家人都接到上海来，岂不甚好？”

“七姐，谢谢你！你是替我打算，不过办不到。”

“这有什么办不到？”七姑奶奶振振有词地说，“这一路去，有你无你都一样。船归李得隆跟沙船帮的人料理，洋将派来保护的兵，归家骥接头。你一个受了伤的人，自己还要有人照应，去了能帮什么忙？越帮越忙，反而是累赘。”

“话不错。不过到了杭州，没有我从中联络，跟王雪公接不上头，岂不误了大事？”

想一想这话也不错，七姑奶奶便又问道：“只要跟王抚台接上头，城里派兵出来运粮进城。小爷叔，就没有你的事了。”

“对。”

“那就这样，小爷叔，你不要进城，原船回上海。我们再商量下一步，怎么样想法子去寻老太太。”七姑奶奶又说，“其实，小爷叔你就在杭州城外访查也可以。总而言之，已经出来了，绝没有自投罗网的道理。”

“这话也说得是。”

听他的语气，下面还有转语。七姑奶奶不容他出口，抢着说道：“本来就是嘛，小爷叔，你是做生意的大老板，捐班的道台，跟何制台不同，没有啥守土的责任。”

“不尽是为公，为的是交情。”胡雪岩说，“我有今天，都是王抚台的提拔，他现在这样子为难，真正是在十八层地狱里受熬煎，我不跟他共患难，良心上说不过去。”

“这自然是义气，不过这份义气，没啥用处。”七姑奶奶说，“倒不如你在外头打接应，还有用些。”

这话说得很有道理，但胡雪岩总觉得不能这么做。他做事一向有决断，不容易为感情所左右。其实，就是为感情所左右，也总在自己的算盘上先要打得通。这道穿了，不妨说是利用感情，但对王有龄，又当别论了。

“唉！”他叹口气，“七姐，我何尝不知道你是一句好话，不但对我一个人好，而且对王雪公也好。不过，我实在办不到。”

“这就奇怪了！既然对你好，对他也好，又为什么不这么做？小爷叔，你平日为人不是这样的。”

“是的。我平日为人不是这样。唯独这件事，不知道怎么，想来想去想不通。第一，我怕王雪公心里会说，胡某人不够朋友，到要紧关头，他一个人丢下我不管了；第二，我怕旁人说我，只晓得富贵，不知道啥叫生死交情。”

“嗳！”七姑奶奶有些着急了，因此口不择言，“小爷叔，你真是死脑筋，旁人的话，哪里听得那么多？要说王抚台，既然你们是这样深的交情，他也应该晓得你的心。而况，你又并没有丢下他不管，还是替他在外办事。”说到这里，她觉得有一肚子的议论要发，“为人总要通情达理。三纲五常，总也要合道理，才有用处。我最讨厌那些伪道学，或者不明事理的说法，什么‘君要臣死，不能不死，父要子亡，不得不亡’！你倒想想看，忠臣死了，哪个替皇帝办事？儿子死了，这一家断宗绝代，孝心又在哪里？”

胡雪岩笑了。“七姐，”他说，“听你讲道理，真是我们杭州人说的‘刮拉松脆’，好痛快！”

“小爷叔，你不要恭维我。你如果觉得我的话还有点道理，那就要听我的劝！”七姑奶奶讲完君臣、父子，又谈“第五伦”朋友，“我听说大书的说三国，桃园结义，刘关张不愿同年同月同日生，但愿同年同月同日死，这话就不通！如果讲义气的好朋友，死了一个，别的都跟着他一起去死，这世界上，不就没有君子，只剩小人了？”

“这话倒是。”胡雪岩兴味盎然，“凡事不能寻根问底，追究到底好些话都不通。”

“原是如此！小爷叔，这些天，我夜里总在想你的情形。想你，当然也要想到王抚台。我从前听你说过，他曾劝过何制台不要从常州逃走，说一逃就身败名裂了，这话现在让他说中。想来杭州如果不保，王抚台是决不会逃走，做个大大的忠臣。不过，你要替他想一想，他还有什么好朋友替他料理后事？不就是小爷叔你吗？”

这话说得胡雪岩矍然动容。“七姐，”他不安地，“你倒提醒我了。”

“谢天谢地！”七姑奶奶合掌当胸，长长地舒了口气，“小爷叔，你总算想通了。”

“想是还没有想通。不过，这件事倒真的要好好想一想。”

于是他一面跟七姑奶奶闲谈，一面在心里盘算。看样子七姑奶奶的话丝毫不错，王有龄这个忠臣是做定了！杭州的情形，要从外面看，才知道危险。被围在城里的，心心念念只有一个想法：救兵一到，便可解围。其实，就是李元度在衢州的新军能够打到杭州，亦未见得能击退重重包围的长毛。破城是迟早间事，王有龄殉节，亦是迟早间事。且不说一城的眼光，都注视在他身上，容不得他逃，就有机会也不能逃走。因为一逃，不但所有的苦头都算白吃，而且像何桂清这样子，就能活又有什么味道？

“我想通了。”胡雪岩说，“王雪公是死定了！我要让他死得值。”

“是嘛！”七姑奶奶异常欣慰，“原说小爷叔是绝顶聪明的人，哪里会连这点道理都想不通？常言道的是‘生死交情’，一个人死了，有人照他生前那样子待他，这个人就算有福气了。”

“是啊！他殉了节，一切都在我身上。就怕——”

他虽没有说出口来，但也等于说明白了一样。这倒不是他自己嫌忌讳，而是怕七姑奶奶伤心。然而，在这样的情形之下，以七姑奶奶的性情，自然也会有句痛快话。

“小爷叔，这一层你请放心。万一有个三长两短，一切都在我们兄妹、夫妻身上。”

“是了！”胡雪岩大大地喘了口气，“有七姐你这句话，我什么地方都敢去闯。”

这话又说得不中听了，七姑奶奶有些不安。“小爷叔，”她惴惴然地问，“你是怎么闯法？”

“我当然不会闯到死路上去。我说的闯是，遇到难关壮起胆子来闯。”胡雪岩说，“不瞒你说，这一路来，我遇见长毛，实在有点怕。现在我不怕了，越怕越误事，索性大胆去闯，反倒没事。”

第二章

由浏河出长江，经崇明岛南面入海，一共是十八号沙船。保护的洋兵，最后商量定规，一共是一百十二个人。一百士兵，大多是“吕宋人”；十二个官长，七个吕宋人，三个美国人，还有两个中国人算是联络官，分坐两号沙船，插在船队中间。

胡雪岩在第一条船上。同船的有萧家骥、李得隆、郁馥山派来的“船老大”李庆山，还有一个姓孔的联络官。一切进退行止，都由这五个人在这条船上商量停当，发号施令。一上船，胡雪岩就接到警告，沙船行在海里，忌讳甚多，舵楼上所设，内供天后神牌的小神龛，尤其不比等闲。想起“是非只为多开口”这句话，胡雪岩在船上便不大说话，闲下来只躺在铺位上想心事。但是，别人不同，萧家骥虽惯于水上生活，但轮船上并无这些忌讳，姓孔的更不在乎，李庆山和李得隆识得忌讳，不该说的虽不说，该说的还是照常要说。相形之下，就显得平日谈笑风生的胡雪岩仿佛心事重重，神情万分抑郁似的。

于是姓孔的提议打麻将，萧家骥为了替胡雪岩解除寂寞，特地去请他入局。

“五个人怎么打。除非一个人做——”

说到“做”字，胡雪岩缩住了口。他记起坐过“水路班子”的船，说“梦”是忌讳的，要说“黄粱子”。胡雪岩接着说：“除非一个人做黄粱子。”

萧家骥一愣，想了一下才明白。“用不着。”他说，“我不想打。胡先生你来，解解厌气。”

于是胡雪岩无可无不可地入了局。打到一半，风浪大作，被迫终止。胡雪岩又回到铺上去睡觉，心里不免忐忑不安，加以不惯风涛之险，大呕大吐，心里那份不宁帖，真有求生不得、求死不能之感。

“胡先生，不要紧的！”萧家骥一遍一遍地来安慰他。

不光是语言安慰，还有起居上的照料，他对待胡雪岩真像对待古应春一样，尊敬而亲热。胡雪岩十分感动，心里有许多话，只是精神不佳，懒得去说。

入夜风平浪静，海上涌出一轮明月。胡雪岩晕船的毛病，不药而愈，只是腹饥难忍。他记得七姑奶奶曾亲手放了一盒外国饼干在网篮，起床摸索，惊醒了熟睡中的萧家骥。

“是我！”他歉然说道，“想寻点干点心吃。”

“胡先生人舒服了！”萧家骥欣然说道，“尾舱原留了粥在那里，我替你去拿来。”

于是萧家骥点上了盏马灯，到尾舱去端了粥来，另外是一碟咸鱼、一个咸蛋。胡雪岩吃得一干二净，抹一抹嘴笑道：“世乱年荒，做人就讲究不到哪里去了。”

“做人不在这上面，讲究的是心。”萧家骥说，“王抚台交胡先生这样的朋友，总算是有眼光的。”

“没有用！”胡雪岩黯然，“尽人事，听天命。就算到了杭州，也还不知道怎么个情形，说不定就在这一刻，杭州城已经破了。”

“不会的。”萧家骥安慰他说，“我们总要朝好的地方去想。”

“对！”胡雪岩很容易受鼓舞，“人，就活在希望里面。家骥，我倒问你，你将来有什么打算？”

这话使萧家骥有如逢知音之感。连古应春都没有问过他这句话，他满腹大志，无从诉说，不想这时候倒有了倾诉的机会。

“我将来要跟外国人一较短长。我总是在想，他们能做的，我们为什么不能做？中国人的脑筋，不比外国人差，就是不团结，所以我要找几个志同道合的人，联合起来，跟外国人比一比。”

“有志气！”胡雪岩脱口赞道，“我算一个。你倒说说看，怎么样跟他们比？”

“自然是做生意。他们到我们这里来做生意，我们也可以到他们那里去做生意。在眼前来说，中国人的生意应该中国人做，中国人的钱也要中国人来赚。只要便宜不落外方，不必一定要我发达。”

胡雪岩将他的话细想了一会儿，赞叹着说：“你的胸襟了不起。我一定要帮你，你看，眼前有啥要从外国人那里抢过来的生意？”

“第一个就是轮船。”

于是，从这天起，胡雪岩就跟萧家骥谈开办轮船公司的计划，直到沙船将进鳖子门，方始停了下来。

依照预定的计划，黑夜偷渡，越过狭处，便算脱险。船沿钱塘江往西南方向走时，正遇着东北风，很快地到了杭州，停泊在江心。但是，胡雪岩却不知道如何跟城里取得联络。从江心遥望，凤山门外，长毛猬集，仿佛数十里连绵不断，谁也不敢贸然上岸。

“原来约定，是王雪公派人来跟我联络，关照我千万不要上岸。”胡雪岩说，“我只有等、等、等！”

王有龄预计胡雪岩的粮船，也快到了，此时全力所谋求的，就是打通一线之路，直通江边，便可以运粮入城，无奈十城紧围，战守俱穷。他因而忧愤成疾，肝火上升，不时吐血，一吐就是一碗，失血太多，头昏目眩，脸如金纸。然而他不肯下城休息，因为休息亦归于无用，倒不如勉力支撑，反倒可收激励士气的效用。

哀兵的士气，倒还不坏。但俗语道得好，“皇帝不差饿兵”，打仗是费气力的事，枵腹操戈，连跑都跑不动，哪谈得到杀敌？所以每天出城攻击，长毛一退，官军亦随即鸣金收兵。这样僵持了好久，一无成就，而城里饿死的人，却是越来越多了。先还有做好事的人，不忍见尸骨暴露，掘地掩埋，到后来埋不胜埋，只好听其自然。大街小巷“路倒尸”不计其数，幸好时值冬天，还不致发生疫疠，但一城的尸臭，也熏得人够受的了。

到了十月底，城外官军的营盘都为长毛攻破，硕果仅存的，只有候潮门外副将曾得胜一营，屹然不动。这一营的不倒，是个奇迹，但说穿了不稀奇。城外比较容易找粮食，真的找不到了，便到长毛营盘里去找。反正打仗阵亡也是死，绝粮坐毙也是死，既然如此，不如去夺长毛的粮食，反倒是死中求活的一条生路。因此，曾军打起仗来，真有视死如归之概。说也奇怪，长毛望见“曾”字旗帜，先就心慌，往往不战而遁。但是，这一营也只能自保，要想进击破敌，实力悬殊过甚，到底无能为力。

只是王有龄却对这一营寄以莫大的期望，特别下令仁和知县吴保丰，将安置在城隍上的一尊三千斤重的大炮，费尽力量，移运到曾得胜营里，对准长毛的壁垒，大轰特轰。这一带长毛倒是绝迹了，但仍无法直通江边。因为大炮射程以外，长毛仍如牛毛，重重隔阻，处处填塞，始终杀不开重围。

就在这时候，抓住一名奸细。奸细极易分别，因为城里的人，不是面目浮肿，就是骨瘦如柴，走路挪不了三寸，说话有气无力。如果遇到一个气色正常，行动舒徐，说话不必侧耳就可以听得清楚的，必是从城外混进来的。这样一座人间地狱，还有人跳了进来，其意何居？不问可知。

果然，抓住了一顿打，立刻打出了实话。此人自道是长毛所派，送一封信来给饶廷选部下的一名营官，约定里应外合的日期。同时也从他口中得到一个消息，说钱塘江中，停泊了十几号大船，满装粮食。这不问可知，是胡雪岩的粮船到了。王有龄陡觉精神一振，当即去看杭州将军瑞昌，商量如何杀开一条血路，能让江中的粮食运入城内。

不须多作商量，便有了结果，决定请副都统杰纯当此重任。事实上怕也只有此人堪当重任。杰纯是蒙古人，他祖先驻防杭州，已有好几代。杰纯本人是正六品骁骑校出身，武艺娴熟，深得军心，积功升到正四品的协领，颇为瑞昌所倚重。

咸丰十年春天，杭州城第一次为长毛轰破，瑞昌预备自刎殉国，杰纯劝他不必轻生。他认为安徽广德来的敌军，轻骑疾进，未有后继，不足为忧，不妨固守待援。瑞昌听了他的话，退守满营。营盘在西湖边上，实际是一座子城，俗称满城。因为防御得法，长毛连攻六天，劳而无功，杰纯的长子守城阵亡，杰纯殓而不哭，认为长子死得其所、死得其时。

到了第七天，张玉良的援兵到了。杰纯怒马突出，当者披靡，配合援军，大举反攻，将长毛逐出城外十几里。他以此功劳，赏戴花翎，升任为宁夏副都统，但仍旧留在杭州，成了瑞昌的左右手。

这次杭州再度吃紧，杰纯战功卓著，赐号巴图鲁，调任乍浦副都统。乍浦是海防上的一个要缺，但已落入长毛手中，所以他仍旧留防省城。杭州十城，最关紧要的就是北面的武林门和南门的凤山门。凤山门原由王有龄亲自坐镇，但这一阵他因为呕血过多，气衰力竭，才改由杰纯防守。胡雪岩的粮船，就泊在凤山门外的江面，让杰纯去杀开一条血路，亦正是人和地理，两皆相合的顺理成章之事。

围凤山门的长毛主将叫作陈炳文，照太平天国的爵位，封号称为“朗天义”。他本来要走了——长毛的军粮，亦渐感不敷。李秀成已经拟订行军计划，回苏州度岁，预备明年春天卷土重来，但陈炳文已从城里逃出来的难民口中，得知城内绝粮，已到了人吃人的地步，所以翻然变计，坚持不走。同时他也知道城内防守，以凤山门为重点，因而又厚集兵力，一层夹一层，直到江边。弹丸之地，集结了四万人之多。

等到粮船一到，遥遥望见，陈炳文越发眼红。他一方面防备城内会冲出来接粮，一方面千方百计想攻夺粮船。无奈江面辽阔，而华尔的部下防守严密，小划子只要稍稍接近，便是一排枪过来，就算船打不沉，人却非打死打伤不可。

一连三日，无以为计。最后有人献策，依照赤壁鏖兵大破曹军的办法，用小船满载茅柴，浇上油脂，从上游顺流而下，火攻粮船。

陈炳文认为此计可行。但上游不是自己的战区，需要派人联络，又要禀报忠王裁夺，不是一两天所能安排停当的。同时天气回暖，风向不定，江面上有自己的许多小划子，万一弄巧成拙，惹火烧身，岂不糟糕？因而迟疑未发。就在这时候，粮船上却等不得了。

因为一连三天的等待，胡雪岩度日如年，眠食俱废。而护航洋兵的孔联络官认为身处危地，如果不速作处置，后果不堪设想，因而不断催促胡雪岩，倘或粮食无法运上陆地，就应依照原说，改航宁波。沙船帮的李庆山口中不言，神色之间亦颇为焦急，这使得胡雪岩越发焦躁，双眼发红，终日喃喃自语，不知说些什么，看样子快要发疯了。

“得隆哥，”萧家骥对胡雪岩劝慰无效，只好跟李得隆商议，“我看，事情不能不想办法了。这样‘并’下去要出事。”

“是啊！我也是这样在想。不过有啥办法呢？困在江心动弹不得。”李得隆指着岸上说，“长毛像蚂蚁一样，将一座杭州城，围得铁桶似的，城里的人，怎么出得来？”

“就是为了这一点。我想，城里的人出不来，只有我们想法子进城去，讨个确实口信。行就行，不行的话，胡先生也好早作打算。这样痴汉等老婆一般，等到哪一天为止？”

李得隆也是年轻性急、敢冒险的人，当然赞成萧家骥的办法，而且自告奋勇，愿意泅水上岸，进城去通消息。

“得隆哥，”萧家骥很平静地说，“这件事倒不是讲义气，更不是讲客气的。事情要办得通，你去我去都一样，只看哪个去合适。你水性比我好，人比我灵活，手上的功夫，更不是我比得了的——”

“好了，好了！”李得隆笑道，“你少捧我！前面捧得越高，后面的话越加难听。你老实说，我能不能去？”

“不是我有意绕弯子说话，这种时候，杂不得一点感情意气。自己好弟兄，为啥不平心静气把话说清楚？我现在先请问你，得隆哥，你杭州去过没有？你晓得我们前面的那个城门叫啥？”

“不晓得。我杭州没有去过。”

“这就不大相宜了。杭州做过宋朝的京城，城里地方也蛮大的。不熟，就寻不着。这还在其次，最要紧的一点是，你不是听胡先生说过，杭州城里盘查奸细严得很，而且因为饿火中烧，不讲道理。得隆哥，”萧家骥停了一下说，“我说实话，你不要动气。你的脾气暴躁，口才不如我。你去不大相宜！”

李得隆性子直爽，服善而肯讲道理，听萧家骥说得不错，便即答道：“好！你去。”

于是两个人又商量了如何上岸，如何混过长毛的阵地，到了地下，如何联络进城。种种细节，大致妥当，才跟胡雪岩去说明其事。

“胡先生！”是由李得隆开口，“有件事禀告你老人家，事情我们都商量好了，辰光也不容我们再拖下去了，我说了，请你老人家照办，不要驳回。请你写封信给王抚台，由家骥进城去送。”

李得隆其实是将胡雪岩看错了。胡雪岩早就想过，自己必须坐守，免得城里千辛万苦派出人来，接不上头，造成无可挽救的错失。此外，只要可能，任何人都不妨进城通消息，所以一听这话，神态马上变过了。

“慢慢来！”他又恢复了临大事从容不乱的态度，比起他这两天的坐卧不宁来，判若两人，“你先说给我听听，怎么去法？”

“泅水上去——”

“不是，不是！”第一句话就让胡雪岩大摇其头，“湿淋淋一身，就不冻出病来，上了岸怎么办？难道还有客栈好投，让你烤干衣服？”

“原是要见机行事。”

“这时候做事，不能说碰运气了。要想停当再动手。”胡雪岩说，“你听我告诉你。”

他也实在没有什么腹案，不过他一向机变快，一路想，一路说，居然就有了一套办法。整套办法中，最主要的一点是，遇到长毛如何应付。胡雪岩教了萧家骥一条计策：冒充上海英商的代表，向长毛兜售军火。

“好在你会说英文，上海洋行的情形也熟，人又聪明，一定装得像。”胡雪岩说，“你要记住，长毛也是土里土气的，要拿外国人唬他。”

一一交代停当，却不曾写信。这也是胡雪岩细心之处，怕萧家骥被搜到了这封信，大事不成，反惹来杀身之祸。但萧家骥见了王有龄，必须有一样信物为凭，手上那个金戒指本来是最真确的，又怕长毛起眼劫掠。胡雪岩想了半天，只有用话来交代了。

“我临走的时候，王抚台跟我谈了好些时候，他的后事都托了我。他最钟爱的小儿子，名叫苕云，今年才五岁，要寄在我名下。我说等我上海回来再说。这些话，没有第三个人晓得，你跟他说了，他自然会相信是我请你去的。”

这是最好的征信办法，萧家骥问清楚了“苕云”二字的写法，谨记在心。但是，他一时还不能走，先要想办法找只小船。

小船是有，过往载运逃难的人的渡船，时有所见，但洋兵荷枪实弹，在沙船上往来侦伺，没有谁敢驶近。这就要靠李得隆了，他借了孔联络官的望远镜，看准远远一只空船，泅水迎了上去，把着船舷，探头见了船老大，先不说话，身上摸出水淋淋的一块马蹄银递了过去。真是“重赏之下，必有勇夫”，很顺利地雇到了船。

这时天色将暮，视界不明，却更易混上岸去。胡雪岩亲自指点了方向，就在将要开船时，他忽然想到了一件事。

“喂，喂，船老大，你贵姓？”

船老大指指水面：“我就姓江。”

“老江，辛苦你了。”胡雪岩说，“你把我这位朋友送到岸上，回来通个信给我，我再送你十两银子。决不骗你。如果骗你，教我马上掉在钱塘江里，不得好死。”

听他罚得这么重的咒，江老大似乎颇为动容。“你老爷贵姓？”他问。

“我姓王。”

“王老爷，你老人家请放心，我拿这位少爷送到了，一定来报信。”

“拜托、拜托！”胡雪岩在沙船上作揖，“我备好银子在这里等你，哪怕半夜里都不要紧，你一定要来！你船上有没有灯笼？”

“灯笼是有的。”江老大也很灵活，知道他的用意，“晚上如果挂出来，江风一吹，马上就灭了。”

“说得有理。来，来，索性‘六指头搔痒’，格外奉承你了。”胡雪岩另外送他一盏燃用“美孚油”的马灯，作为报信时挂在船头的信号，免得到时洋兵不明就里，误伤了他。

等萧家骥一走，李得隆忍不住要问，何以要这样对待江老大，甚至赌神罚咒，唯恐他不信似的，是不是不放心萧家骥？

“已经放他出去了，没有什么不放心。”胡雪岩说，“我是防这个船老大，要防他将人送到了，又到长毛那里去密告讨赏。所以用十两银子拴住他的脚，好教他早早回来。这当然要罚咒，不然他不相信。”

“胡先生，实在服了你了，真正算无遗策。不过，胡先生，你为啥又说姓王呢？”

“这另外有个缘故，钱塘江摆渡的都恨我，说了真姓要坏事。你听我说那个缘故给你听。二十年前——”

二十年前的胡雪岩，还在钱庄里学生意。有一次奉命到钱塘江南岸的萧山县去收一笔账款。账款没有收到，有限的几个盘缠，却在小菜馆里掷骰子输得只剩十个摆渡所需的小钱。

“船到江心，收钱了。”胡雪岩说，“到我面前，我手一伸进衣袋里，拿不出来了。”

“怎么呢？”李得隆问。

“也叫祸不单行，衣袋破了个洞，十个小钱不知道什么时候漏得精光。钱塘江的渡船，出了名的凶，听说真有付不出摆渡钱，被推到江里的事。当时我自然大窘，只好实话实说，答应上岸到钱庄拿了钱来照补。可是说破了嘴都无用，硬要剥我的衣服。”

“这么可恶！”李得隆大为不平，“不过，难道一船的人，都袖手旁观？”

当然不至于，有人借了十文钱给他，方得免褫衣之辱。但胡雪岩经此刺激，上岸就发誓：只要有一天得意，力所能及，一定买两只船，雇几个船夫，设置来往两岸不费分文的义渡。

“我这个愿望，说实话，老早就可以达到。哪知道做好事都不行！得隆，你倒想想看，是啥道理？”

“这道理好懂。有人做好事，就有人没饭吃了。”

“对！为此钱塘江摆渡的，联起手来反对我，不准我设义渡。后来幸亏王抚台帮忙。”

那时王有龄已调杭州知府，不但私人交情上帮胡雪岩的忙义不容辞，就是以地方官的身份，为民造福，奖励善举，亦是责无旁贷的事。所以一方面出告示，不准靠摆渡为生的人阻挠这件好事，一面还为胡雪岩请奖。

自设义渡，受惠的人不知凡几。胡雪岩纵非沽名钓誉，而声名洋溢，就此博得了一个“胡善人”的美名。只是钱塘江里的船家，提起“胡善人”，大多咬牙切齿，此所以他不肯对江老大透露真姓。

小小的一个故事，由于胡雪岩心情已比较开朗，恢复了他原有的口才，讲得颇为风趣，所以李得隆听得津津有味，同时也更佩服了。

“胡先生，因果报应到底是有的。就凭胡先生你在这条江上，做下这么一桩好事，应该绝不会在这条江上出什么风险。我们大家都要托你的福。”

这两句话说得很中听，胡雪岩喜逐颜开地说：“谢谢！谢谢！一定如你金口。”

不但胡雪岩自己，船上别的人，也都受了李得隆那几句话的鼓舞，认为有善人在船，必可逢凶化吉，因而也就一下子改变了前两天那种坐困愁城、忧郁不安、令人仿佛透不过气来的氛围。晚饭桌上，所有人兴致都很好，连不会喝酒的李得隆也愿意来一杯。

“说起来鬼神真不可不信。”孔联络官举杯在手，悠闲地说，“不过行善要不叫人晓得，才是真正做好事。为了善人的名声做好事，不足为奇。”

“不然。人人肯为了善人的名声，去做好事，这个世界就好了。有的人简直是‘善棍’。”胡雪岩说，“这就叫‘三代以下，唯恐不好名’。”

“什么叫‘善棍’？”李得隆笑道，“这个名目则是第一次听见。”

“善棍就是骗子。借行善为名行骗，这类骗子顶顶难防。不过日子一久，总归瞒不过人。”胡雪岩说，“什么事，一颗心假不了。有些人自以为聪明绝顶，人人都会上他的当，其实到头来原形毕露，自己毁了自己。一个人值不值钱，就看他自己说的话算数不算数。像王抚台，在我们浙江的官声，说实话，并不是怎么样顶好。可是现在他说不走就不走，要跟杭州人同祸福，共存亡，就这一点上他比何制台值钱得多。”

话到这里，大家不期而然地想到了萧家骥，推测他何时能够进城。若王有龄得到消息，会有什么举动？船上该如何接应？

“举动是一定会有举动的。不过——”胡雪岩忽然停杯不饮，容颜惨淡，好久，才叹口气说，“我实在想不出，怎样才能将这批米运上岸。就算杀开一条血路，又哪里能够保得住这条粮道畅通？”

“胡先生，有个办法不晓得行不行？”李得隆说，“杭州不是有水城门吗？好不好弄几条小船，拿米分开来偷运进城？”

“只怕不行……”

话刚说得半句，只听一声枪响，随即有人喊道：“不能开枪，不能开枪，是报信的来了。”

于是胡雪岩、李得隆纷纷出舱探望。果然，一点星火，冉冉而来，渐行渐近，看出船头上挂的是盏马灯。等小船靠近，李得隆喊一声：“江老大！”

“是我。”江老大答应着，将一根缆索抛了过来。

李得隆伸手接着，系住小船，将江老大接了上来，延入船舱。胡雪岩已将白花花一锭银子摆在桌上了。

“那位少爷上岸了。”江老大说，“我来交差。”

“费你的心。”胡雪岩将银子往前一推，“送你做个过年东道。”

“多谢，多谢。”江老大将银子接到手里，略略迟疑了一下才说，“王老爷，有句话想想还是要告诉你，那位少爷一上岸，就叫长毛捉了去了。”

捉去不怕，要看如何捉法，胡雪岩很沉着地问：“长毛是不是很凶？”

“那倒还好。”江老大说，“这位少爷胆子大，见了长毛不逃，长毛对他就客气点了。”

胡雪岩先就放了一半心，顺口问道：“城里有啥消息？”

“不晓得，”江老大摇摇头，面容顿见愁苦，“城里城外像两个世界。”

“那么城外呢？”

“城外？王老爷，你是说长毛？”

“是啊！长毛这方面有啥消息？”

“也不大清楚。前几天说要回苏州了，有些长毛摆地摊卖抢来的东西，三文不值两文，好像急于脱货求现。这两天又不听见说起了。”

胡雪岩心里明白，长毛的军粮亦有难乎为继之势，现在是跟守军僵持着，如果城里有粮食接济，能再守一两个月，长毛可以不战自退。但从另一方面看，长毛既然缺粮，那么这十几船粮食摆在江面上，必启其觊觎之心。如果调集小船，不顾死命来扑，实在是件很危险的事。因此，这晚上他又急得睡不着，心心念念只望萧家骥能够混进城去，王有龄能够调集人马杀开一条血路，保住粮道。只要争到一天的工夫，就可以将沙船撑到岸边，卸粮进城。

* * *

萧家骥果然混进城了。

被捕之时，长毛就对他“另眼相看”，因为凡是被掳的百姓，没有不吓得瑟瑟发抖的，只有这个“新家伙”——长毛对刚被掳的百姓的通称——与众不同。因此别的“新家伙”照例双手被缚，这个的辫子跟那个的辫子结在一起，防他们“逃长毛”。对萧家骥却如江老大所说的，相当“客气”，押着到了“公馆”，问话的语气亦颇有礼貌。

“看你样子，是外路来的。你叫什么名字，干什么行当？”一个黄衣黄帽、说湖北话的小头目问。

“我姓萧，从上海来。”萧家骥从容答道，“说实话，我想来做笔大生意。这笔生意做成功，杭州城就再也守不住了。”

那小头目听他口气不凡，顿时肃然起敬，改口称他：“萧先生，请问是什么大生意？怎么说这笔生意成功，他们杭州就会守不住？”

“这话我实在不能跟你说。”萧家骥道，“请你送我去见忠王。”

“忠王不知道驻驾在哪里，我也见不着他，只好拿你往上送。不过，萧先生，”那小头目踌躇着说，“你不会害我吧？”

“怎么害你？”

“如果你说的话不实在，岂不都是我的罪过？”

萧家骥笑了，见此人老实可欺，有意装出轻视的神色。“你的话真叫人好笑，你怎么知道我的话不实在？我在上海住得好好的，路远迢迢跑到这里来干什么？跟你实说吧，我是英国人委托我来的，要见忠王，有大事奉陈。”他突然问道，“请问尊姓大名？”

“我叫陆德义。”

“见了忠王，我替你说好话，包有重赏。”李秀成治军与其他洪、杨将领，本自不同，一向注重招贤纳士，所以陆德义听了他这话，越发不敢怠慢。“萧先生，”他很诚恳地答道，“多蒙你好意，我先谢谢。不过，今天已经晚了，你先住一夜。我一面派人禀报上头，上头派人来接。你看好不好？”

这也不便操之过急，萧家骥心想，先住一夜，趁这陆德义好相与，打听打听情形，行事岂不是更有把握？他便即欣然答道：“那也好。我就住一夜。”

于是陆德义奉之为上宾，设酒款待。萧家骥跑惯长江码头，而陆德义是汉阳人，因而以湖北近况为话题，谈得相当投机。

最后谈到杭州城内的情状，那陆德义倒真不失为忠厚人，愀然不乐。“真正是劫数！”他叹口气说，“一想起来，叫人连饭都吃不下。但愿早早破城，杭州的百姓，还有生路，再这样围困着，只怕杭州的百姓都要死光了。”

“是啊！”萧家骥趁机说道，“我来做这笔大生意，当然是帮你们，实在也是为杭州百姓好。不过，我也不懂，忠王破苏州，大仁大义，百姓无不感戴。既然如此，何不放杭州百姓一条生路？”

“现在是骑虎难下了。”陆德义答道，“听说忠王射箭进城，箭上有封招降的书信，说得极其恳切，无奈城里没有回音。”

“喔！”萧家骥问道，“招降的书信怎么说？”

“说是不分军民满汉，愿投降的投降，不愿投降的遣散。忠王已经具本奏报‘天京’，请天王准赦满军回北。从这里到‘天京’往返要二十几日，‘御批’还没有回来。一等‘御批’发回，就要派人跟瑞昌议和。那时说不定又是一番场面了。”陆德义说，“我到过好多地方，看起来，杭州的满兵顶厉害。”

这使得萧家骥又想起胡雪岩的话：杭州只要有存粮，一年半载都守得住。因而也越发感到自己的责任重大，所以这一夜睡在陆德义的“公馆”里，他一遍一遍设想各种情况，盘算着如何能够取信于李秀成，脱出监视，如何遇到官军以后，能够使得他们相信他不是奸细，带他进城去见王有龄。

他这样辗转反侧，直到听打四更，方始蒙眬睡去。也不知睡了多少时候，突然惊醒，只听得人声嘈杂，脚步匆遽，仿佛出现了极大的变故。萧家骥一惊之下，睡意全消，倏然坐起，凝神静听，听出一句话："妖风发了，妖风发了！"

这句话似乎在哪里听过！萧家骥咬紧了牙，苦苦思索，终于想到了。是沙船上无事，听胡雪岩谈过，长毛称清军为"妖"，"妖风发了"就是清军打过来了。

一想到此，他又惊又喜，急忙起床，扎束停当。但又不敢造次，他推开一条门缝，往外张望。只见长毛蜂拥而出，手中的武器种类不一，有红缨枪，有白蜡杆，有大砍刀，也有洋枪。枪声已经起了，杂着呼啸之声，忽远忽近，忽东忽西，随着风势大小在变化，似乎清军颇不少。

怎么办？萧家骥在心中自问。要脱身，此时是大好机会，但外面的情况不清楚，糊里糊涂投入枪林弹雨中，死了都只怕没人知道，岂不冤枉？然而不走呢？别的不说，起码要见李秀成，就不是一下子办得到的。耽误了工夫不说，也许陆德义就死在这一仗中，再没有这样一个讲理的人可以打交道，后果更不堪设想。

就在这样左右为难之际，只见院子外面又闪过一群人，脚步轻，语声也轻，但很急促。"快，快！"有人催促，"快'逃长毛'，逃到哪里算哪里！"

"逃长毛"是句很流行的话，萧家骥听胡雪岩也常将这三个字挂在口头，意思是从长毛那里逃走。而"逃到哪里算哪里"，更是一大启示。"逃！"他对自己说，"不逃，难道真的要跟李秀成做军火生意？"

打定主意，更不怠慢。不过虽快不急，他看清楚无人，一溜烟出了夹弄，豁然开朗，同时闻到饭香，抬头一看，是个厨房。

厨房很大，但似乎没有人。萧家骥仔细察看着，一步一步走过院落，直到灶前，才发现有个人坐在灶下烤火。那人极瘦，眼睛大，骤见之下，形容格外可怖，吓得他倒退了两步。

那人却似一个傻子，一双虽大而失神的眼，瞅着萧家骥，什么表情都没有。

“你是什么人？”他问。

“你不要来问我！”那人用微弱的声音答道，“我不逃！逃来逃去逃不出他们的手，听天由命了。”

听得这话，萧家骥的心凉了一半，怔怔地望着他，半晌无语。

“看你这样子，不是本地人。哪里逃来的？”

看他相貌和善，而且说话有气无力，生趣索然似的，萧家骥便消除了恐惧戒备之心，老实答道：“我从上海来。”

“上海不是有夷场吗？大家逃难都要逃到那里去，你怎么反投到这里来？”那人用听起来空落落的绝望的声音说，“天堂有路你不走，地狱无门闯进来！何苦？”

“我也是无法，”萧家骥借机试探，却又不便说真话，“我有个生死至交，陷在杭州，我想进城去看他。”

“你发疯了！”那人说道，“杭州城里人吃人，你那朋友，只怕早饿死了。你到哪里去看他？就算看到了，你又不能救他。自己陷在里头，活活饿死。这打的是什么算盘？真正气数。”

话中责备，正显得本心是好的，萧家骥决定跟他说实话，先问一句：“你老人家贵姓？”

“人家都叫我老何。”

“老何，我姓萧，跟你老人家老实说吧，我是来救杭州百姓的——也不是我，是你们杭州城里鼎鼎大名的一位善人做好事，带了大批粮食，由上海赶来，叫我到城里见王抚台送信。”萧家骥略停一下，摆出一切都豁出去的神态说，“老何，我把我心里的话都告诉你，你如果是长毛一伙，算我命该如此，今年今月今日今时，要死在这里。如果不是，请你指点我条路子。”

老何听他说完，沉思不语，好久，才抬起头来。萧家骥发觉他的眼神不同了，不再是那黯然无光、近乎垂死的人的神色，而是闪耀着坚毅的光芒，仿佛一身的力量都集中在那方寸眸子中似的。

他将手一伸："信呢？"

萧家骥愕然："什么信？"

"你不是说，那位大善人托你送信给王抚台吗？"

"是的，是口信。"萧家骥说，"白纸写黑字，万一落在长毛手里，岂不糟糕？"

"口信？"老何踌躇着，"口信倒不大好带。"

"怎么？老何，"萧家骥了解了他的意思，"你是预备代我去送信？"

"是啊，我去比你去总多几分把握。不过，凭我这副样子，说要带口信给王抚台，没有人肯相信的。"

"那这样，"萧家骥一揖到地，"请老何你带我进城。"

"不容易。我一个人还好混，像你这样子，混不进去。"

"那么，要怎样才混得进去？"

"第一，你这副脸色，又红又白，就像天天吃大鱼大肉的样子，混进城里，就是麻烦。如果你真想进城，要好好受点委屈。"

"不要紧！什么委屈，我都受。"

"那好！"老何点点头，"反正我也半截入土的人了，能做这么一件事，也值！先看看外头。"

于是他静心细看，人声依旧相当嘈杂，但枪声却稀了。

"官军打败了。"老何很有把握地说，"这时走，正好。"

萧家骥觉得这是件不可思议的事，听一听声音，就能判断胜负，未免过于神奇。眼前是重要关头，一步走错不得，所以他忍不住问了一句："老何，你怎么知道？"

"我早就知道了。"老何答道，"官军饿得两眼发黑，哪里还打得动仗？无非冲一阵而已。"

这就是枪声所以稀下来的缘故了。萧家骥想想也有道理，便放心大胆地跟着老何从边门出了长毛的公馆。

果然，长毛已经收队，满街如蚁，且行且谈且笑，一副打了胜仗的样子。幸好长毛走的是大街，而老何路径甚熟，尽从小巷子里穿来穿去，最后到了一处破败的财神庙，里面是七八个乞儿，正围在一起掷骰子赌钱。

“老何，”其中有一个说，“你倒没有死！”

老何不理他，向一个衣衫略为整齐些的人说：“阿毛，把你的破棉袄脱下来。”

“干什么？”

“借给这位朋友穿一穿。”

“借了给他，我穿啥？”

“他把他的衣服换给你。”

这一说便有好些人争着要换，“我来，我来！”乱糟糟地喊着。

老何打定主意，只要跟阿毛换。他的一件破棉袄虽说略为整齐些，但厚厚一层垢腻，如屠夫的作裙，已经让萧家骥要作呕了。

“没有办法。”老何说道，“不如此就叫不成功。不但不成功，走出去还有危险。不要说你，我也要换。”

听这一说，萧家骥无奈，只好咬紧牙关，换上那件棉袄，还有破鞋破袜。萧家骥只觉满身虫行蚁走般肉麻，自出娘胎，不曾吃过这样的苦头，只是已穿上身，就决没有脱下来的道理。再看老何也找人换了一身衣服，比自己的更破更脏，别人没来由也受这样一份罪，所为何来？这样想着，他便觉得容易忍受了。

“阿毛！”老何又说，“今天是啥口令？”

“我不晓得。”

“我晓得。”有人响亮地回答，“老何，你问它做啥？”

“自然有用处。”老何回头问萧家骥，“你有没有大洋钱，摸一块出来。”

萧家骥如言照办，老何用那块银洋买得了一个口令。

但是——“这是什么口令呢？”萧家骥问。

“进城的口令。”老何答道，“城虽闭了，城里还是弄些要饭的出来打探军情，一点用处都没有。”

在萧家骥却太有用了，同时也恍然大悟，为何非受这样的罪不可。

走不多远，遥遥发现一道木城，萧家骥知道离城门还有一半路程。他听胡雪岩谈过，杭州十城被围以后王有龄全力企图打开一条江路，但兵力众寡悬殊，有心无力，正好张玉良自富阳撤退，王有龄立即派人跟他联络，采取步步为营的办法。张玉良从江干往城里扎营，城里往江干扎营，扎住一座，坚守一座，不求速效而稳扎稳打，总有水到渠成，联成一气打开一线生路的时候。

由于王有龄的亲笔信写得极其恳切，说“杭城存亡，视此一举，不可失机误事”，所以张玉良不敢怠慢，从江干外堤塘一面打，一面扎营。扎了十几座，遇到一条河，成了障碍。张玉良派人夺围进城，要求王有龄派兵夹击，同时将他扎营的位置画成明明白白的图，一并送上。王有龄即时通知饶廷选调派大队出城。谁知饶廷选一夜耽误，泄露机密，李秀成连夜兴工，在半路上筑成一座木城，城上架炮，城外又筑土墙，墙上凿眼架枪，隔绝了张玉良与饶廷选的两支人马，而且张玉良因此中炮阵亡。

这是胡雪岩离开杭州的情形，如今木城依旧，自然无法通过。老何带着萧家骥，避开长毛，远远绕过木城，终于见了城门。

“这是候潮门。”

“我晓得。”萧家骥念道，“‘候潮’听得‘清波’响，‘涌金’‘钱塘’定‘太平’。”

这两句诗中，嵌着杭州五个城门的名称，只有本地人才知道，所以老何听他一念，浮起异常亲切之感，枯干瘦皱，望之不似人形的脸上，第一次出现了笑容，“你倒懂！”他说，“哪里听来的？”

萧家骥笑笑答道：“杭州我虽第一次来，但杭州的典故我倒晓得很多。”

“你跟杭州有缘。”老何很欣慰地说，“一定顺利。”

说着话，已走近壕沟。沟内有些巡逻，沟外却有人伏地贴耳，不知在干什么。萧家骥不免诧异却步。

“这些是什么人？”

“是瞎子。”老何答道，“瞎子的耳朵特别灵，地下埋着‘酒坛子’，如有啥声音听得格外清楚。”

“噢！我懂了。”萧家骥恍然大悟，“这就是所谓‘瓮器’，是怕长毛挖地道，埋炸药。”

“对了！快走吧，那面的兵在端枪了。”

说着，老何双手高举急步而行，萧家骥如法而施，走到壕沟边才住脚。

“口令！”对面的兵喝问。

“日月光明。”

那个兵不作声了，走向一座辘轳，摇动把手将一条矗立着的跳板放了下来，横搁在壕沟上，算是一道吊桥。

萧家骥觉得这个士兵，虽然形容憔悴，有气无力，仿佛连话也懒得说似的，但依然忠于职守，也就很可敬了。由此便想，官军的纪律，并不如传说中那样糟不可言。既然如此，何必自找麻烦，要混进城去？

想到这里，萧家骥说：“老何！我看我说明来意，请这里驻守的军官派弟兄送我进去，岂不省事？”

老何沉吟了一下答道：“守候潮门的曾副将，大家都说他不错的，不妨试一试。不过，”老何提出警告，“秀才遇着兵，有理说不清，也是实话。到底怎么回事，你自己晓得。不要前言不搭后语，自讨苦吃。”

“不会，不会！我的话，货真价实。那许多白米停在江心里，这是假得来的吗？”

听这一说，老何翻然改计，跟守卫的兵士略说经过，求见官长。于是由把总到千总，到守备，一层层带上去，终于在候潮门见到了饶廷选的副将曾得胜。

“胡道台到上海买米，我们是晓得的。”曾得胜得知缘由以后，这样问道，“不过你既没有书信，又是外路口音，到底怎么回事？倒弄不明白，怎么领你去见王抚台？”

萧家骥懂他的意思，叫道：“曾老爷！请你搜我身子，我不是刺客。公然求见，当然也不是奸细。只为穿越敌阵，实在不能带什么书信，见了王抚台，我有话说，自然会让他相信我是胡道台派来的。如果王抚台不相信，请曾老爷杀我的头。我立一张军令状在你这里。”

“立什么军令状？这是小说书上的话。我带你去就是。”曾得胜被萧家骥逗得笑了，不过他的笑容比哭还难看。

“是！”萧家骥响亮地答应一声，立即提出一个要求，“请曾老爷给我一身弟兄的棉军服穿！”

他急于脱卸那身又破又脏的衣服，但轻快不过片刻，一进了城，尸臭蒸熏，几乎让他昏倒。

王有龄已经绝望了！一清早，杰纯冲过一阵——就是萧家骥听到枪声的那时刻。十几船活命的白米等着去运，这样的鼓励，还不能激出士兵的力量来，又还有什么人能开粮通道，求得一线生路？

因此，他决定要写遗疏了：

> 窃臣有龄前将杭城四面被围，江路阻绝，城中兵民受困各情形，托江苏抚臣薛焕，据情代奏，不识能否达到。现在十门围紧，贼众愈聚愈多，迭次督同饥军，并密约江干各营会合夹击，计大小昼夜数十战，竟不能开通一线饷道。城内粮食净尽，杀马饷军，继以猫鼠、食草根树皮，饿殍载道，日多一日，兵弁忍饥固守，无力操戈。初虞粮尽内变，经臣等涕泣拊循，均效死相从，绝无二志，臣等奉职无状，致军民坐以待毙，久已痛不欲生。

写到这里，王有龄眼痛如割，不能不停下笔来。他这眼疾已经整一年了，先是“心血过亏，肝肠上逼，脾经受克，肺气不舒”，转为“风火上炎”而又没有一刻能安心的时候，以致眼肿如疣，用手一按，血随泪下，见到的人无不大骇。后来遇到一位眼科名医，刀圭与药石兼施，才有起色。但自围城以来，旧疾复发，日重一日，王有龄深以为恨。性命他倒是早已置之度外，就这双眼睛不得力，大是苦事。

如果是其他文报，可以口授给幕友子侄代笔，但这通遗折，王有龄不愿为人所见，所以强睁如针刺般疼痛的双眼，继续往下写：

第残喘尚存，总以多杀一贼，多持一日为念，泣思杭城经去年兵燹之后，户鲜盖藏，米粮一切，均由绍贩运，军饷以资该处接济为多。金、兰不守后，臣等早经筹计，须重防以固宁绍一线饷源，乃始则饬宁绍台道张景渠，继又迭饬运司庄焕文，记名道彭斯举，各带兵勇设防，均经王履谦议格不行，又复袒庇绅富，因之捐借俱穷，固执己见，诸事掣肘。臣等犹思设防堵御，查有廖守元与湖绅赵景贤，历守危城，一载有余，调署绍兴府，竭筹布置。乃违大绅不愿设防之意，诬以通贼痛殴，履谦从旁袖手。比及城陷而走，卒致廖宗元城亡与亡，从此宁绍各属，相继失陷，而杭城已为孤注，无可解救矣！

写到这里，王有龄一口怨气不出，想到王履谦携带家眷辎重，由宁波出海到福建，远走高飞，逍遥自在，而杭州全城百姓，受此亘古所无的浩劫。自己与驻防将军瑞昌，纵能拼得一死报君主，却无补于大局，因而又奋笔写道：

王履谦贻误全局，臣死不瞑目。眼下饷绝援穷，危在旦夕，辜负圣恩，罪无可逭。唯求皇上简发重兵，迅图扫荡，则臣等虽死之日，犹生之年。现在折报不通，以后更难偷达，谨将杭城决裂情形，合词备兵折稿，密递上海江苏抚臣薛焕代缮具奏。仰圣瞻天，无任痛切悚惶之至。

遗疏尚未写完，家人已经闻声环集。王有龄看着奶妈抱着的五岁小儿子，肤色黄黑，骨瘦如柴，越发心如刀割，一恸而绝。

等救醒过来，只见他的大儿子裔云含着泪强展笑容。“爹！”他说，“胡大叔派人来了。”

“喔，”这无论如何是个喜信，王有龄顿觉有了精神，“在哪里？”

“在花厅上等着。”裔云说道，“爹也不必出去了，就请他上房来见吧！”

“也好。”王有龄说，“这时候还谈什么体制？再说，胡大叔派的人，就是自己人。请他进来好了。”他又问，“来人姓什么？”

“姓萧！年纪很轻，他说他是古应春的学生。”

进上房，萧家骥以大礼拜见。王有龄力弱不能还礼，只叫：“萧义士，萧义士，万不敢当。”

萧家骥敬重他的孤忠苦节，依旧恭恭敬敬地一跪三叩首。只由裔云在一旁还了礼，然后端张椅子，请他在王有龄床前坐下。

“王大人！”

萧家骥只叫得这一声，下面的话就说不出来了。这倒不是怯官，只为一路而来，所见所闻，是梦想不到的惊心惨目。特别是此一刻，王家上下，一个个半死不活，看他们有气无力地飘来飘去，真如鬼影幢幢，以至于连他自己都不知道此身究竟是在人间，还是在地狱。因而他有些神志恍惚，一时竟想不起话从哪里开头。

于是反主为客，王有龄先问起古应春：“令师我也见过，我们还算是干亲。想来他近况很好？”

“是，是。托福，托福！”

等话出口，萧家骥才发觉一开口就错。王有龄眼前是这般光景，还有何福可托？说这话，岂不近乎讥讽？

这样想着，他急图掩饰失言，便紧接着说：“王大人大忠大义，知道杭州情形的人，没有一个不感动的。都拿王大人跟何制台相比……”

这又失言了！何桂清弃地而逃，拿他相比，自是对照，然仿佛责以与杭州共亡似的。萧家骥既悔且愧又自恨，所以语声突住。平日伶牙俐齿的人，这时变得笨嘴拙舌，不敢开口了。

谁知道这话倒是发生了意想不到的效用，王有龄不但不以为忤，脸上反而有了笑容。“上海五方杂处，议论最多。”他问，“他们是怎么拿我跟何制军相比？”

既然追问，不能不说，萧家骥定定神答道：“都说王大人才是大大的忠臣。跟何制台一比，贤愚不肖，更加分明了。大家都在保佑王大人逢凶化吉、遇难成祥呢。”

“唉！”王有龄长长地舒了口气，“有这番舆论，可见得公道自在人心。”他略停一下又问，“雪岩总有信给我？”

“怕路上遇到长毛，胡先生没有写信，只有口信。”萧家骥心想，胡雪岩所说，王有龄向他托孤的话，原是为了征信之用，现在王有龄既已相信自己的身份，这话就不必再提，免得惹他伤心，所以接下来便谈正题，“采办的米，四天前就到了，停在江心。胡先生因为王大人曾交代，米船一到，自会派人跟他联络，所以不敢离开。一直等到昨天，并无消息，胡先生焦躁得食不甘味、夜不安枕，特为派我冒险上岸来送信，请王大人赶快派兵，打通粮道，搬运上岸。”

话还未完，王有龄双泪直流，不断摇头，哽咽着说：“昨天就得到消息，今天也派兵出城了。没有用！叫长毛困死了，困得一点气力都没有了。可望而不可即。有饭吃不到口，真叫我死不瞑目。”

说到这里，他放声一恸，王家大小，亦无不抢天呼地跟着痛哭。萧家骥心头一酸，眼泪汩汩而下，也夹在一起号啕。

“流泪眼看流泪眼”，二人相互劝慰着收住了眼泪。萧家骥重拾中断的话头，要讨个确实主意。

问到这话，又惹王有龄伤心。这是唯一的一条生路，关乎全城数十万生灵，明知可望而不可即，却又怎么能具此大决断，说一声“算了，你们走吧”？

不走等机会又如何？能办得到这一点，自然最好，但画饼不能充饥，望梅或可止渴，有这许多米停泊在钱塘江心，或者能激励军心，发生奇迹。王有龄见过这样的奇迹，幼时见邻家失火，有个病足在床的人，居然能健步冲出火窟。人到绝处想求生时，那份潜力的发生，常常是不可思议的。

然而这到底是可遇而不可求的事。这许多米摆在那里，长毛必起觊觎之心。就算他们自己不绝粮，但为了陷敌于绝境，亦必千方百计动脑筋不可。或明攻，或暗袭，只要有一于此，胡雪岩十之八九会葬身在钱塘江中，追随伍子胥于地下，呜咽朝夕，含恨千古。转念到此，王有龄凄然下泪，摇头长叹：“何苦‘临死还拉个垫背的’？萧义士，你跟雪岩说，心余力绌，坐以待毙。请他快走吧！”

其实这倒是萧家骥想讨到的一句话，但听王有龄说出口来，他反答应不下了。

“王大人！再筹划筹划看！”

“不用筹划了。日日盼望，夜夜盘算，连想派个人跟雪岩联络，都不容易办得到。唉，”王有龄痛心欲绝地说，“我什么都不错，只错了两件事。一件是当初有人劝我从城上筑一条斜坡，直到江边，派重兵把守，以保粮路。我怕深累民力，而且工程浩大，担心半途而废，枉抛民力，不曾采纳。如今想来，大错特错。”

这实在是个好办法，有了这条路，当然也难免遭长毛的袭击，但九次失败，一次成功，城内亦可暂延残喘，绝不会像现在这样被困得一点点生路都找不到。

当然，这话要说出来，会更使王有龄伤心，所以萧家骥只好反过来说。“那也不见得。”他说，“照我一路看到的情形，长毛太多，就有这条斜坡，也怕守不住。”

“这不去说它了。第二件事最错！”王有龄黯然说道，“被围之初，有人说该闭城，有人说要开城放百姓，聚讼纷纭，莫衷一是。我不该听了主张闭城的人的话，当初该十门大开，放百姓去逃生才是正办。”

“王大人，你老也不必懊悔了。说不定当初城门一开，长毛趁机会一冲，杭州早就不保。”

“原来顾虑的也就是这一点。总当解围是十天半个月的事，大家不妨守一守，开城放百姓，会动摇军心。哪知道，结果还是守不住。既有今日，何必当初？我对不起杭州的百姓啊！”说到这里，又是一场号啕大哭。萧家骥再次陪泪，而心里却已有了打算，哽咽着喊道：“王大人，王大人，请你听我说一句。”

等王有龄悲伤略减，萧家骥提出一个办法，也可以说是许诺，而实在是希望——希望粮船能再安然等待三天，更希望城内官军能在这三天以内，杀出一条血路，运粮上岸。

“但愿如此！”王有龄强自振作着说，“我们内外和继，尽这三天以内拼一拼命。”

“是！”为了鼓舞城内官兵，萧家骥又大胆作了个许诺，“只要城内官兵能够打到江边，船上的洋兵一定会来接应。他们的人数虽不多，火器相当厉害，很得力的。”

“能这样最好。果然天从人愿，杭州能够解围，将来洋兵的犒赏，都着落在我身上。多怕不行，两万银子！”王有龄拍着胸脯说，“哪怕我变卖薄产来赔，都不要紧。”

“是了。”萧家骥站起身来说，“我跟王大人告辞，早点赶回去办正事。”

“多谢你！萧义士。”王有龄衷心感激地说，“杭州已不是危城，简直是绝地。足下冒出生入死的大险来送信，这份云天高义，不独我王某人一个人，杭州全城的文武军民，无不感激。萧义士——”他一面说，一面颤巍巍地起身，“请受我一拜！”

“不敢当，不敢当！”萧家骥慌忙扶住，“王大人，这是我义不容辞的事。”

一个坚辞，一个非要拜谢，僵持了好一会儿，终于还是由王有龄的长子代父行礼。萧家骥自然也很感动，转念想到生离几乎等于死别，不由得热泪盈眶，喉头梗塞，只说得一声：“王大人，请保重！”扭头就走。

他踉踉跄跄地出了中门，只听里面在喊：“请回来，请回来！”

请了萧家骥回去，王有龄另有一件大事相托，将他的遗疏交了给萧家骥。“萧义士！”这一次王有龄的声音相当平静，“请你交付雪岩保管。城在人在，城亡人亡，只听说杭州失守，就是我毕命之日。请雪岩拿我这道遗疏，面呈江苏薛抚台，请他代缮出奏。这件事关乎我一生的结果，萧义士我重重拜托了。”

见他是如此肃穆郑重的神情，萧家骥不敢怠慢，重重地应一声：“是！”然后将那道遗疏的稿子折成四叠，放入贴肉小褂子的口袋中。他深怕没有放得妥当会遗失，还用手在衣服外面按了两下。

“喔，还有句话要交代，这道遗疏请用我跟瑞将军两个人的衔名出奏。”王有龄又说，“我跟瑞将军已经约好了，一起殉节，决不独生。”听他侃侃而谈，真有视死如归的气概，萧家骥内心的敬意掩没了悲伤，从容拜辞。

“王大人，”他说，“我决不负王大人的付托。但愿这个稿子永远存在胡先生手里！”

“但愿如此！”王有龄用低微但很清晰的声音说，“再请你转告雪岩，千万不必为我伤心。”

第三章

胡雪岩岂有不伤心之理？接到王有龄的遗疏，他的眼圈就红了。而他最伤心的，则是王有龄已绝了希望。他可以想象得到，王有龄原来一心所盼的是粮船，只怕他不能顺利到达上海，到了上海办来粮食，又怕不能冲破沿途的难关到达杭州。哪知千辛万苦，他将粮运到了，却是可望而不可即，从此再无指望。一线希望消失，就是一线生机断绝。“哀莫大于心死”，王有龄的心化为成冰，有生之日，待死之时，做人到此绝境，千古所无，千古所悲。

然而胡雪岩却不能不从无希望中去找希望，希望在这三天中发生奇迹。这是个缥缈的希望，但就悬此缥缈的希望亦似乎不易。形势在一夜之间险恶了，长毛一船一船在周围盘旋，位置正在枪弹所够不到的地方。其意何居，不言可知。因此，护送的洋兵已在不断催促，早作了结。

“要请他们等三天，只怕很难。”李得隆说，“派去的人没有回来，总要有了确实信息再说。这句话在道理上，他们就不愿也没奈何。现在家骥回来了，刚才一谈杭州的情形，大家也都知道了。没有指望的事，白白等在这里冒极大的危险，他们不肯的。”

“无论如何要他们答应。来了一趟，就此回去，于心不甘。再说，有危险也不过三天，多大的危险也冒过了，何在乎这三天？”

“那就早跟他们说明白。”李得隆说，“沙船帮看样子也不大肯。”

“只要洋兵肯了，他们有人保护，自然没有话说。这件事要分两方面做，重赏之下，必有勇夫。”胡雪岩说，“请你们两位跟联络的人去说，我有两个办法，随他们挑。”

胡雪岩盘算着，两个办法够不够，是不是还有第三条兼筹并顾的路。想了半天，只有两个办法。

“第一个办法，如果城里能够杀出一条血路，请他们帮忙打，王抚台犒赏的两万银子，我一到上海就付，另外我再送一万。如果有阵亡受伤的，抚恤照他们的营规加一倍。这样等过实足三昼夜，如果没有动静，开船到宁波，我送三千银子。”

“这算得重赏了。他们卖命也卖得过。”李得隆又问，“不过人心不同，万一他们不肯，非要开船不可呢？”

“那就是我的第二个办法，他们先拿我推在钱塘江里再开船。”

胡雪岩说这话时，脸色白得一丝血色都没有。李得隆、萧家骥悚然动容，相互看看，久久无语。

“不是我吓他们！我从不说瞎话，如果仁至义尽他们还不肯答应，你们想想，我除死路以外，还有什么路好走？”

胡雪岩不惜以身相殉的坚决态度，一方面感动了洋兵，一方面也吓倒了洋兵。他们通过联络官提出一个条件，要求胡雪岩说话算话，到了三天一过，不要再出花样，拖延不走。

“‘尽人事而听天命。’”胡雪岩说，“留这三天是尽尽人事而已，我亦晓得没用的。”

话虽如此，胡雪岩却是废寝忘食，一心以为鸿鹄之将至，日日夜夜在船头上凝望。江潮呜咽，虽淹没了他的吞声的饮泣，但江风如剪，冬宵寒重，引发了他的剧烈的咳嗽，却是连船舱中都听得见的。

“胡先生，”萧家骥劝他，“王抚台的生死大事，都在你身上，还有府上一家，都在盼望。千金之躯，岂可以这样不知道爱惜？”

晚辈而有责备之词，情意格外殷切，胡雪岩不能不听劝。但他睡在铺上，却只是竖起了耳朵，偶尔听得巡逻的洋兵一声枪响，都要出去看个明白。

纵然度日如年，三天到底还是过去了。洋人做事，丝毫没有通融，到了实足三昼夜届满，正是晚上八点钟，非开船不可。

胡雪岩无奈，望北拜了几拜，权当生奠，然后痛哭失声而去。

到了甬江口的镇海附近，他才知道太平军黄呈忠和范汝增从慈溪和奉化分道进攻，宁波已经在两天前的十一月初八失守。不过宁波有租界，有英美领事和英法军舰，而且英美领事已经划定“外人居住通商区域”，正跟黄呈忠和范汝增在谈判，不准太平军侵犯。

“那怎么办？”胡雪岩有气无力地说，“我们回上海？”

“哪有这个道理？胡先生，你精神不好，这件事交给我来办。”

于是萧家骥雇一只小船，驶近一艘英国军舰，隔船相语。军舰上准他登船，同时见到了舰长考白脱。

他的来意是要跟杨坊开在宁波的商号联络，要求军舰派人护送，同时说明有大批粮食可以接济宁波。

这是非常受欢迎的一件事。“在中立区避难的华人，有七万之多，粮食供应，成为绝大的问题，你和你的粮食来得正是时候。不过，我非常抱歉，”考白脱耸耸肩说，“眼前我还没有办法达成你的意愿。你是不是可以在我船上住两三天？”

“为什么？”

“领事团正在跟占领军谈判。希望占领军不侵犯中立区，同时应该维持市面。等谈判完成，你的粮食可以公开进口，但在目前，我们需要遵守约定，不能保护任何中国人上岸。”

“那么，是不是可以为我送一封信呢？”

考白脱想了想答道：“可以你写一封信，我请领事馆代送。同时我要把这个好消息告诉我们的领事。”

萧家骥如言照办。考白脱的处置也异常明快，派一名低级军官，立即坐小艇登岸送信，同时命令他去谒见英国驻宁波的领事夏福礼，报告有大批粮食运到的好消息。

为了等待复信，萧家骥很想接受考白脱的邀请，在他的军舰上住下来，但又不放心自己的船。虽说船上有数十名洋兵保护，倘或与太平军发生冲突，麻烦甚大。如果跟考白脱要一面英国国旗一挂，倒是绝好的安全保障，但他又怕属于美国籍华尔的部下，认为侮辱而拒绝。

左思右想，他只有先回船守着再说。及至起身告辞时，考白脱正好接到报告，知道有华尔的兵在，愿意取得联络，请萧家骥居间介绍。

这一来无形中解消了他的难题，喜出望外，连声许诺。于是由军舰上放下一条救生艇，陪着一名英国军官回到自己船上。洋兵跟洋兵打交道的结果，华尔的部下接受了英国的建议，粮船悬挂英国国旗，置于考白脱的保护之下。

到这地步，算是真正安全了。萧家骥自觉这场交涉办得异常得意，兴冲冲要告诉胡雪岩。到了舱里一看，只见胡雪岩神色委顿异常，面色难看得很。

“胡先生，”他大惊问说，“你怎么了？”

“我要病了。”

萧家骥探手去摸他的额头，其烫无比。“已经病了！”他说，“赶快躺下来。”

* * *

胡雪岩这一躺下就起不来了，烧得不断谵语，不是喊“雪公”就是喊“娘”。病中神志不清，他只记得已到了岸上，却不知卧疾何处。有一天他半夜里醒过来，只见灯下坐着一个人，且是女人，背影苗条，似乎很熟，却一时再也想不起来是谁。

“我在做梦？”

虽是低声自语，自也惊动了灯下的人。她旋转身来，扭亮了洋灯，让胡雪岩看清了她的脸——这下真的像做梦了，连喊都喊不出来！

“你，你跟阿巧好像！”

“我就是阿巧！”她抹一抹眼泪强笑着，“没有想到是我吧？”

胡雪岩不答，强自抬起身子。力弱不胜，摇摇欲倒，阿巧赶紧上来扶住了他。

“你要做啥？是不是要茶水？”

“不是！”胡雪岩吃力地说，“我要看看，我是不是在做梦？这是哪里，你是不是真的阿巧？”

“是啊！我是真的阿巧。我是特为来看你的。你躺下来，有话慢慢说。”

话太多了，无从说起，其实是头上昏昏沉沉的，连想都无从想起。胡雪岩只好躺了下来，仰脸望望帐顶，又侧脸望望阿巧，先要弄清楚从得病到此刻的情形。

“人呢？”他没头没脑地问。

“你是说那位萧少爷？”阿巧答道，“他睡在外房。”

在外房的萧家骥，已经听见声音，急急披衣起床来探视，只见胡雪岩虽然形容憔悴，但眼中已有清明的神色，便又惊又喜地问道：“胡先生，你认不认得我？”

“你？”胡雪岩不解地问：“你不是家骥吗？”

“这位太太呢？”

“她是何姨太太。”胡雪岩反问一句，“你问这些做啥？倒像我连人都认不得似的。”

“是啊！”萧家骥欣慰地笑道，“前几天胡先生你真的不认得人。这场湿温的来势真凶，现在总算‘扳’回来了。”

“这么厉害！”胡雪岩自己都有些不信，咽着气说，“我自己都想不到。几天了？”

“八天了。”

“这是哪里？”

“在英国租界上，杨老板号子里。”萧家骥说，“胡先生你虚极了，不要多说话，先吃点粥，再吃药。睡过一觉，明天有了精神，听我们细细告诉你。”

这“我们”很明显地包括了阿巧姐，所以她接口说道：“萧少爷的话不错，你先养病要紧。”

“不要紧。”胡雪岩说，“我什么情形都不知道，心里闷得很。杭州怎么样？”

“没有消息。”

胡雪岩转脸想问阿巧姐时，她正站起身来，一面向外走，一面说道：“我去热粥。”

望着那依然袅袅婷婷的背影，再看到萧家骥似笑非笑，有意要装得不在意的诡秘神情，胡雪岩仍有相逢在梦中的感觉，低声向萧家骥问道：“她是怎么来的？”

“昨天到的。”萧家骥答道，“一到就来找我。我在师娘那里见过她一次，所以认得。她说，她是听说胡先生病重，特为赶来服侍的，要住在这里。这件事师娘是知道的，我不能不留她。”

胡雪岩听得这话，木然半晌，方始皱眉说道：“你的话我不懂，想起来头痛。怎么会有这种事？”

“难怪胡先生。说来话长，我亦不太清楚。据她说，她去看师娘，正好师娘接到我的来信，听说胡先生病很重，她要赶来服侍。师娘当然赞成，请师父安排，派了一个人护送，坐英国轮船来的。”

“奇怪啊！”胡雪岩说，“她姓人可何，我姓古月胡，何家的姨太太怎么来服侍我这个病人？”

“那还用说？当然是在何家下堂了。”萧家骥说，“这是看都看得出来的，不过她不好意思说，我也不好意思打听。回头胡先生你自己问她就明白了。”

这一下，大致算是了解了来龙去脉。他心里在想，阿巧姐总不会是私奔，否则古应春夫妇不致派人护送她到宁波。

“但是，她的话靠得住靠不住？何以知道她是你师娘赞成她来的？”

“不错！护送的人，就是我师父号子里的出店老司务老黄。”胡雪岩放心了。老黄又叫“宁波老黄”，胡雪岩也知道这个人。

胡雪岩还想再细问一番，听得脚步声，便住口不语，望着房门口。门帘掀动，先望见的是阿巧姐的背影，她端着托盘，腾不出手来打门帘，所以是侧着进来。

于是萧家骥帮着将一张炕几横搁在床中间，端来托盘。里面是一罐香粳米粥，四碟清淡而精致的小菜，特别是一样糟蛋，为胡雪岩所酷嗜，所以他一见便觉得口中有了津液，腹中也辘辘作响了。

“胡先生，”萧家骥特地说明这些食物的来源，“连煮粥的米都是何姨太从上海带来的。”

“萧少爷，”阿巧姐接口说道，“请你叫我阿巧好了。”

这更是已从何家下堂的明显表示。本来叫“何姨太”就觉得刺耳，因而萧家骥欣然乐从，不过为了尊敬胡雪岩，似乎不便直呼其名，只拿眼色向他征询意见。

“叫她阿巧姐吧。”

“是。”萧家骥用亲切中显得庄重的声音叫一声，“阿巧姐！”

“嗯！”她居之不疑地应声，真像是个大姐姐似的，“这才像一家人。”

这话在他、在胡雪岩都觉得不便作何表示。阿巧姐也不再往下多说，只垂着眼替胡雪岩盛好了粥。粥在冒热气，她便又噘起滋润的嘴唇吹得不太烫了，方始放下，然后从腋下抽出白手绢，擦一擦那双牙筷，连粥碗一起送到胡雪岩面前，却又问道：“要不要我来喂你？”

这话提醒了萧家骥，有这样体贴的人在服伺，何必自己还站在这里碍眼，便微笑着悄悄走出去。

四只眼睛都望着他的背影，直待消失，方始回眸。相视不语，怔怔地好一会儿，阿巧姐忽然眼圈一红，急忙低下头去，顺手拿起手绢，装着擤鼻子去擦眼睛。

胡雪岩也是万感交集，但不愿轻易有所询问。她的泪眼既畏见人，他也就装作不知，扶起筷子吃粥。

这一吃粥顾不得别的了。好几天粒米不曾进口，真是饿极了，唏里呼噜地吃得好不有劲。等他一碗吃完，阿巧姐已舀着一勺子在等了。她一面替他添粥，一面高兴地笑道：“赛过七月十五鬼门关里放出来的！”

话虽如此，但等他吃完第二碗，阿巧姐便不准他再吃，怕病势刚刚好转，饱食伤胃。而胡雪岩意有未餍，好说歹说才替他添了半碗。

“唉！”放下筷子他感慨着说，“我算是饱了！”

阿巧姐知道他因何感慨。杭州的情形，她亦深知，只是怕提起来惹他伤心，所以不理他的话，管自己收拾碗筷走了出去。

“阿巧，你不要走，我们谈谈。”

“我马上就来。”她说，“你的药煎在那里，也该好了。”

过不多久，她将煎好了的药送来，服侍他吃完，劝他睡下。胡雪岩不肯，说精神很好，又说腿上的伤疤痒得难受。

“这是好兆头。伤处在长新肉，人也在复原了。”她说，“我替你洗洗脚，人还会更舒服。”

不说还好，一说胡雪岩觉得浑身发痒，恨不得能在“大汤”中痛痛快快泡一泡才好。他也像扬州人那样，早就有“上午皮包水，下午水包皮”的习惯，但自从杭州吃紧以来，就没有泡过“澡塘”。这次到了上海，又因为腿上有伤，不能入浴。虽然借助于古家的男佣抹过一次身，从里到外换上七姑奶奶特喊裁缝为他现制的新衣服，但经过这一次海上出生入死的跋涉，担忧受惊的冷汗出了干、干了出，不知几多次，满身垢腻，很不舒服，实在想洗个澡。无奈万无劳动阿巧姐的道理。

他心里这样在想，她却说到就做，已转身走了出去，不知从哪里找到了一只簇新的高脚木盆，提来一铫子的热水，冲到盆里，然后掀被来捉他的那双脚。

“不要，不要！”胡雪岩往里一缩，“我这双脚从上海上船就没有洗过，太脏了。”

“怕什么？”阿巧姐毫不迟疑地，“我路远迢迢赶了来，就是来服侍病人的。只要你好好复原，我比什么都高兴。”这两句话在胡雪岩听来，感激与感慨交并。兵荒马乱，九死一生，他想到下落不明的亲人，快要饿死的杭州一城百姓，以及困在绝境，眼看着往地狱里一步一步在走的王有龄，常常会自问：人生在世，到底为的什么，就为了受这种生不如死的苦楚？现在却不同了，人活在世界上，有苦也有乐，是苦是乐，全看自己的作为。真是《太上感应篇》上所说的：“祸福无门，唯人自召”。

这样转着念头，他觉得自己的一颗心如枯木逢春般，又管用了，脑筋亦已灵活，本来凡事都懒得去想，此刻却想得很多，想得很快。等阿巧姐替他将脚洗好，他便又笑道：“阿巧，送佛送到西天，索性替我再抹一抹身子。”

“这不大妥当。你身子虚，受不得凉。”

“不要紧！”胡雪岩将枯瘦的手臂伸出来，临空捣了两下，显得很有劲似的说，“我自己觉得已经可以起床了。”

“瞎说！你替我好好睡下去。”她将他的脚和手都塞入被中，硬扶他睡倒，而且还掖紧了棉被。

“真的。阿巧，我已经好了。”

“哪有这种事？这样一场病，哪里会说好就好？吃仙丹也没有这样灵法。”

“人逢喜事精神爽，你就是仙丹。仙丹一到，百病全消。”

“哼！”阿巧微微撇着嘴，“你就会灌米汤。睡吧！”她用纤纤一指，将他的眼皮抹上。等她转身，他的眼又睁开了，望着帐顶想心事。他要想知道的事很多，而眼前却只有阿巧好谈。

阿巧却好久不来，他忍不住喊出声来，而答应的却是萧家骥。“胡先生，”他说，“你不宜过于劳神。此刻半夜两点钟了，请安置吧！”

“阿巧呢？”胡雪岩问道，“她睡在哪里？”

做批发生意的大商号，备有客房客铺，无足为奇，但从不招待堂客。有些商家的客户，甚至忌讳堂客，因为据说月事中的妇女会冲犯所供的财神。杨坊的这家招牌也叫“大记”，专营海鲜杂货批发的商号，虽然比较开通，不忌妇女出入，但单间的客房不多，所以阿巧姐是由萧家骥代为安排，借住在大记的一个伙计家中，与此人的新婚妻子同榻睡了一夜。

“今天不行了，是轮到那伙计回家睡的日子，十天才有这么一天。阿巧姐说：‘人家喷喷香、簇簇新的新娘子，怎好耽误他们夫妻的恩爱？’那伙计倒很会做人，一再说不要紧，是阿巧姐自己不肯。”

“那么今天睡在哪里呢？”

“喏，”萧家骥指着置在一旁的一扇门板、两张条凳说，“我已经预备好了，替她搭‘起倒铺’。不过——”他笑笑没有再说下去，神情诡秘，令人起疑。胡雪岩当然要追问：“不过什么？”

“我看这张床蛮大，不如让阿巧姐就睡在胡先生脚后头。”萧家骥又说，“她要在这里搭铺就为了服侍方便，睡在一床上，不更加方便了吗？”

不知他是正经话，还是戏谑，也不知阿巧姐本人的意思究竟如何，胡雪岩只有微笑不答。

到最后，萧家骥还是替阿巧姐搭了“起倒铺”。被褥衾枕自然是她自己铺设。等侍候病人服了药，关好房门，胡雪岩开口了。

“你的褥子太薄，又没有帐子，不如睡到我里床来！”他拍拍身边。

正在卸妆的阿巧姐没有说话，抱衾相就。不过为了行动方便，她睡的是外床。宁波人讲究床铺，那张黄杨木雕花的床极大，两个人睡还绰绰有余。

里床搁板上置一盏洋灯，捻得小小的一点光照着她那件葱绿缎子的紧身小夹袄。这看在胡雪岩眼里，又起了相逢在梦中的感觉。

“阿巧！你该讲讲你的事了吧？”

“说来话长。”阿巧很温柔地说，“你这半夜也累了，刚吃过药好好睡一觉。明天再谈。”

“我现在精神很好。”

“精神好自然好。你听，”阿巧姐说，“鸡都在叫了。后半夜这一觉最要紧，睡吧！好在我人都来了，你还有什么好急的？”

这句话的意思很深，足够胡雪岩想好半天。到底病势初转，精神不够，他很快地便觉得困倦，一觉睡到天亮。

他醒她也醒了，急急要起床料理。胡雪岩却愿她多睡一会儿，拖住她说：“天太冷，不要起来。我们好好谈谈。”

“谈什么？”阿巧姐说，“但愿你早早复原，回到上海再说。”

“我昨天晚上想过了，只要这一次能平平安安过去，我再也不做官了。安安分分做生意，能够跟几个好朋友常在一起叙叙，我就心满意足了。”

“你只晓得朋友！”阿巧姐是微带怨怼的神情，“就不替自己打算打算。”

替他自己打算，当然也就要包括她在内。言外之意，相当微妙。胡雪岩很沉着地不作表示，只是问说：“你是怎么从何家出来的？现在可以告诉我了吧！”

“当然要告诉你的。不过你处处为朋友，听了只怕心里会难过。”

她的意思是将何桂清当作胡雪岩的朋友。这个朋友现在惨不可言，只为在常州一念之差，落得个“革职拿问”的处分。迁延两年，多靠薛焕替他支吾敷衍，然而“逃犯”的况味也受够了。

“这种日子不是人过的。”阿巧姐喟叹着说，“人嘛是个黑人，哪里都不能去。听说有客人来拜，先要打听清楚来做什么。最怕上海县的县大老爷来拜，防是来捉人的。‘白天不做亏心事，夜半敲门心不惊’这句俗语，我算是领教过了，真正一点不错。我都这样子，你想想本人心里的味道？”

“叫我，就狠一狠心，自己去投案。”

“他也常这样说。不过说说而已，就是狠不下心来。现在——”

现在，连这种提心吊胆的日子也快不多了。从先帝驾崩，幼主嗣位，两宫太后垂帘听政，重用恭王，朝中又是一番气象。为了激励士气，凡是丧师辱国的文武官员，都要严办。最不利的是，曾国藩调任两江总督，朝命统辖江苏、安徽、江西、浙江四省军务。四省官员，文到巡抚，武到提督，悉归节制。何桂清曾经托人关说，希望能给他一个效力赎罪的机会，而得到的答复只有四个字：爱莫能助。

“半个月以前，有人来说，曾大人保了个姓李的道台，领兵来守上海。这位李道台，据说一到上海就要接薛抚台的手。他是曾大人的门生，自然听老师的话。薛抚台再想帮忙也帮不上了。为此之故——”

为此，何桂清不能不作一个最后的打算：家事已作了处分，姬妾亦都遣散。阿巧姐就是这样下堂的。

想想他待她不错，在这个时候，分袂而去，她未免问心不安。无奈何桂清执意不回，她也就只好听从了。

“那么，他也总要为你的后半辈子打算打算。”胡雪岩说，“不过，他剩下几个钱，这两年坐吃山空，恐怕所余已经无几。”

“过日子倒用不了多少，都给人骗走了。这个说，可以替他到京走门路，那个说某某人那里送笔礼。这种塞狗洞的钱，也不知道花了多少。”阿巧姐说，“临走以前，他跟我说，要凑两千银子给我。我一定不要。”

“你倒也够义气。不过，这种乱世，说老实话，求人不如求己。”

“我也不是毫无打算的，我有一只小箱子托七姑奶奶替我收着。那里面一点东西，总值三五万。到了上海我交给你。”

“交给我做什么？”胡雪岩问道，“我现在还没心思来替你经营。”

阿巧姐先不作声，一面眨眼，一面咬指甲，仿佛有极要紧的事在思索似的。胡雪岩是从钱塘江遥别王有龄的那一刻，便有万念俱灰之感，什么事都不愿、也不能想，因此恹恹成病；如今病势虽已脱险，而且好得很快，但懒散如旧，所以不愿去猜她的心事，只侧着脸像面对着他所喜爱的古玉似的，恣意鉴赏。

算一算有六年没有这样看过她了。离乱六年，是一段漫长的岁月，多少人生死茫茫，音信杳然，多少人升沉浮降，荣枯异昔。而想到六年前的阿巧姐，胡雪岩只如隔了一夜做了个梦，当时形容清晰地浮现在脑际，两相比较，有变了的，也有不变的。

变得最明显的是体态，她此刻丰腴了些。当时本嫌纤瘦，所以这一变是变得更美了，也更深沉老练了。

不变的是她这双眼中的情意，依然那么深、那么纯，似乎她心目中除了一个胡雪岩以外，连她自己都不关心。转念到此，他那颗心就像冷灰发现一粒火星。这是火种复炽的开始，他自己都觉得珍贵得很。

于是他不自觉地伸手去握住她的手，感慨地说："这趟我真是九死一生。不是怕路上有什么危险，胆子小，是我的心境。从杭州到宁波，一路上我的心冷透了，整天躺在床上在想，一个人为啥要跟另外一个人有感情？如果没有感情，他是他，我是我，用不着替他牵肠挂肚。所以我自己对自己说，将来等我心境平静了，对什么人都要冷淡些。"

一口气说到这里，他有些气喘，停了下来。阿巧姐不曾听出他的语气未完，只当他借题发挥，顿时脸色大变。

"你这些话，"她问，"不是特为说给我听的？"

"是的——"说了这两个字，胡雪岩才发觉她的神情有异，立刻明白她是误会了，赶紧又接了一句，"这话我什么人面前都没说过，只跟你一人说，是有道理的。不晓得你猜得着猜不着。"

意思仍然令人莫名其妙，但他急于解释误会的态度，她是看出来的，心先放了一半，另一半要听他下一句话如何。

"你不要让我猜了！你晓得的，赌心思，跟别人我还可以较量较量，在你面前差了一大截。"

胡雪岩笑了，笑容并不好看，人瘦显得口大，两颗虎牙看上去像獠牙。但毕竟是高兴的笑容，阿巧姐还是乐意看到的。

“你还是那样会说话。”他正一正脸色说，“我特地谈我的心境，是想告诉你一句话，此刻我的想法变过了。”

“怎么变法？”

“人还是要有感情的。就为它受罪，为它死——”

一句话未完，一只又软又暖的手掩在他口上：“什么话不好说，说这些没轻重的话！”

“好，不说，不说。你懂我的意思就可以了。”胡雪岩问道，“你刚才好像在想心事？何妨跟我谈谈。”

“要谈的话很多。现在这样子，你没心思听，我也没心思说，一切都不必急，等你病养好了再说。”

“我的病一时养不好的。好在是——”他想说“好在是死不了”，只为她忌讳说“死”，所以猛然咽住，停了一下又说，“一两天我就想回上海。”

“那怎么行？”

“没有什么不行。在宁波，消息不灵，又没有事好做，好人都要闷出病来，怎么会养得好病？”

“那是没有办法的事。你刚刚才有点好，数九寒天冒海风上路，万一病势反复，在汪洋大海里，叫天天不应，叫地地不灵，那就是两条人命。”

“怎么呢？”

“你不想想，万一你有个三长两短，我除了跳海，还有什么路好走？”

是这样生死相共的情分，胡雪岩再也不忍拂她的意了。但是，他自己想想，只要饮食当心，加上阿巧姐细心照料，实在无大关碍。不过，若非医生同意，不但不能塞阿巧姐的嘴，只怕萧家骥也未见得答应。

因此，他决定嘱咐萧家骥私下向医生探问，但始终找不到机会。因为阿巧姐自起床以后，几乎就不曾离开过他。而天又下雪了，萧家骥劝她就在屋子里“做市面”——就着一只炭盆，煎药煮粥做菜，都在那间屋里。胡雪岩倒觉得热闹有趣，用杭州的谚语笑她是“螺蛳壳里做道场”。但也因此，虽萧家骥就在眼前，却无从说两句私话。

不过，也不算白耗工夫。萧家骥一面帮阿巧姐做“下手”，帮她料理饭食，一面将这几天的情形都告诉了胡雪岩。据说黄呈忠、范汝增跟英国领事夏福礼的谈判很顺利，答应尽力保护外侨——有两名长毛侵袭英国教士，已经抓来“正法”；而且还布告安民，准老百姓在四门以外做生意。宁波的市面，大致已经恢复了。

“得力的是我们的那批米。民以食为天，粮食不起恐慌，人心就容易安定。”萧家骥劝慰似的说，“胡先生，你也可以稍稍弥补遗憾了。”

“这是阴功积德的好事。”阿巧姐接口说道，“就看这件好事，老太太就一定会有菩萨保佑，逢凶化吉，遇难成祥。”

胡雪岩不作声。一则以喜，一则以悲，没有什么适当的话好表达他的复杂的心情。

“有句要紧话要告诉胡先生。那笔米价，大记的人问我怎么算法，是卖了拆账还是作价给他们。我说米先领了去，怎样算法，要问了你才能定规。如果他们不肯答应，我作不了主，米只好原船运回。大记答应照我的办法。现在要问胡先生了。照我看，拆算比较合算！”

“不！”胡雪岩断然答道，“我不要钱。”

那么要什么呢？胡雪岩要的是米，要的是运粮的船，只等杭州一旦克复，三天以内就要。他的用意很容易明白，等杭州从长毛手里夺了回来，必定饿殍载途，灾民满城，那时所需要的就是米。

“何必这么做？”萧家骥劝他，“胡先生，在商言商，你的算盘是大家佩服的，这样做法，不等于将本钱‘搁煞’在那里。而况杭州克复，遥遥无期。”

“不见得，气运要转的。”胡雪岩显得有些激动，“长毛搞的这一套，反复无常，我看他们不会久了。三五年的工夫，就要完蛋。”

“三五年是多少辰光，利上盘利，一担米变成两三担米。你就为杭州百姓，也该盘算盘算。”

“话不错！”胡雪岩又比较平静了，“我有我的想法。第一，我始终没有绝望，也许援兵会到，杭州城可以不破。如果粮道可以打通，我立刻就要运米去接济，那时候万一不凑手，岂不误了大事？第二，倘或杭州真的失守，留着米在那里，等克复以后，随时可以启运。这是一种自己安慰自己的希望，说穿了，是自己骗自己，总算我对杭州也尽到心了。”

“这也有道理，我就跟大记去交涉。”

“这不忙。”胡雪岩问道，“医生啥时光来？”

“每天都是中饭以后。”

“那就早点吃饭，吃完了她好收拾。”胡雪岩又问阿巧姐，“等会医生来了，你要不要回避？”

虽然女眷不见男客，但医生却是例外，不一定要回避。只是他问这句话，就有让她回避的意思。阿巧姐当然明白，顺着他的心意答道：“我在屏风后面听好了。”

胡雪岩是知道她会回避，有意这样问她。不过她藏在屏风后面听，调虎不能离山，在自己等于不回避，还要另动脑筋。这也简单得很，他先请萧家骥替他写信，占住了他的手，然后说想吃点甜汤，要阿巧姐到厨房里去要洋糖，这样将她调遣了开去，就可以跟萧家骥说私话了。

“家骥，你信不必写了，我跟你说句话，你过来。”萧家骥走到床前，他说，“我决定马上回上海，你跟医生说一说，我无论如何要走。”

“为什么？”萧家骥诧异，“何必这么急？”

“不为什么，我就是要走。到了上海，我才好打听消息。”胡雪岩又说，“本来我的心冷透了。今天一早跟阿巧谈了半天，说实话，我的心境大不相同。我现在有两件事，第一件是救杭州，不管它病入膏肓，我死马要当活马医；第二件，我要做我的生意。做生意一步落不得后，越早到消息灵通的地方越好。你懂了吧？”

“第二点我懂，头一点我不懂。”萧家骥问道，“你怎么救杭州？”

“现在没法子细谈。”胡雪岩有些张皇地望着窗外。

这是因为苗条一影已从窗外闪过，阿巧姐快进来了。胡雪岩就把握这短短的片刻，告诫萧家骥跟医生私底下“情商”，不可让阿巧姐知道。

是何用意，不易明了，但时机迫促，无从追问，萧家骥只有依言行事。等胡雪岩喝完一碗桂圆洋糖蛋汤，阿巧姐收拾好了一切，医生也就到了。

* * *

那医生颇负盛名，医道医德都高人一等。见胡雪岩人虽瘦弱，但双目炯炯有光，大为惊异。一夜之隔，病似乎去了一大半，他自承是行医四十年来罕见之事。

“这自然是先生高明。”胡雪岩歉意地问，“先生贵姓？”

“张先生。”萧家骥一旁代答，顺便送上一顶高帽子，“宁波城里第一块牌子，七世祖传的儒医。张先生本人也是有功名的人。”

所谓“功名”，想起来是进过学的秀才，“失敬了！”胡雪岩说，“我是白丁。”

“胡大人太客气了。四海之大，三品顶戴无论如何是万人之上。”

“可惜不是一人之下。”胡雪岩自嘲着纵声大笑。

笑得太急，呛了嗓子，咳得十分厉害。萧家骥赶紧上去替他捶背，却是越咳越凶，张医生亦是束手无策，坐等他咳停。这一下急坏了阿巧姐。她知道胡雪岩的毛病，要抹咽喉、喝蜜水才能将咳嗽止住。萧家骥不得其法，自然无效。

蜜水一时无法张罗，另一点却是办得到的。“萧少爷，”她忍不住在屏风后面喊，“拿他的头仰起来，抹抹喉咙。”

是娇滴滴的吴侬软语，张医生不免好奇，转脸张望，而且率直问道：“有女眷在？”

医生是什么话都可以问，不算失礼，但萧家骥却很难回答。他一面替胡雪岩抹着喉头，一面含含糊糊地答道：“嗯，嗯，是！”

张医生欲语又止，等胡雪岩咳停了才切脉看舌苔，仔细问了饮食起居的情形，欣慰地表示：“病势已经不碍，只须调养，大概半个月以后可以复原。”

“多谢，多谢！”胡雪岩拱拱手说，“家骥你陪张先生到你那里开方子去吧！”

萧家骥会意，等开好方子，便谈到胡雪岩想回上海的话。

张医生深为困惑。“病人连移动床铺都是不相宜的。”他问，“大病刚有转机，何可这样子轻率冒失？”

“实在是在上海有非他到场不可的大事要办。”家骥说，“路上也只有一两天的工夫，请张先生多开几服调理药带去，格外当心照料，想来不碍。”

“照料！哪个照料？万一病势反复，我又不在船上，你们怎么办？”

“是！”萧家骥说，“那就只好算了。”间壁的胡雪岩耳朵尖，听了张医生的话，已经有了主意——请他到上海出诊，随船照料。

等张医生开好方子，告辞上轿，阿巧姐自然也不必回避了，胡雪岩便当着萧家骥透露了他的意思。这个想法亦未始不可行，富室巨户，多有这样重金礼聘，专用车船奉迎的，但是眼前时地不同，阿巧姐和萧家骥都觉得不易办到。

“他肯去当然最好，就怕他不肯。”萧家骥说，“第一，宁波的市面还不甚平靖，离家远行，恐怕不放心；第二，快过年了，宁波人的风俗，最重过年团圆，在外头做生意的，都要赶回家来，哪里反倒有出远门的？”

“过年还早，我一定赶年前送他回来。”胡雪岩又说，“说不说在我，肯不肯在他。你何妨去谈一谈。”

“那当然可以。我本来要到他清仪堂去撮药，顺便就看他。”

“原来他也开着药店？”胡雪岩说，“那太好了！就是他不肯到上海，我也想跟他谈谈。”

胡雪岩想开药店是大家知道的，萧家骥心中一动，点点头说：“这倒或许会谈得投机。”

“那是另外一回事，家骥，只要他肯去，他怎么说，我们怎么依他。还有，要投其所好。你懂我的意思吧？”

“我懂，”萧家骥笑道，“不过，恐怕要请了他来，你自己跟他谈。”

去了一个多时辰，萧家骥回来了，说张医生答应来吃晚饭，又说他喜欢字画。问到邀他同行照料的话，萧家骥表示还不便开口，又说最好由阿巧姐来说，因为这是不情之请，只有女眷相求，容易成功。

“这话也是。男人说话，一句就是一句，碰了钉子或者打了折扣，以后说话就不值钱了。阿巧，”胡雪岩问道，“你肯不肯说？”

“本来是不肯说的。女人的话就不值钱，碰钉子、打折扣都不要紧？真正气数！不过——”她故意做个无可奈何的表情，“唉！不说又不行，只好我来出面了。”

说停当了，要准备肴馔款客。胡雪岩认为不如到馆子里叫菜，比较郑重。阿巧姐也想省事，自然赞成。但萧家骥不甚同意，他肚子里另有一番话，要避着胡雪岩跟阿巧姐说。

“胡先生，这些小事，你不必操心了，我要跟阿巧姐去商量。阿巧姐，我陪你到他们厨房里看了再说。”

走到廊下僻处，估量着胡雪岩听不见了，他站住脚，要问她一句话。

“阿巧姐，你是不是真的想帮胡先生办成功这件事？”

“是啊！本来我不赞成的，不过他一定要这样做，我无论如何只有依他。”

“既然无论如何要依他，那么，我有句话说出来，你可不能动气。”

“不会的。你说好了。”

“姓张的很关心你。也不知道他怎么打听到的，晓得你姓何，何姨太长、何姨太短不停地问。”说到这里，萧家骥停下来看她的脸色。

她的脸色自然不会好看，气得满脸通红，道：“这种郎中，狼心狗肺，杀千刀！”

“是不是？”萧家骥很冷静地说，“我知道你要动气。”

一句话提醒了阿巧姐，知道他还有未说出来的话，如果自己还是这样子，那些话就听不到了。转念又想，总怪自己的身份尴尬，何姨太出现在姓胡的这里，在人家看，当然也不是什么好女人。既然如此，就不妨动动歪脑筋了。

这样转着念头，脸色自然就缓和了。“随他去胡说八道，只要我自己行得正、坐得正好了。”她催促着，“你再说下去。”

“只为胡先生不走不可。要走，就非姓张的一起走不可。所以，我只好要记花枪。阿巧姐，你是明白人，又看在胡先生分上，一定不会怪我。”

话风不妙，阿巧姐有些吃惊，不过戒心起在暗中，表面上又是一种态度：“不会，不会。我晓得你是为他。你说出来商量。”

“我在想，如果直言相谈，说请他一起陪到上海，他一定不会答应。这话等他一出口，事情就僵了，所以我灵机一动，说是：‘何姨太特为要我来奉请，晚上她亲手做两样菜，请张先生喝酒。一定要请你赏光。’他很高兴地答应了，说是‘一定来，一定来！’”

这用的是一条美人计，阿巧姐心里当然不是味道，不过一想到是为胡雪岩，她自然就不会对萧家骥介意，她很平静地问道：“他还有什么话？”

“自然还有话，他问我：‘何姨太为什么要请我？’我说：‘是因为你看好了胡道台，略表谢意。另外还有件事求你。’他一再问我什么事，我不肯说。回头全要看你了。”

阿巧姐点点头，将他前后的话细想了一遍，心里有了主意，只是有一点必须先弄清楚。

“问到我怎么会在这里，你是怎么告诉他的？”

“我说：‘何姨太现在下堂了。她是胡道台的大姨子。苏州现在沦陷在那里，娘家回不去，只好来投奔至亲。’他说：‘怪不得！人在难中，谈不到避嫌疑。大姨子照料妹夫的病，也是应该的。’”

阿巧姐明白，所谓“大姨子”是意指她有个妹妹嫁做胡雪岩的偏房。关系如此安排，是疏而亲，亲而疏，不但她穿房入户、照料病人可以说得过去，而且让色迷迷的张郎中希望不绝，才会上钩。

阿巧姐十分欣赏萧家骥的机智，但也不免好笑。“要死快哉！耐那哼想得出格介？”她用道道地地的苏州话笑着说。

萧家骥自己也笑了。“看起来，他是想跟胡先生做‘连襟’。既然至亲，无话不好谈。”他提醒她说，“这出戏包定唱得圆满，不过，要不要先跟胡先生说好？你自己斟酌。”

阿巧姐考虑的结果，认为不可不说，亦不可全说。她是在风尘中打过滚的，男人的心，别样摸不透，只有这一层上，她真是了如指掌。男人的气量大，固然不错，却就是论到夺爱，不能容忍。因为这不但关乎妒意，还有面子在内。

于是略略安排了酒食，找个萧家骥不在眼前的机会，问胡雪岩说：“你是不是一定要姓张的郎中陪到上海？”

“对！”胡雪岩答得斩钉截铁，“他不陪去，你不放心。那就只好想办法说动他了。”

“办法，我跟萧家骥商量好了。不过有句话说在前面，你要答应了，我们才好做。”

一听就知道话中有话，胡雪岩信得过他们两人，落得放漂亮些。“不必告诉我。”他说，“你们觉得怎么好，就怎么做。”

“唷，唷，倒说得大方。”阿巧姐用警告的口吻说，“回头可不要小器。”

这就不能不好好想一想了。胡雪岩自负是最慷慨、最肯吃亏的人，所以对这“小器”的两字之贬，倒有些不甘承受。他转念又想，阿巧姐阅历甚深，看男人不会看错，看自己更不会看错，然则说“小器”一定有道理在内。

他的心思，这时虽不如平时敏捷，但依旧过人一等，很快地想到萧家骥从张家回来那时，说话带些吞吞吐吐，仿佛有难言之隐的神情，终于看出因头了。

于是他故意这样说："你看得我会小器，一定是拿我什么心爱的东西送他。是不是？"

"是啊，你有什么心爱的东西？"

"只有一样，"胡雪岩笑道，"是个活宝。"

"你才是活宝！"阿巧姐嫣然一笑，不再提这件事了。

张医生早早就来了。一到自然先看病人，少不得也要客气几句。"多蒙费心，不知道怎么样道谢。请过来吃顿便饭，真正千里鹅毛一点心。不过，我想总有补报的日子。张先生，我们交个朋友。"

"那是我高攀了。"张医生说，"我倒觉得我们有缘。同样的病、同样的药，有的一服见效，有的吃下去如石沉大海，这就是医家跟病家有缘没有缘的道理。"

"是的。"萧家骥接口说道，"张先生跟我们都有缘。"

"人生都是个'缘'字。"胡雪岩索性发议论，"我做梦也没有想到会到宁波，到了宁波也不曾想到会生病，会承张先生救我的命……"

"言重，言重！"张医生说，"药医不死人，原是吉人天相，所以药到病除，我不敢贪天之功。"

就这时门帘一掀，连萧家骥都觉得眼前一亮。但见阿巧姐已经着意修饰过了，虽是淡妆，偏令人有浓艳非凡之感。特别那一双剪水双瞳，眼风过处，不由得就吸住了张医生的视线。

萧家骥知道阿巧姐跟胡雪岩的话说得不够清楚详细，深怕言语不符，露了马脚，赶紧借着引见这个因头，将他们的"关系"再"提示"一遍。

"张先生，"他指着阿巧姐说，"这位就是何姨太，胡大人的大姨子。”

胡雪岩几乎笑出声来。萧家骥的花样真多，怎么编派成这样一门亲戚？再看阿巧姐，倒也不以为意，盈盈含笑地裣衽为礼，大大方方招呼一声：“张先生请坐！”

“不敢当，不敢当。”张医生急忙还礼，一双眼睛却始终舍不得向别处望一望。

“我们都叫何姨太阿巧姐。”萧家骥很起劲地做穿针引线的工作，“张先生，你也这样叫好了。”

“是，是！阿巧姐。”张医生问道，“阿巧姐今年青春是？”

“哪里还有什么青春？人老珠黄不值钱，今年三十二了。”

“看不出，看不出。我略为懂一点相法，让我仔细替阿巧姐看一看。”

也不知是他真的会看相，还是想找个借口恣意品评，不过在阿巧姐自然要当他是真的，端然正坐，微微含笑，让他看相。那副雍容自在的神态，看不出曾居偏房，更看不出来自风尘。

张医生将她从头看到脚，一双脚缩在裙幅之中看不见，但手是可以讨来看的——看相要看手是通例，阿巧姐无法拒绝。本来男左女右，只看一只，她索性大方些，将一双手都伸了出来。手指像葱管那样，又长又白又细，指甲也长，色呈淡红，像用凤仙花染过似的，将张医生看得恨不能伸手去握一握。

“好极了！”他说，“清贵之相。越到晚年，福气越好。”

阿巧姐看了胡雪岩一眼，淡淡一笑，不理他那套话，说一句：“没有什么菜，只怕怠慢了张先生！”随即站起身来走了。

张医生自不免有怅然若失之感。男女不同席，而况又是生客，这一见面，就算表达了做主人的礼貌。而且按常理来说，已嫌过分，此后就再不可能相见了。

“但是，她不是另外还有事要求我吗？”想到这一点，张医生宽心了，打定主意，不论什么事，非要她当面来说，才有商量的余地。

果然，一顿饭只是萧家骥一个人相陪。肴馔相当精致，最后送上火锅，阿巧姐才隔帘相语，说了几句客气话，从此芳踪杳然。

饭罢闲谈，又过了好些时候，张医生实在忍不住了，开口问道：“不是说阿巧姐有事要我办吗？”

“是的。等我去问一问看。”

于是张医生只注意屏风，侧着耳朵静听。好久，有人出来了，却仍旧是萧家骥，但是屏风后面却有纤纤一影。

“阿巧姐说了，张先生一定不会答应的，不如不说。”

“为什么不说？”张医生脱口答道，“何以见得我不会答应？”

“那我就说吧！”是屏风后面在应声。

人随话到，阿巧姐翩然出现。衣服也换过了，刚才是黑缎灰鼠出锋的皮袄，下系月白绸子百褶裙；此刻换了家常打扮，竹叶青宁绸的丝绵袄，爱俏不肯穿臃肿的棉裤，也不肯像北地胭脂那样扎脚，是一条玄色软缎，镶着极宽的“栏杆”的撒脚裤。为了保暖，衣服腰身裁剪得极紧，越显得体态婀娜，更富风情。

有了五六分酒意的张医生，到底本心还是谨饬一路的人物，因为艳光逼人，竟不敢细看，略略偏着脸问道：“阿巧姐有话就请吩咐。是不是要我格外细心替你拟张膏滋药的方子？”

“这当然也要。”阿巧姐答说，“不过不忙。我是受了我妹妹的重托，不放心我这位至亲一个人在宁波。我又不能常来照应，就是照应总不及我妹妹细心体贴。我在想，舍亲这场大病，幸亏遇着张先生，真正着手成春，医道高明，如今一定不碍了。不过坐船到上海，没有张先生你照应，实在不放心。那就只好——”说到这里，她抽出腋下的绣花手绢，抿着嘴笑了一下，仿佛下面的话，不好意思出口似的。

在张医生，那沥沥莺啭似的声音听得他心醉不已，只顾欣赏声音，不免忽略了话中的意思，见她突然停住，不由得诧异。

“怎么不说下去。请说，请说，我在细听。”

其实意思已经很明显，细听而竟听不出来，可见得心不在焉。萧家骥见他有些丧魂落魄的样子，便向阿巧姐使个眼色，示意她实话直说，不必盘马弯弓，婉转透露了。

“好的，我就说。不过，张先生，”阿巧姐一双大眼珠灵活地一闪，做出像娇憨的女孩子那样的神情，“等我把话说出口，你可不能打我的回票！”

这话相当严重，张医生定定神，将她的话回想了一遍，才弄清楚是怎么回事，倒有些答应不下了。

“是不是？”阿巧姐有意轻声对萧家骥说，“我说不开口的好，开了口白白碰钉子……”

“没有这话。”张医生不安地抢着说，“你的意思我懂了。我在想的，不是我该不该陪着去。”

“那么是什么呢？”

“是病人能不能走。这样的天气，跋涉波涛，万一病势反复，可不是件开玩笑的事。”

话说得有理，但究竟是真话还是托词，却不易估量。阿巧姐也很厉害，便有意逼一逼，却又不直接说出来，望着萧家骥问：“张先生不是说，一路有他照应，就不要紧吗？”

“是！有张先生在，还怕什么？”

两人一唱一和，倒像张医生不肯帮忙似的，使得他大为不安，但到底还不敢冒失，站起身来说：“我再看看病。”

在隔室的胡雪岩，将他们的对答只字不遗地听了进去。一半是心愿可望达成，心中喜乐，一半是要隐瞒病情，所以诊察结果，自然又显得大有进境。

这时候张医生才能考虑自己这方面的情形。兵荒马乱，年近岁逼，实在不是出远门的时候，但话说得太慷慨，无法收科或者打折扣。同时他也存着满怀绮想，实在舍不得放弃这个与阿巧姐海上同舟的机会，终于毅然答应了下来。

这一下，胡雪岩自然感激不尽。不过张医生所要的是阿巧姐的感激。此中微妙，胡雪岩也看得很清楚，所以用红纸包了一百两银子，让她亲手致赠。

“医家有割股之心。”张医生摇着双手说，“谈钱，反倒埋没我的苦心了。”

话说得很漂亮，不过阿巧姐也深知他的这片“苦心”，越发要送，因为无法也不愿酬答他的“苦心”。当然，这只是深藏在她心里的意思。

“张先生，你的苦心我知道。这是我那位‘妹夫’的一点小意思。他说了，若是张先生不受，于心不安，病好得不快，他就不敢劳动大驾了。”

张医生将她的话，细细咀嚼了一遍，“你的苦心我知道”这几个字，简直就像用烙铁印了在心板上，再也忘不掉的了。

“既然如此，我也只好老脸皮收下。不过——”他没有再说下去。为了要在阿巧姐面前表示她这番交情完全是卖给她的，他决定要补还胡雪岩的人情，投桃报李，想送两样贵重补药。但话不必先说，说了味道就不够了，因而缩住了口。

“那么，要请问张先生。”萧家骥插进来说，“预备哪天动身？”

“越早越好。我要趁年里赶回来。”

“那是一定赶得回来的。”萧家骥盘算了一下，作了主张，“我尽明天一天预备，后天就动身怎么样？”

“后天一定是好日子，”阿巧姐识得的字不多，但看皇历还能应付，很有把握地指着十二月初一那一行说，“‘宜出门。’”

第四章

尽一天的工夫安排妥帖，第三天一早都上了船，略略安顿，鸣锣启碇。张医生捧着个蓝布包到了胡雪岩舱里。

“胡大人，”他说，“红包太丰厚了，受之有愧。有两样药，请胡大人留着用。”

“多谢！多谢！真正不敢当。”

胡雪岩只当是普通药材，等他打开来一看，是两个锦盒，才知道是珍贵补药。长盒子里是全须全尾的一支参，红绿丝线扎住，上贴金纸红签，上写八字：“极品吉林老山人参”。

“这支参是贡品，张尚书府上流出来的，真正大内的货色。”张医生一面说，一面打开方盒子。

方盒子里是鹿茸。一寸多长一段，共是两段，上面长着细细的白毛，看不出是好是坏。

“鹿茸就是鹿角，是大家都晓得的，不过鹿角并不就是鹿茸。老角无用，里面都是筋络，要刚长出来的新角，长满了精血，像这样子的才合格。”张医生又说，“取鹿茸也有诀窍，手段不高，一刀会拿鹿头砍掉。”

张医生是亲眼见过的。春夏之交，万物茂盛，驱鹿于空围场中，不断追赶。鹿胆最小，自是尽力奔避，因而血气上腾，贯注于新生的鹿角中。然后开放栅门，正好容一头鹿逃避。栅门外是曲栏，一端有人手持利斧，聚精会神地在等待。等这头鹿将出曲栏时，看准了一斧下去，正好砍断了新生的那一段鹿角。要这样采取的鹿茸，才是上品。

胡雪岩对这段叙述深感兴趣。“虽说‘修合无人见，存心有天知’，货色好坏，日子一久，总会有人知道的，一传十，十传百，口碑就出去了。张先生，”他说，“听说你也有家药店，想来规模很大。”

“谈不到规模。祖传的产业，守守而已。”张医生又说，“我诊断很忙，也顾不到。”

听得这样说，胡雪岩就不便深谈了。刘不才陷溺于赌，对胡雪岩开药店的打算不甚关切，胡雪岩本想问问张医生的意见，现在听他的话，对自己的事业都照顾不周，自然没有舍己而耘人之田的可能，那又何必谈它。

不过既是特地延请来的上客，总得尽心招待。找些什么消遣？清谈不如手谈，最合适也差不多是唯一的消遣，就是凑一桌麻将。

宁波麻将跟广东麻将齐名，据说，由马吊变为麻将，就是宁波人由明朝以来不断研究改进的结果。张医生亦好此道，所以听得胡雪岩这个提议，欣然乐从。

胡雪岩自己当然不能打，眼前的搭子三缺一，拉上船老大一个才能成局。萧家骥亦是此中好手，但不知阿巧姐如何，少不得要问一声。

“阿巧姐，你跟宁波人打过牌没有？”

“当然打过。”

“有没有在这种船上打过？”

“这种船我还是第二次坐。”阿巧姐说，“麻将总是麻将，船上岸上有啥分别？”

“这种麻将要记性好——”

“那自然。”阿巧姐认为萧家骥无须关照，“打麻将记性不好，上下家出张进张都弄不清楚，这还打什么？”

听这一说，他不便再说下去了。等拉开一张活腿小方桌，分好筹码，只见船老大将一条系在舱顶上的绳子放了下来，拿只竹篮挂在绳端的钩子上，位置恰好悬在方桌正中，高与头齐，伸手可及，却不知有何用处。

阿巧姐也是争强好胜的性格，一物不知，引以为耻，所以不肯开口相问。反正总有用处，看着好了。

扳庄就位，阿巧姐坐在张医生下家。对家船老大起庄，只见他抓齐了十四张牌，从左到右看了一遍，立即将牌扑倒，取出一张亮一亮——是张北风。

他的上家萧家骥叫碰，张医生便向阿巧姐说：“这就是宁波麻将算得精的地方。庄家头一张不打南风打北风，上家一碰，马上又摸一张，也许是张南风。本来该第二家摸成后对的，现在是自己摸成双，这一摸味道就好了。”

摸呀摸的，阿巧姐听来有些刺耳，便不理他。只见萧家骥拿张东风亮一亮，没有人要，便抬起手来将那张东风往挂着的竹篮中一丢。

原来竹篮是这样的用处，阿巧姐心里有些着慌，脱口说道：“宁波麻将的打法特别。”

“是的——”

张医生马上又接口解释，由于海上风浪甚大，船会颠簸，所以宁波麻将讲究过目不忘，阖扑着打。又因为船上地方小，摆不下大方桌，甚至有时候团团围坐四个人，膝盖上支块木板，就当牌桌，这样自然没有富裕的地方来容纳废牌，因而打在竹篮里。

“不过，”张医生看着船老大和萧家骥说，“这张桌子也不算太小，我们照岸上的打法好了。”

船老大当然不会反对，萧家骥却笑了笑。这一笑使得阿巧姐不大舒服，觉得他有轻视之意，大不服气。

“不要紧，不要紧。”她说，“照规矩打好了。”

这等于不受张医生的好意，然而他丝毫不以为忤。阿巧姐却是有点如俗语说的“死要面子活受罪”，硬记三家出张，颇以为苦。

打到一半，三家都似“听叫”，而她的牌还乱得很，而且越打越为难，生熟张子都有些记不住了。

“这样子不是路道，只怕一副都和不成功。输钱在其次，面子输不起。”她这样在心中自语着，决定改变打法。

新的打法是只顾自己，不顾外面，只要不是三副落地，包人家的辣子，她什么生张都敢打。张医生却替她担心，不断提示，那张牌出了几张，那张牌已经绝了。阿巧得其所哉，专心一致管自己做牌，两圈不到，就和了一副清一色、一副三元、一副凑一色，手气大旺。

“张先生，你下家的风头不得了。”船老大说，“要看紧点！”

越是这样说，张医生的手越松，不但不扣她的牌，还会拆搭子给她吃，而且还要关照：“阿巧姐，这张三万是第四张，你再不吃就没有得吃了。”

加上萧家骥打得很厉害，扣住了船老大的牌，很难得吃到一张，这样就几乎变成三个对付一个。船老大一个人大输，却不敢得罪主顾，打完四圈装肚子痛，拆散了场头。

阿巧姐一个人大赢，但牌打得并不有趣，自己觉得赢船家的钱不好意思，将筹码一推：“算了，算了！”接着起身离去。

这个慷慨大方的举动，自然赢得了船老大的感激与尊敬，因此照料得很周到，一路顺顺利利到上海，胡雪岩也不劳张医生费心，按时服药，毫无异状。话虽如此，他对张医生还是很重视的，所以一到上海码头先遣萧家骥去通知，说有这样一位贵客，请他预备招待。

古应春不在家，好在七姑奶奶一切都能作主。宁波的情形，前半段她已听李得隆谈过，虽替胡雪岩的病担忧，但有阿巧姐在照料，也略略可以放心。她估量着总要到年后，病势才会养到能够长途跋涉，不想这么快就已回上海，自觉惊喜交集。

于是她匆匆打点，雇了三乘暖轿，带着男女佣人，直奔码头。上船先见阿巧姐，后见胡雪岩，看他瘦得可怕，不免有点伤心，掉了两滴眼泪。

“张先生不要笑我！”七姑奶奶自己都觉得有些不好意思，“我们这位小爷叔，这一阵子真是多灾多难，说到他的苦楚，眼泪好落一脸盆。不过总算还好，命中有贵人相扶，逢凶化吉，遇难成祥，才会遇着张先生这种医道高明心又热的人。”

张医生也听说过有这样一位姑奶奶，心直口快，大家不但服她，也有些怕她，自己要在阿巧姐身上打主意，还非得此人的助力不可，因而格外客气，连声答道：“好说，好说。七姑奶奶才是天字第一号的热心人。”

七姑奶奶最喜欢听人说她热心，觉得这个张医生没有名医的架子，人既和气，言语也不讨厌，顿生好感。原来打算请他住客栈的，她此时改了主意。“张先生，”她说，“难得来一趟，多玩些日子！就住在舍下好了。只怕房子太小，委屈了张先生。”

话刚说完，阿巧姐拉了她一把，显然是不赞成她的办法。但她话已说出口，不能收回，只好看张医生如何答复，再作道理。

“不敢当，不敢当。我年内要赶回去。打搅府上，只怕诸多不便。”

他是客气话，七姑奶奶却将计就计，不作决定。“先到了舍下再说。”她这样答道，“现在就上岸吧！”

第一个当然安排胡雪岩，轿子抬到船上，然后将胡雪岩用棉被包裹，像个“蜡烛包”似的抱入轿内，遮紧轿帘。上岸时，当然要特别小心，船老大亲自指挥，全船上下一起动手，搭了四条跳板，才将轿子抬到岸上。

再一顶轿子是张医生。余下一顶应该是阿巧姐，她却偏要跟七姑奶奶挤在一起，为的是有一番心事，迫不及待地要透露。

七姑奶奶听阿巧姐刚说了个开头，就忍不住笑了。阿巧姐便有些气。“跟你规规矩矩说，你倒笑话我！”她说。

“我不是笑你，是笑张郎中癞虾蟆想吃天鹅肉。不要紧！你跟我说，我替你想办法。”

“这才像句话！”阿巧姐回嗔作喜，细细说明经过。话完，轿子也到家了。

到家第一件事是安置胡雪岩。第二件事是招待客人，但这得男主人回家才行，而且七姑奶奶已有了为阿巧姐解围的策略，也得古应春来照计而行。因此，她趁萧家骥要赶着回家省视老母之便，关照他先去寻到师父，说知其事。

萧家骥找了两处都不见，最后才在号子里听说古应春去了一处地方，是浙江海运局。浙江的漕运久停，海运局已成了一个浙江派在上海的驿站，传递各处的文报而已。古应春到那里，想来是去打听杭州的消息。

正留了话想离去时，他师父回来了，脸色阴郁。如果说是去打听消息，可想而知，消息一定不好。

然而他见了徒弟，却有喜色。他也跟他妻子一样，猜想着萧家骥必得过了年才会回来，因而首先就问："病人呢？"

"一起回来了。"萧家骥紧接着说，"是郎中陪着来的。年底下不肯走这一趟，很承他的情。师娘请师父马上回家，打算要好好陪他玩两天。"

"这是小事。"古应春问，"我们这位小爷叔的病呢？"

"不碍了。调养几天就可以起床。"

"唉！"古应春长叹一声，"起了床只怕又要病倒。"

萧家骥一听就明白。"是不是杭州失守了？"他问。

"上个月二十八的事。"回答的声音似乎有气无力，"刚才从海运局得来的消息。"

"王抚台呢？"

"听说殉节了。"古应春又说，"详细情形还不晓得。也许逃了出来，亦未可知。"

"不会的。"萧家骥想到跟王有龄一经识面，便成永诀的凄凉近事，不由得两行热泪汩汩而下。

"唉！"古应春顿着足叹气，"你都如此，何况是他？这个坏消息，还真不知道怎么跟他开口。"

“现在说不得，一说，病势马上反复。不但师父不能说，还得想法子瞒住他。”

“我晓得。你回家去看一看，今晚上不必来了。明天上午再碰头。”

于是师徒二人同车，先送了萧家骥，古应春才回家。他跟胡雪岩相见自有一番关切的问讯，然后才跟张医生亲切相叙，这样就快到了晚饭时分了。

七姑奶奶找个机会将她丈夫唤到一边，商量款客。她的意思是，如果在家吃饭，加上一个李得隆，只有三个人，未免清冷，不如请张医生上馆子。“最好是请他吃花酒。”她说。

“花酒总要请他吃的。不过，你怎么知道他喜欢吃花酒？”

“不但吃花酒，最好还替他寻个好的，能够讨回去的。其中自有道理，回头我再跟你细谈。”

“我也不管你搞什么鬼！照办就是。”古应春又说，“有句要紧话关照你，千万要当心，不能在小爷叔面前透露，不然不得了……”

“急煞人了！”七姑奶奶不耐烦了，“到底是啥事，你倒是快说呀！”

纵然如此，知妻莫若夫，贸然说出杭州的变化，以七姑奶奶的性情，先就会大惊小怪，瞒不住人，因而他又先要关照一句：“你可不要叫！杭州失守了，王雪公不知存亡，十之八九殉了节。”

七姑奶奶倒没有叫，半晌作不得声，接着也跟萧家骥那样，热泪滚滚，闭着眼睛说：“我好悔！”

“悔！”古应春大为不解，“悔什么？”

“我们也算干亲。虽说高攀，不敢认真，到底有那样一个名分在。看他困在杭州等死，我们做亲戚的一点不曾尽心，只怕他在地下也在怨我们。”

“这是劫数！小爷叔那样的本事，都用不上力，你我有什么办法？只有拿他的下落打听清楚，果然殉了节，替他打一场水陆，超度超度。”

七姑奶奶不作声，皱紧双眉苦苦思索。遇到这种情形，古应春总是格外留神，因为这是七姑奶奶遇到疑难，要拿出决断来的时候。

“你先陪客人出去。能早回来最好早回来。再打听打听王抚台的下落。”

她说一句，他应一句，最后问说：“张先生住在哪里？”

“住在我们的家。”七姑奶奶毫不迟疑地回答，“这几天着实还有偏劳他的地方。”

古应春不知道她葫芦里卖的什么药，反正对这位郎中要格外巴结，他已能会意的。因此，他安排在最好的番菜馆“吃大菜”，在那里就叫了两个局。张医生对一个“红倌人”艳春老四颇为中意，古应春便在艳春院摆了个“双台”，飞笺召客，奉张医生为首座。客人无不久历花丛，每人起码叫两个局，珠围翠绕，热闹非凡，将个初涉洋场的张医生弄得晕头转向，然而乐在其中了。

席间闲话，当然也有谈时局的。古应春正要打听杭州的情形，少不得要细细追问。

据说杭州城内从十一月二十以后，军心就已瓦解了，最主要的原因还在“绝粮”二字。二十四那天，在一家海货行，搜到一批木耳，每人分得一两；二十五那天，又搜到一批杭州人名“盐青果”的盐橄榄，每人分得五钱。于是外省军队开始大家小户搜食物。抚标中军都是本省人，在杭日久，熟人甚多，倒还略有羞耻之心，压低帽檐，索粮用福建或者河南口音。当然，除去搜粮，还有别样违犯军纪的行为。这一下秩序大乱，王有龄带领亲兵小队，亲自抓了十几个人，当街正法。然而无救于军纪，更无补于军心。

这时还有个怪现象，就是“卖钱”。钱重不便携带，要换银子或者银洋，一串一串的铜钱，公然插上草标出卖，当然银贵钱贱。这是预作逃亡之计。军心如此，民心更加恐慌，这时相顾谈论的，只有一个话题：长毛会在哪天破城?

到了十一月二十七，守下城的官军决定死中求活，第二天黎明冲出艮山门，杀开一条血路，接引可能会有的外援。这虽是妄想，但无论如何是奋发自救的作为，可以激励民心士气，有益无害。不想到了夜里，情况起了变化，士兵三三两两，缒城而下。这就变作军心涣散、各奔前程的“开小差”了。

据说，这个变化是有人从中煽动的结果。煽动的人还是浙江的大员：藩司林福祥。

林福祥带领的一支军队，名为“定武军”，军纪最坏，而作战最不力。而林福祥则颇善于做作，专干些毫无用处的花样，又喜欢出奇计，但到头来往往“赔了夫人又折兵”。因此颇有人怀疑他已与长毛暗通了款曲，说他曾与一个姓甘的候补知府到长毛营盘里议过事。

这些传闻虽莫可究诘，但有件事却实在可疑。王有龄抓到过一个奸细名为徐宗鳌，就是林福祥保举在定武军当差的营官。王有龄与张玉良在城内城外互通消息，约期会合的“战书”，都由定武军转送，先后不下十余通之多，都为徐宗鳌转送到了长毛那里。后来经人密告，逮捕审问属实，徐宗鳌全家除了留下三岁的一个小儿子以外，尽数斩决。可是只办了这样一个罪魁祸首，王有龄虽然对幕后的林福祥已大具戒心，却因投鼠忌器，不愿在强敌包围之下还有自乱阵脚的内讧出现，只好隐忍不言。

而林福祥却确确实实跟长毛已取得了默契，虽不肯公然投降，却答应在暗底下帮着“拆墙脚”。这天晚上煽动艮山门守军潜逃，就是要拆杭州这座将倒的危墙。

夜里的逃兵，长毛不曾发觉，到了天明，才发现踪迹。长毛认为这是杭州城内守军溃散的迹象，于是发动攻势，凤山、候潮、清波三门首先被破。报到王有龄那里，他知道大势去矣，自道：“不负朝廷，只负了杭州城内数十万忠义士民。”

殉节之志早决，这是时候了！他回到巡抚衙门，穿戴衣冠，望阙谢恩，留下遗书，然后吞金，唯恐不死，又服鸦片烟。而这时衙门内的哭声和衙门外人声相应和，长毛已经迫近，为怕受辱，王有龄上吊而死。

同时殉难的有学政员锡庚、处州镇总兵文瑞、仁和知县吴保丰。盐运使庄焕文所带的是骁勇善战的福建泉州籍的“泉勇”，他们奋战突围，不幸兵败。庄焕文投水自尽。

林福祥却果然得到长毛的破格优遇，被安置在藩司衙门的西花厅，好酒好肉款待，而且答应听凭林福祥自己决定，要到哪里便护送到哪里。林福祥选择的是上海，据说此来还有一项任务，是护送王有龄的灵柩及家眷，由上海转回福建原籍。

听到这里，古应春不能不打断话问了。因为王有龄的灵柩到上海，且不说胡雪岩凭棺一恸，决不可免，就是他在情分上亦不能不吊祭一番。尤其是想到刚听妻子说过，颇以对这位“干亲”生前未能稍尽心意而引为莫大憾事，那就不但灵前叩拜，还须对遗属有所慰恤，才能稍稍弥补歉疚的心情。

问到王有龄灵柩到上海的日期，谁也不知道。然而也不碍，到时候必有迎灵、路祭等仪式，不管哪个衙门都会知道，不难打听。

一顿花酒吃到半夜。古应春看张医生对艳春老四有些着迷的模样，有心做个“红娘”，将外号“金大块头”的“本家”唤到一边，探问是否可以让张医生“借干铺”。

“古大少！”金大块头笑道，“你是‘老白相’，想想看可有这规矩？”

“规矩是人兴出来的。”古应春说，“我跟你说老实话，这位医生朋友我欠他的情，你算帮我的忙，不要讲规矩好不好？再说，他是外路来的，又住不到多少日子，也不能跟你慢慢讲规矩。”

古应春是花丛阔客，金大块头要拉拢他，听他一开口，心里便已允许，但答应得太爽快，未免自贬身价，也不易让古应春见情，所以说了些什么“小姐名声要紧”“头一天叫的局，什么‘花头’都没有做过，就借干铺，会教人笑话”之类的言语，而到头来是“古大少的面子，不肯也要肯”。

这面肯了，那面反倒不肯。张医生到了洋场，算“乡下人”，在宁波也是场面上的人物，不肯留个“头一天到上海就住在堂子里”的话柄，所以坚持要回家。

一到家，他又替胡雪岩看了一回病，“望闻问切”四个字都做到，很高兴地告诉古应春夫妇，说病人十天一定可以起床。

“那么，张先生，”七姑奶奶说，“我留张先生住十天，肯不肯赏我一个面子？”

“言重，言重！”张医生面有难色，“再住十天，就到了送灶的日子了。”

古应春也觉得急景凋年，硬留人羁栖异乡，不但强人所难，也不近人情，所以折中提议：“再住五天吧！”

“好，就住五天。”张医生略有些忸怩地说，“我还有件事，恐怕要重托贤伉俪。”

这话正好为要掀门帘进屋的阿巧姐听见，扭头就走。古应春不明白是怎么回事，想开口相问，七姑奶奶机警，抢着悄悄拉了他一把衣服，才将他的话挡了回去。

“张先生，不要这么说。”七姑奶奶答道，“只要我们办得到的事，你尽管吩咐。今天怕累了，吃了粥，请安置吧！”

“粥是不吃了，累倒真有些累了。”张医生略有些怏怏然。

七姑奶奶向来待客殷勤诚恳，煮了一锅极道地的鱼生粥，定要请客人试试她的手段，又说还有话要谈。张医生自然没有坚拒之理，于是一面吃消夜，一面谈正事。

第一件大事，就是古应春谈杭州的情形。这些话张医生已经在艳春院听过一遍，所以古应春不便再详细复述，顶要紧的是证实王有龄殉节以及由林福祥护送灵柩到上海的话，要告诉七姑奶奶。

“那就对了！我的想法不错。”她转脸对张医生说，“张先生大概还不十分清楚。我们这位小爷叔，跟王抚台是生死之交。现在听说王抚台死得这么惨，病中当然更受刺激。不过我在想，我这位小爷叔，为人最明道理，最看得开，而且王抚台非死不可，他也早已看到了的，所以这个消息也不算意外。现在王抚台的灵柩到上海，马上要回福建，如果他不能到灵前去哭一场，将来反倒会怪我们。所以我想，不如就在这一两天告诉他。张先生，你看可以不可以？”

“这就很难说了。”张医生答道，“病人最怕遇到伤心的事。不过照你所说，似乎又不要紧。”

“应春，”七姑奶奶转脸问道，“你看呢？”

古应春最了解妻子，知道她已经拿定了主意，问这一句，是当着客人的面，表示尊重他做丈夫的身份，自己应该知趣。

知趣就要凑趣。“张先生自然要慎重。以小爷叔的性情来说，索性告诉了他，让他死了心，也是一个办法。”

“对！”张医生觉得这话有见地，“胡道台心心念念记挂杭州，于他养病也是不宜的。不过告诉他这话，要一步一步来，不要说得太急。”

“是的。”七姑奶奶这时便要提出请求了，“我在想，告诉了他，难免有一场伤心。只怕他一时会受震动，要请张先生格外费心。张先生，我虽是女流之辈，做事不喜欢扭扭捏捏，话先说在前面，万一病势反复，我可要硬留张先生在上海过年了。”

此时此地，张医生还能说什么？只好报以苦笑，含含糊糊地先答应下来。

等吃完粥，古应春亲送张医生到客房。客房是七姑奶奶亲自料理的，大铜床，全新被褥，还特为张了一顶灰鼠皮帐子，以示待客的隆重，害得张医生倒大为不安。

又说了些闲话，谈谈第二天逛些什么地方，然后道声“明天见”，古应春回到卧室，七姑奶奶已经卸了妆在等他了。

“今天张医生高兴不高兴？”

“有个艳春老四，他看了很中意，我本来想替他拉拢，就住在那里。都已经说好了，张医生一定不肯，只好由他。”古应春又问，“你这样子热心，总有道理在内吧？我一直在想，想不通。”

“说起来有趣。你晓得张医生这趟，怎么来的？”

这一问自然有文章，古应春用右手掩着他妻子的嘴说：“你不要开口，让我想一想。”

聪明人一点就透。古应春只要从女人身上去思索，立刻就想到方才阿巧姐帘前惊鸿一瞥的情形。于是张医生刚到时对阿巧姐处处殷勤的景象，亦都浮现脑际，他恍然大悟，原来如此！

“是为了这个？”他缩回右手，屈起两指，做了个“七”的手势，暗扣着一个“巧”字。

七姑奶奶似乎有些扫兴。“真无趣！”她说，“怎么会让你猜到？”

“猜到这一点点没有用处。来，来，”他拉着妻子并肩坐下，“你讲这段新闻来听听。”

这段新闻讲得有头有尾，纤细无遗，比身历其境的人还清楚。因为他们都只知道自己在场或者听说过的一部分，而萧家骥有些话不便出口，阿巧姐跟胡雪岩的想法，亦颇多保留，唯有在七姑奶奶面前倾囊而出，七姑奶奶反能了解全盘真相。

“家骥这个小鬼头！”古应春骂着，有些忧虑，却也有些得意，“本来人就活动，再跟小爷叔在一起，越发学得花样百出。这样下去，只怕他会走火入魔，专动些歪脑筋。”

“他不是那种人。”七姑奶奶答道，“闲话少说，有件事，我还要告诉你：小爷叔的脾气你晓得的，出手本来就大方，又觉得欠了张郎中很重的一个情，所以我的办法……”

“慢来，慢来！”古应春打断她的话问，“你是什么办法，还没有告诉我，是不是李代桃僵？”

“是啊！不然真要弄僵。”七姑奶奶说，“小爷叔也觉得只有我这个办法。而且他想最好年内办成，让张郎中高高兴兴回家，花个千把银子，都归他去。”

虽说长三的身价高，千金赎身，也算很阔绰了，但这样身价的“红倌人”给张郎中做妾，就有些“齐大非偶”的意味了。

“这样做法不妥。你再行，到底外场的事情懂得太少。”

“这我又不服了。”七姑奶奶性急的毛病发作了，“就算我一窍不通，难道小爷叔的话也不对？”

“自然不对，刚刚一场大病，脑筋自然不够用。再说，小爷叔对堂子里的情形，到底也没有我懂得多。像这种‘红倌人’，一句话，叫作不甘寂寞！平日穿得好、吃得好，且不去说它，光是夜夜笙歌的热闹，已经养成习惯。你想想，跟了张郎中，怎么会称心如意？”

“照你说，那里头就没有一个能从良的？”

“十室之内，必有芳草。要说出淤泥而不染的，自然也有，不过可遇而不可求，一下子哪里去找？就算找到了，也要看彼此有没有缘分。光是一头热，有啥用处？”古应春又说，“看在银子分上，勉强跟回家也会过日子，也会生儿子，就是没有笑脸，要笑也是装出来的。如果是这样的情形，哪怕她天仙化人，我也敬谢不敏。”

话是不能说没有道理，只是有些言过其实，但是不这么做。“难道就此罢手不成？”她怔怔地问她丈夫。

“最好罢手，花了钱挨骂，岂不冤枉？”

这句话，七姑奶奶大为不服。“奇了！”她说，“这种事也多的是。你不是自己说过，上个月，什么办厘金的朱老爷，就花三千银子弄了个‘活宝’送上司。”

“献活宝巴结上司，又当别论。”

古应春另有一番议论。官场中巴结上司，物色美人进献，原是自古已然的事，但取悦一时，不必计及后果。而且名妓为达官贵人做妾，即令家规森严，行动不自由，然而锦衣玉食，排场阔绰，总也有贪图。风尘中爱慕虚荣的多，珠围翠绕，婢仆簇拥，夸耀于旧日小姐妹，听得啧啧称羡之声的那一刻，也还是很“过瘾”的。

“张郎中能够有什么给艳春老四？”古应春说，“就算他殷实，做生意人家总是生意人家的规矩，讲究实惠，不见得经常替她做衣服、打首饰。日常饮食，更不会像做大官的人家，天天鸡鱼鸭肉。内地又不比上海，过惯了繁华日子的，你想想她心里是何滋味？少不得三天两头生闲气，这就叫不安于室。张郎中哪里还有艳福好享？”

七姑奶奶想起一句成语“爱之适足以害之”，也觉得不妥，然而又何至于挨骂？

她心里这样在想，还未问出口，古应春却已有了解释：“做人情也是一门学问。像这样的情形，懂道理的人，一定批评小爷叔，简直就是以怨报德。这倒还在其次，张郎中家里的人，一定骂死了小爷叔。你想是不是呢？”

设身处地想一想，自己也会如此。不但要骂出钱的人，还会骂出主意的人。七姑奶奶这样想着，深为不安。可是，阿巧姐又如何？

“事情总要有个了结。”七姑奶奶说，“当然，这件事要两厢情愿，这面不肯，那面也没有话说。不过当初那样做法，显得有点有意用‘美人计’骗人上当，倘或就此记恨，说出去的话一定难听。不要说阿巧姐，就是小爷叔也一定不开心。”

古应春沉吟了一会儿，从从容容地答道：“没有别的办法，只有多送银子，作为补偿。”

“也只好如此。”七姑奶奶说，“到时候再说，此刻不必去伤脑筋了！”

* * *

住在洋场的人，特别是经常在花天酒地中的，都有迟睡迟起的习惯。古应春因为有生意要照料，起得还算早的，但也要九点钟才下床。这天八点钟就有娘姨来敲房门，说号子里派了人来，有话要说。

“什么话？”古应春隔着窗子问。

“杭州有位刘三爷来。人在号子里。”

“哪个刘三爷？”睡眼惺忪的古应春，一时想不起是谁。

七姑奶奶在后房却想到了，掀开帐子说道：“不是刘不才刘三爷吗？”

“是他？不会是他！”古应春说，“刘三爷也是自己人。一来，当然会到这里来，跑到号子里去干什么？”

“老板娘的话不错。”号子里的伙计在窗外接口，“本来是要请刘三爷到家里来的。他说，他身上破破烂烂不好意思来。”

果然是刘不才！这个意外的消息，反替古应春带来了迷茫，竟忘了说话。还是七姑奶奶的心思快——胡家的情形还不知道，也许有了什么不幸之事，如果让胡雪岩知道了，一定立刻要见他，当面锣、对面鼓，什么话都瞒不住他，大是不妥。

因此，她便替丈夫作主，吩咐伙计先回号子，说古应春马上去看他。同时叮嘱下人，不准在胡雪岩面前透露刘不才已到上海的消息。

“想不到是他来了。”古应春说，“你要不要跟我一道去看他？”

“自然要啰！”

夫妇俩一辆马车赶到号子里。相见之下，彼此都有片刻的沉默。在沉默中，古应春夫妇将刘不才从头看到底——衣衫虽然褴褛，精神气色都还不错，不像是快饿死了的样子。

“刘三叔！”终于是七姑奶奶先开口，“你好吧？”

“还好，还好！”刘不才仿佛一下子惊醒过来，眨一眨眼说，“再世做人，又在一起了，自然还好！”

听得这话，古应春夫妇不约而同地松了口气。“胡家呢？”七姑奶奶问说，“都好吧？”

“逃难苦一点，大大小小轮流生病，现在总算都好了。”

“啊——”七姑奶奶长长舒口气，双手合掌，当胸顶礼，“谢天谢地。”然后又说，“不过我倒又不懂了，杭州城里饿死的人无其数——”说到这里，她咽口唾沫，将最后那句话缩了回去。

那句话是个疑问：饿死的人既然无其数，何以胡家上下一个人都没有饿死？刘不才懂她的意思，但不是一句话所能解答得了的。“真正菩萨保佑！

要谈起来三天三夜说不尽。”他急转直下地问道，“听说雪岩运粮到过杭州，不能进城又回上海。人呢？”

“他一场大病，还没有好。不过，不要紧了。”七姑奶奶歉意地说，“对不起，刘三叔，你现在还不能跟他见面，等我们把事情问清楚了再说。王抚台是不是真的殉节了？”

“死得好，死得好！”凡事吊儿郎当，从没有什么事可以叫他认真的刘不才，大声赞叹，“死得有价值。王抚台的官声，说实在的，没有啥好，这一来就只好不坏了，连长毛都佩服。”

据刘不才说，杭州城陷那天，“忠王”李秀成单骑直奔巡抚衙门，原意是料到王有龄会殉节，想拦阻他不死。可是晚了一步，王有龄已朝服自缢于大堂右面的桂花树下。李秀成敬他忠义，解下尸首，停放在东辕门彭亭左侧，觅来上好棺木盛殓。王家上下老幼，自然置于保护之下。

“长毛总算也有点人心。”七姑奶奶问道，“不是说要拿王抚台的灵柩送到上海来吗？”

“那倒没有听见说起。”

“满城呢？”古应春问，“将军瑞昌，大概也殉节了？”

“满城在三天以后才破。”

在这三天中，李秀成暂停进攻，派人招降。条件相当宽大，准许旗人自由离去，准带随身细软以外，另发川资，同时将“天王”特赦杭州旗人的“诏旨”送给瑞昌看，目的是想消除他们的疑虑。而效用适得其反。也许是条件太宽大，反令人难以置信，而且败军之将归旗，亦必定治罪，难逃一死，反倒失去了抚恤，甚至还褫夺了旗籍，害得子孙不能抬头，无法生活。所以瑞昌与部将约定，决不投降。

于是三天一过，李秀成下令攻击，驻防旗人个个上阵，极力抵抗。满城周围九里，有五道城门，城上有红衣大炮，轰死了长毛三千多人，到十二月初一午后城破。将军瑞昌投荷花池而死，副都统杰纯、关福亦都自戕。男女老小纵火自焚以及投西湖而死的，不计其数。

讲到这里，刘不才自我惊悸，面无人色。古应春赶紧叫人倒了热茶来，让他缓一缓气，再问他个人的遭遇。

“杭州吃紧的时候，我正在那里。雪岩跟我商量，湖州亦已被围，总归一时回不去了，托我护送他的家眷到三天竺逃难。从此一别，就没有再见过他，因为后来看三天竺亦不是好地方，一步一步往里逃，真正菩萨保佑，逃到留下。”

“留下”是个地名，在杭州西面。据说当初宋高宗迁都杭州，相度地势，起造宫殿，此处亦曾中意，嘱咐“留下”备选，所以叫作留下。其地多山，峰回泉绕，颇多隐秘之处，是逃难的好去处。

“逃难的人很多，人多成市，就谈不到隐秘了。我一看情形不妙，跟雪岩夫人说：‘要逃得远、逃得深，越是荒凉穷苦的地方越好。’雪岩夫人很有眼光，说我的话对。我就找到一处深山，真正人迹不到之处，最好的是有一道涧。有涧就有水，什么都不怕了。我雇人搭了一座茅棚，只有三尺高，下面铺上木板，又运上去七八担米、一缸盐菜、十来只火腿。说起来不相信，那时候杭州城里饿死的人，不知道多少，就我们那里没有一天不吃干饭。”

“怪不得。刘三叔不像没饭吃的样子。”七姑奶奶说，“长毛倒没有寻到你们那里？”

“差一点点。”刘不才说，“有一天我去赌钱……”

“慢点。”七姑奶奶插嘴问道，“逃难还有地方赌钱？”

“不但赌钱，还有卖唱的呢！市面热闹得很。”

市面是由逃难的人带来的。起先是有人搭个茅棚，卖些常用的什物，没有字号，通称“小店”。然后小店成为茶店，作为聚会打听消息的所在。难中岁月，既愁且闷，少不得想个排遣之道，于是茶店又变成赌场。刘不才先是不愿与世隔绝，每天走七八里路到那个应运而生的市集中去听听新闻，到后来就专为去过赌瘾了，牌九、做宝、掷骰子，什么都来。有庄做，就做庄家，没有庄做就赌下风，成了那家赌场的台柱。

这天午后，刘不才推庄赌小牌九，手气极旺，往往他翻蹩十，重门也翻蹩十，算起来还有钱赢。正赌得兴头时，突然有人喊道："长毛来了！"

刘不才不大肯相信，因为他上过一回当。有一次也是听说"长毛来了"，赌客仓皇走避，结果无事，但等回到赌场，台面上已空空如也。事后方知，是有人故意捣乱，好抢台面。他疑心这一次也是有人想趁火打劫，所以大家逃，他不逃，不慌不忙地收拾起自己的赌注再说。

"刘三爷！"开赌场的过来警告，"真的是长毛来了。"

这一说刘不才方始着慌，匆匆将几十两银子塞入腰际，背起五六串铜钱，拔脚夺门而走。

然而已经晚了，有两个长毛穷追不舍。刘不才虽急不乱，心里在想，自己衣服比别人穿得整齐，肩上又背着铜钱，长毛决不肯放过自己，这样一逃一追，到头来岂不是"引鬼进门"？

念头转到此处，对付的办法也就有了。他拉过一串铜钱来，将"串头绳"上的活结一下扯开，"哗哗"地将一千铜钿落得满地，然后跑几步，如法炮制。五六串铜钱撒完，肩上的重负全释，脚步就轻快了。然而他还是不敢走正路，怕引长毛发现住处，兜了好大一个圈子，到晚上才绕道到家。

"从那一次以后，胡老太太跟雪岩夫人就不准我再去赌了。其实，市面也就此打散了。那一次是一小队长毛，误打误撞闯到了那里，人数太少，不敢动手。第二天，还是第三天，来了大队人马，奸淫掳掠外加一把火，难民遭劫的不知多少。"刘不才说到这里，表情相当复杂，余悸余哀都犹在，却又似乎欣慰得意，"亏得我见机！这一宝总算让我看准了。"

谈这样的生死大事，仍旧不脱赌徒的口吻，七姑奶奶对他又佩服，又好笑，但更多的是关切："以后始终没有遇见长毛？"

"没有！不过好几次听见声音。提心吊胆的味道，只有尝过的人才晓得真不好受！"

然而，此刻提心吊胆的日子，也并不算完全过去。长毛进城，由于李秀成的约束，照例会有的烧、杀、奸、抢倒不甚厉害，但杭州人不肯从贼，男的上吊、女的投井、阖家自尽的，不计其数。这也不尽是忠义之气使然，而是生趣索然，其中又分成几类：怕受辱吃苦头的是一类；满目极人间未有之惨，感情上承受不住，愿求解脱的，也是一类；无衣无食，求苟延残喘而不可得，以为迟早是死，不如早死的，又是一类；历尽浩劫，到头来仍不免一场空，于心不甘，愤而自裁的，更是一类。

像胡家这样“跳出劫数外，不在五行中”的，只怕十万人家找不出一家。然而现在却又在劫数中了。荒山茅棚，自然不能再住，最主要的原因是，存粮已罄，不能不全家“出山”。城里尸臭不可向迩，如果不是严冬，瘟疫早已流行，当然不能再住。好的是胡老太太本来信佛，自从胡雪岩平地一声雷地发达起来，更认定是菩萨保佑，大小庙宇庵堂，只要和尚尼姑上门化缘，必不会空手而回。三天竺是香火盛地，几座庙宇，无不相熟，找一处安顿下来，倒也容易。苦恼的仍旧是粮食。整个杭州城，全靠李秀成从嘉兴运来两万石米。如果不包括军食在内，倒也能维持一段时期，无奈先发军粮，再办平粜，老百姓的实惠就有限了。

“现在全家大小，每天只吃一顿粥。我倒还好，就是上面老的，下面小的，不能不想法子。”

“这个法子总想得出。”古应春说，“不过，刘三叔，你有句话我不懂。你一向胃口很好，每天吃一顿粥，倒能支持得住？还说‘还好’！”

刘不才笑笑，不好意思地答道：“我会到长毛公馆里去打野食。”

七姑奶奶也笑了。“刘三叔，你真正是，老虎嘴里的食，也敢夺来吃。”她说，“你怎么打法？”

“这就不好告诉你了。闲话少说，有句正经话，我要跟你们商量，有个王八蛋来找雪岩的麻烦，如果不理他会出事。”

刘不才口中的“王八蛋”叫袁忠清，是钱塘县署理知县。此人原来是袁甲三部下的一个“勇目”，打仗发了笔横财，活动袁甲三的一个幕友，在一次“保案”中将他添上了一个名字，得了“六品蓝翎”的功名。后来犯了军令，袁甲三要杀他，吓得连夜开了小差，逃回江西原籍。

那时的江西巡抚是何桂清的同年、穆彰阿的得意门生张芾。袁忠清假报为六品蓝翎的县丞，又走了门路，投效在张芾那里。不久，长毛攻江西省城，南昌老百姓竭力助守，使得张芾大起好感。爱屋及乌，便宜了“王八蛋”，竟被委为制造局帮办军装。这是个极肥的差使，在袁忠清手里更是左右逢源，得其所哉。

不久，由于宁国之捷，专案报奖，张芾倒很照顾袁忠清，特意嘱咐幕友，为他加上很好的考语，保升县令。这原是一个大喜讯，在他人当然会高兴得不得了，而袁忠清不但愁眉苦脸，甚至坐卧不宁。

同事不免奇怪，少不得有人问他：“老袁，指日高升！上头格外照应你，不是列个字的泛泛保举，你是十六个字的考语，京里一定照准。眼看就是‘百里侯’，如何倒像如丧考妣似的？”

“说什么指日高升？不吃官司，只怕都要靠祖宗积德。”接着，他又摇摇头，“官司吃定了！祖宗积德也没用。”他那同事大为惊惑：“为什么？”

袁忠清先还不敢说，经不起那同事诚恳热心，拍胸脯担保，必定设法为他分忧，袁忠清才吐露了心底的秘密。

“实不相瞒，我这个‘六品蓝翎’，货真价实，县丞是个‘西贝货’。你想这一保上去，怎么得了？”

“什么？你的县丞是假的！”

假的就不能见天日。江西的保案上去，吏部自然要查案。袁忠清因为是县丞才能保知县，然则先要问他这个县丞是什么“班子”。一查无案可稽，就要行文来问。试问袁忠清可拿得出“部照”或是捐过班的“实收”？

像这种假冒的事，不是没有。吏部的书办十九是吃人不吐骨头的积年滑吏，无弊不悉，只怕没有缝钻，一旦拿住了短处，予取予求勒索够了，怕还是要办他个“假冒职官”的罪名，落个充军的下场。

他那同事，倒也言而有信，为他请教高人，想出一条路子：补捐一个县丞。军兴以来，为了筹饷，大开捐例，各省都向吏部先领到大批空白收据，即名为“实收”。捐班有各种花样、各种折扣，以实际捐纳银数，暂给收据，就叫“实收”，将来据以换领正式部照。所以这倒容易，兑了银子，立时可以办妥。但是，日期不符也不行，缴验“实收”，一看是保案以后所捐，把戏立刻拆穿。

“这没有别的办法，只有托人情。”

“托人情要钱，我知道。”袁忠清说，“我这个差使虽有点油水，平时都结交了朋友，吃过用过，也就差不多了。如今，都在这里了！”

他将枕头箱打开，里面银票倒是不少，但零零碎碎加起来，不过百把两银子。像这种倒填年月的花样，担着极大的干系，少说也得三百两。他那朋友知道袁忠清是有意做作，事到如今，人家半吊子，自己不能做为德不卒的事，只好替他添上五十两银子，将他这件事办了下来。

但是，袁忠清“不够意思”的名声，却已传了出去。江西不能再混，事实上也非走不可，因为保升了知县，不能在本省补缺。他托人到部里打点，分发浙江候补。

袁忠清原来是指望分发广东，却以所托的人不甚实在，改了分发浙江，万般无奈，只有“禀到”候补。那时浙江省城正当初陷收复以后，王有龄全力缮修战备，构筑长壕，增设炮台，城上鳞次栉比的营房，架起极坚固的吊车，安上轴辘，整天不停地储备枪械子药。放眼一望，旗帜鲜明，刀枪雪亮，看样子是一定守得住了。

于是袁忠清精神复振，走了藩司麟趾的门路，竟得“挂牌”署理钱塘县。杭州城内，有钱塘、仁和两县，而钱塘是首县，县官身份更自不同。袁忠清工于心计，只具“内才”，首县却是要“外才”的，讲究仪表出众、谈吐有趣、服饰华丽、手段圆滑，最要紧的是出手大方、善于应酬，袁忠清本非其选。但此时军情紧急，大员过境的绝少，送往迎来的差使不繁，正可发挥他的所长。

袁忠清的长处就在搞钱。搞钱要有名目，而在这个万事莫如守城急的时候，又何愁找不到名目？为了军需，摊派捐献，抓差征料，完全是一笔烂账。只要上面能够交差，下面不激出民变，从中捞多少都没有人会问的。

到了九月里杭州被围，家家绝粮，人人瘦瘠，只有袁忠清似乎精神还很饱满，多疑心他私下藏着米粮，背人“吃独食”，然而事无佐证，莫可究诘。这样的人，一旦破城，自然不会殉节——有人说他还是开城门放长毛进城的人。这一点也无实据，不过李秀成进城的第二天他就受了伪职，却是丝毫不假。他受的伪职，名为“钱塘监军”，而干的差使却是“老本行”，替长毛备办军需。

长毛此时最迫切需要的是船。因为一方面掳掠而得的大批珠宝细软、古董字画要运到“天京”，进献天王，一方面要从外埠赶运粮食到杭州。所以袁忠清摔掉翎领，脱去补挂，换上红绸棉袄，用一块黄绸子裹领，打扮得跟长毛一样，每天高举李秀成的令箭在江干封船。城外难民无数，有姿色的妇女，遇到好色如命的袁忠清，就难保清白了。

“这个王八蛋！”刘不才愤愤地说，“居然亲自到胡家，跟留守在那里的人说：‘胡某人领了几万银子的公款，到上海去买米，怎么不回来？你们带信给他，应该有多少米，赶快运到杭州来。不然，有他的罪受！’你们想想看，这不是有意找麻烦？”

这确是个麻烦。照袁忠清这样卑污的人品、毒辣的手段，如果不早作铺排，说不定他就会打听到胡家眷属存身之处，凌辱老少妇孺，岂不可忧？

“顶教人担心的是，这个王八蛋成事不足，败事有余。如果说他拿胡家大小弄了进去，托到人情，照数释放，倒也还不要紧。就怕他跟长毛一说，人是抓进去了，要放，他可作不了主。这一来，要想走条路子，只怕比登天还难。”

刘不才这番话，加上难得出现的沉重的脸色，使得七姑奶奶忧心忡忡，也失去了平时惯有的爽朗明快的词色。古应春当然也相当担心，但他一向深沉冷静，一半也是受了胡雪岩的濡染，总觉得凡事只要不怕难，自然就不难。眼前的难题，不止这一端，要说分出缓急，远在杭州的事，如果已生不测，急也无用。倘或根本不会有何危险，则病不急而乱投医，反倒是自速其祸。

然而这番道理说给刘不才听，或许他能接受，在七姑奶奶却是怎么样也听不进去的。因而他只有大包大揽地先一肩担承了下来，作为安慰妻子的手段。

“不要紧！不要紧！”他拍一拍胸说，“我有办法，我有路子，我今天就去办。眼前有件事，先要定个主意。”

这件事就是要将杭州的消息告诉胡雪岩。家山陷贼，至交殒命，是他不堪承受的两大伤心之事。可是老母健在，阖家无恙，这个喜讯，也足以抵消得过，所以古应春赞成由刘不才去跟他面谈。

七姑奶奶表示同意，刘不才当然依从，不过他要求先去洗个澡。这是他多少天来，梦寐以思的一种欲望。

“那容易。”七姑奶奶对古应春说，“你先陪刘三叔到澡塘子去，我回家去收拾间屋子出来。”

“不必，不必！七姐，”刘不才说，“我还是住客栈，比较自由些。”

“刘三叔喜欢自由自在，你就让他去。”古应春附和着，他是另有用意，想到或许有什么不便当着胡雪岩说的话，跟刘不才在客栈里接头，比较方便些。

在新辟的“石路”上，刘不才买好从里到外、从头到脚的全套衣衫鞋帽。照道理说，他脱下来的那身既破且脏的旧衣服，可以丢进垃圾箱里去了，但他却要留着。

“从前，我真正是不知稼穑之艰难，虽然也有落魄，混到吃了中饭不知夜饭在哪里的日子也有过，可是我从来不愁，从没有想过有了钱要省俭些用。经过这一场灾难，我变过了。”刘不才说，“这身衣服我要留起来，当作‘传家之宝’。这不是说笑话，我要子孙晓得，他们的祖宗吃过这样子的苦头！”

古应春相当惊异。“刘三叔，”他说，“你有这样子的想法，我倒没有想到。”

“我也是受了点刺激，想想一个人真要争气。”刘不才说，“从三天竺进城，伤心惨目，自不必说，不过什么东西可怕，都不如人心可怕。雪岩在地方上，总算也很出过一番力的，哪知道现在说他好的，十个之中没有一个。我实在不大服气。如果雪岩真的垮了下来，或者杭州也真的回不去了，那就冤屈一辈子，坏名誉也不能洗刷。到有一天光复，雪岩依旧像从前那样神气，回到杭州，我倒要看看那班人又是怎么个说法。”

这是一番牢骚，古应春颇有异样的感觉。从他认识刘不才以来，就难得听他发牢骚，偶尔那么一两次，也总是出以冷隽嘲弄的口吻，像这样很认真的愤激之词，还是第一次听到。

再将他话中的意思好好咀嚼了一会儿，古应春终于辨出一点味道来了。“刘三叔，”他试探着问，“你好像还有什么话，藏在肚子里似的。”

刘不才倏然抬眼，怔怔地望着古应春，好半晌才深深点头：“应春兄，你猜对了。我是还有几句话，倒真应该跟你谈才是。雪岩的处境很不利。”

听他谈了下去，才知道胡雪岩竟成众矢之的。有人说他借购米为名，骗走了藩库的一笔公款，为数可观；有人说王有龄的宦囊所积，都由胡雪岩替他营运，如今死无对证，已遭吞没；此外还有人说他如何假公济私，如何虚有善名，将他形容成一个百分之百的奸恶小人。

“这都是平时妒嫉雪岩的人，或者在王雪公手里吃过亏的迁怒到他头上。疯狗乱咬，避开就是，本来可以不必理他们，哪知长毛也看中了雪岩，这就麻烦了。”

越说越奇，如何长毛又看中胡雪岩？古应春大感不解，不过一说破也就无足为奇了。“雪岩向来喜欢出头做好事，我们凭良心说，一半他热心好热闹，一半也是沽名钓誉。李秀成打听到了，想找雪岩出来替他办善后。这一来就越发遭忌。原来有批人在搞，如果雪岩一出面，就没得那批人好搞的。所以第一步由袁忠清那样的王八蛋来恐吓。第二步手段就真毒辣了。据说，那批人在筹划鼓动京官要告雪岩，说他骗走浙江购米的公款，贻误军需国食，请朝廷降旨查办。”

听到这里，古应春大惊失色。“这，从何说起？不是要害他家破人亡吗？”他大摇其头，“不过我又不懂，果然降旨查办，逼得小爷叔在上海存身不住，只好投到长毛那里，于他们又有何好处？”

“不要忙，还有话。”刘不才说，“他们又放出风声来了，说是胡雪岩不回杭州便罢，一回杭州，要鸣锣聚众，跟他好好算账。”

“算什么账？”

“哪晓得他们算什么账？这句话毒在‘鸣锣聚众’四个字上头，真的搞成那样的局面，雪岩就变成过街老鼠了，人人喊打！”

古应春敲敲额角。“刘三叔，”他紧皱着眉说，“你的话拿我搞糊涂了，一方面不准他回去，一方面又逼得他在上海不能住，非投长毛不可，那么他们到底要怎么办呢？莫非真要逼人上吊，只怕没有那样容易吧？”

“当然。雪岩要让他们逼得走投无路，还能成为胡雪岩？他们也知道这是办不到的，目的是想逼出雪岩一句话：你们饶了我，我决不会来坏你们的事。应春兄，你想雪岩肯不肯说这句话？”

“不肯也得肯，一家老少，关系太重了。”

“话是不错。但是另外又有一层难处。”

这层难处是个不解的结，李秀成的一个得力部下，实际上掌理浙江全省政务的陈炳文，因为善后工作棘手，一定要胡雪岩出头来办事。据说已经找到阜康钱庄的档手，嘱咐他转言。照刘不才判断，也就在这两三天之内，会到上海。

“照这样说，是瞒不住我这位小爷叔的了。”古应春觉得情势棘手，问刘不才说，“你是身历其境的人，这几天总也想过，有什么解救之方？”

“我当然想过。要保全家老小，只有一条路，不过——”刘不才摇摇头说，“说出来你不会赞成。”

“说说何妨。”

“事情明摆在那里，只有一个字：去！说老实话，雪岩真的回杭州去了，那班人拿他又有什么办法？”

古应春大不以为然。但因刘不才言之在先，料他不会赞成，他倒不便说什么责备的话了。

“刘三叔，”他慢吞吞地说，“眼前的急难要应付，将来的日子也不能不想一想。我看，这件事，只有让小爷叔自己去定主意了。”

* * *

带来了全家无恙的喜讯，也就等于带来了王有龄殉难的噩耗。刘不才不提王有龄，真所谓“尽在不言中”，胡雪岩双泪交流，但哀痛还能承受得住，因为王有龄这样的下场，原在意中。一个多月前，钱塘江中一拜，遥别也就是永诀，最伤心的时刻已经过去了。

王有龄的遗属呢？他想问，却又怕问出来一片悲惨的情形，有些不敢开口。而七姑奶奶则是有意要谈能叫人宽心的事，特意将胡家从老太太起，一个个挨次问到，这就越发没有机会让胡雪岩开口了。

谈到吃晚饭，正好张医生回来，引见过后，同桌共饮。他们两人算是开药店的同行，彼此都别有亲切之感，所以谈得很投机。饭后，古应春特为又请张医生替胡雪岩去诊察。也许是因为有了喜讯的缘故，他神旺气健，比上午诊脉时又有了进境。

“还有件很伤脑筋的事要跟病人谈。”古应春悄悄问张医生，“不知道对他的病势相宜不相宜？”

“伤脑筋的事，没有对病人相宜的。不过，他的为人与众不同，经得起刺激，也就不要紧了。”

既然如此，古应春便不再瞒。要瞒住的倒是他妻子，所以等七姑奶奶回卧房去看孩子时，他才跟刘不才将杭州对胡雪岩种种不利的情形，很委婉地，但也很详细地说了出来。

胡雪岩很沉着，脸色当然也相当沉重。听完，他叹口气：“乱世会坏心术。也难怪，这个时候哪个要讲道德、讲义气，只有自己吃亏。不过，还可以讲利害。”

听这口气，胡雪岩似乎已有办法，古应春随即问道：“小爷叔，事不宜迟，不管定的什么主意，要做得快！”

“不要紧，‘尽慢不动气’！”

到这时候，胡雪岩居然还有心思说这样轻松的俏皮话，古应春倒有点不大服气了。“看样子，小爷叔倒真是不在乎！”他微带不满地说，“莫非真的有什么神机妙算？”

“不是啥神机妙算！事情摆明在那里，他们既然叫我钱庄里的人来传话，当然要等有了回信，是好是歹，再作道理。现在人还没有到，急什么？”

听得这一说，古应春实在不能不佩服。原是极浅的道理，只为方寸一乱，看不真切。这一点功夫，说来容易，临事却不易做到，正就是胡雪岩过人的长处。

“那好！”古应春笑道，“听小爷叔一说破，我也放心了。就慢慢商量吧。”

急人之急的义气，都在他这一张一弛的神态中表露无遗。这在胡雪岩是个极大的安慰，也激起了更多的信心，因而语气就越发从容了。

“那个袁忠清，他的五脏六腑，我都看得见。他是‘泥菩萨过江，自身难保’，绝不敢多事。别的人呢，都要仔细想一想，如果真的跟我家眷为难，也知道我不是好惹的人。”胡雪岩说，“他们不会逼我的！逼急了我，于他们没有好处。第一，我可以回杭州，长毛要我，就会听我的话，他们自己要想想，斗得过我，斗不过我；第二，如果我不回杭州，他们总也有亲人至戚在上海，防我要报复；第三——那就不必去说它了，是将来的话。”

古应春却偏要打听：“将来怎么样？”

“将来，总有见面的日子，要留个余地。为人不可太绝。就拿眼前来说，现在大家都说我如何如何不好，如果他们为难我的家眷，就变成他们不对了。有理变成无理，稍微聪明的人，不肯做这样的事。”

这一点古应春不能同意，留个相见余地的话，也未免太迂，不过仅是前两点的理由也尽够了。古应春便催着他说：“小爷叔，你说你的办法！”

“我的办法是做一笔交易。他们不愿意我回杭州，可以。我不但不跟他们去争，而且要放点交情给他们。有朝一日，官军光复杭州，我自有保护他们的办法。不过，眼前他们要替我想办法，拿我的家眷送出杭州。”

这样的一笔交易是不是做得成？古应春颇为怀疑，因而默然不语，只望着刘不才，想听他的意见。

刘不才却对他的话大感兴趣。“这倒是个办法。”他说，“照我看，那批人又想吃羊肉，又怕羊骚臭，怕将来官军光复了，跟他们算账。如果真的有保护他们的把握，那批人肯照我们的办法做的。不过，空口说白话可不行。”

“现在当然只有空口说白话，话要动听，能够做得到，他们自然会相信。”胡雪岩停了一下说，“三叔，这件事只有你辛苦，再去一趟。因为别人去说，他们不大容易相信。”

“这还用说？自然是我去。你说，跟他们怎么个讲法。”

“当然要吹点牛。”胡雪岩停了下来，“等我好好想一想。”

这一想想了好多时候，或者是暂且丢开此事，总而言之，不见他再谈起，尽自问着杭州的情形，琐琐屑屑，无不关怀。胡雪岩的交游甚广，但问起熟人，不是殉难，就是下落不明，存者十不得一。连不相干的古应春，都听得凄怆不止。

到得十点多钟，刘不才一路车船劳顿，又是说话没有停过，再好的精神也支持不住了。古应春便劝他不必再住客栈，先好好睡一觉再说。刘不才依从，由古家的丫头侍候着，上床休息。

胡雪岩的精神却还很好。“老古，”他招招手让古应春坐在床前，低声说道，“我对人不用不光明的手段，这一次要做它一次一百零一回的买卖，全家大小在那班王八蛋手里，不能不防他们一着。我现在要埋一条药线在那里，好便好，搞得不好，我点上药线轰他娘的，叫他们也不得安逸。话说明了，你心里也有数了，要劳你的神，替我做一件公事。”

他是“话说明了”，古应春却如丈二金刚摸不着头脑。“小爷叔，”他皱着眉说，“我还是莫名其妙，什么药线，什么公事？”

“公事就是药线，药线就是公事。”胡雪岩说，“这件公事，是以我浙江候补道兼团练局委员，奉王抚台委派，筹划浙江军需民食，以及地方赈济事宜的身份，报给闽浙总督衙门庆制军。公事上要说明，王雪公生前就顾虑援兵不到，杭州恐怕保不住，特意嘱咐我，他是决定城亡人亡，一死报答朝廷。但是杭州的百姓，不可不顾，因为我不是地方官，并无守土之责，所以，万一杭州沦陷，必得顾念家乡，想办法保护地方百姓。这是第一段。”

古应春很仔细地听着，已理会得胡雪岩入手的意思，并即说道：“第二段当然是叙你运粮到杭州，不能进城的情形？”

“对！不过转道宁波这一层不必提。”胡雪岩略停一下又说，“现在要叙顶要紧的第三段，要这样说法：我因为人在上海，不能回杭州，已经派人跟某某人、某某人联络，请他们保护地方百姓，并且暗中布置，以便官军一到，可以相机策应；这批人都是地方公正士绅，秉心忠义，目前身陷城中，不由自主，将来收复杭州，不但不能论他们在长毛那里干过什么职司，而且要大大地奖励他们。”

“啊，啊！”古应春深深点头，“我懂了，我懂了，这就是替他们的将来留个退步。”

“对了。这道公事要等庆制军的批示，他人在福州，一时办不到，所以要来个变通办法。一方面呈报庆制军，一方面请江苏巡抚衙门代咨闽浙总督衙门，同时给我个复文，拿我的原文都叙在里头，我好给他们看。”

“嗯、嗯！”古应春想了一下，记起一句话，“那么什么叫‘公事就是药线’呢？”

“这你还不懂？”胡雪岩提醒他说，“你先从相机策应官军这句话上去想，就懂了。”

真所谓“光棍一点就透”，古应春恍然大悟。如果那批人不肯就范，甚至真个不利于胡家眷属，胡雪岩就可用这件公事作为报复，向长毛告密，说这班人勾结清军，江苏巡抚衙门的回文，便是铁证。那一来，后果就可想而知了。

这一着实在狠。但原是为了报复，甚至可以作为防卫，如果那批人了解到这道公事是一根一点便可轰发火药，炸得粉身碎骨的药线，自然不敢轻举妄动。

“小爷叔！”古应春赞叹着说，“真正‘死棋肚子里出仙着’。这一着，亏你怎么想出来的？”

“也不是我发明的。我不过拿人家用过的办法，变通一下子。说起来，还要谢谢王雪公，他讲过一个故事给我听。这个故事出在他们家乡。康熙年间有位李中堂，据说在福建名气大得很，他的同年陈翰林跟他有段生死不解的仇——”

王有龄告诉胡雪岩的故事如此。这位李中堂是福建安溪人，他的同年陈翰林是福州人。这年翰林散馆，两个人请假结伴回乡。不久就有三藩之乱，耿精忠响应吴三桂，在福州也叛变了，开府设官，陈翰林被迫受了伪职。

李中堂见猎心喜，也想到福州讨个一官半职。而陈翰林却看出耿精忠恐怕不成气候，便劝李中堂不必如此。而且两个人闭门密谈，定下一计，由李中堂写下一道密疏，指陈方略，请朝廷速派大兵入闽。这道密疏封在蜡丸之中，由李家派人取道江西入京，请同乡代为奏达御前。

“这是‘刀切豆腐两面光’的打算。”胡雪岩说，“李中堂与陈翰林约定，如果朝廷大兵到福建，耿精忠垮台，李中堂当然就是大大的功臣，那时候他就可以替陈翰林洗刷，说他投贼完全是为了要打探机密，策应官军——”

“啊，啊，妙！如果耿精忠成了功，李中堂这首密疏，根本没有人知道，陈翰林依旧可以保荐他成为新贵。是不是这样的打算？”

“一点不错。”

“那么后来呢？”古应春很感兴趣地问，“怎么说是成了生死不解的冤家？”

“就为李中堂不是东西，出卖朋友。耿精忠垮台，朝廷收复福建，要办附逆的罪。李中堂自己得意了，竟不替他洗刷。害得陈翰林充军到关外。”胡雪岩说，“我现在仿照他们的办法，但愿那批人很识相，我替他们留下的这条洗刷的路子，将来一定有用。”

“对！小爷叔的意思，我完全懂了，这道公事我连夜替你预备起来。”

“不忙。明天动笔也不迟。”胡雪岩说，“我还有件事要先跟你商量。”

这件事是为王有龄身后打算，自不外“名利”两字。王有龄的宦囊虽不太丰，却绝不能说是一清如水。“三年清知府，十万雪花银”，许多收入像征粮的“羡余”、漕粮折实，碎银子镕铸为五十两银子一个的“官宝”，照例要加收的“火耗”，在雍正年间就已“化暗为明”，明定为地方官的“养廉银”。此外“三节两寿”——过年、端午、中秋三节，本人及太太的两个生日，属员必有馈敬，而且数目亦大致有定规，这都是朝廷所许的收入。

王有龄的积蓄，当然是交给胡雪岩营运，他现在要跟古应春商议，就因为经手的款子，要有个交代。“他们说王雪公有钱在我手里，这是当然的。我跟死者的交情，当然也不会‘起黑心’。不过，”说到这里，他有点烦躁，“这样子的局面，放出去的款子，摆下去的本钱，一时哪里去回笼？真叫我不好交代。”

这确是极为难的事。古应春的想法比胡雪岩还要深，王有龄已经殉节，遗属不少，眼前居家度日，将来男婚女嫁，不但处处要钱，而且有了钱也不能坐吃山空。所以，他说：“你还不能只顾眼前的交代，要替王家筹个久长之计才好。”

“这倒没有什么好筹划的，反正只要胡雪岩一家有饭吃，决不会让王家吃粥，我愁的是眼前！”胡雪岩说，“王雪公跟我的交情，可以说他就是我、我就是他。他在天之灵，一定会谅解我的处境。不过王太太或者不晓得我的心，他家的亲友更加隔膜，只知道有钱在我这里，不知道这笔钱一时收不回来。现在外头既有这样的闲话，我如果不能拿白花花的现银子捧出来，人家只当我欺侮孤儿寡妇。这个名声，你想想，我怎么吃得消？”

古应春觉得这个看法不错，他也是熟透人情世故的人，心里又有进一步的想法。如果胡雪岩将王有龄名下的款子，如数交付，王家自然信任他，继续托他营运，手里仍可活动。否则，王家反倒有些不大放心，会要求收回。既然如此，就乐得做得漂亮些。

麻烦的是，杭州一陷，上海的生意又一时不能抽本，无法做得“漂亮”。那就要靠大家帮忙了。

“小爷叔，”他问，“王雪公有多少款子在你手里？”

“王太太手里有账的，大概有十万。另外还有两万在云南，不知道王太太知道不知道。”

“那就奇怪了。怎么在云南会有两万银子？”

“是这样子的，”胡雪岩说，“咸丰六年冬天，何根云交卸浙江巡抚，王雪公在浙江的官，也没有什么做头了，事先安排，调补云南粮道。我替他先汇了两万银子到云南。后来何根云调升两江，王雪公自然跟到江苏，云南的两万银子始终未动，存在昆明钱庄是生息。王雪公始终不忘云南，生前跟我说过，有机会很想做一任云南巡抚，能做到云贵总督，当然更好。这两万银子在云南迟早有用处，不必去动它。现在，当然再也用不着了！”说到这里，胡雪岩又生感触，泫然欲涕。

等他拭一拭眼睛，擤一擤鼻子，情绪略略平复，古应春便接着话题问：“款子放在钱庄里，总有折子，折子在谁手里？”

“麻烦就在这里。折子是有一个，我交了给王雪公，大概是他弄掉了，也记不起这回事，反来问我。这原是无所谓的事，跟他们再补一个就是。后来事多，一直搁着未办。如今人已过世，倒麻烦了，只怕对方不肯承认。”

“你是原经手。”古应春说，“似乎跟王雪公在世还是故世，不生关系。不过，钱庄的规矩我也不大懂，不知道麻烦何在？”

“钱庄第一讲信用，第二讲关系，第三才讲交情。云南这家同业，信用并不见得好，交情也谈不上，唯一讲得上的，就是关系。王雪公在日，现任的巡抚，云南方面说得上话。我自己呢，阜康在上海的生意不算大，浙江已经坐第一把交椅，云南有协饷之类的公款往来，我可以照应他们，论生意上的关系也够。不过，现在不同了，他们未见得再肯买账。”

这番分析，极其透彻。古应春听入心头，亦颇有感慨。如今做生意要想发展，似乎不是靠官场的势力关系，就得沾洋人的光。风气如此，夫复何言？看起来王有龄那笔款子，除非大有力者援手，恐怕要“泡汤”了。

“只有这样，托出人来，请云贵总督，或者云南巡抚，派人去关照一声。念在王雪公为国殉难，遗属理当照应。或者那批大佬肯出头管这个闲事。”

“也只好这样。”胡雪岩说，“交涉归交涉，眼前我先要赔出来。”

“这一来总数就是十二万。”古应春沉吟了一下，毅然决然地说，“生意在一起，信用也是大家的。我想法子来替小爷叔凑足了就是。”

这就是朋友的可贵了。胡雪岩心情很复杂，既感激，又不安，自觉不能因为古应春一肩承担，自己就可以置身事外，所以还是要问一问。

“老古，你肯帮我这个忙，我说感激的话，是多余的。不过，不能因为我，拖垮了你。十二万银子，到底也不是个小数目，我自己能凑多少，还不晓得，想来不过三五万。还有七八万要现款，只怕不容易。”

“那就跟小爷叔说实话，七八万现款，我一下子也拿不出。只有暂时调动一下，希望王太太只是过一过目，仍旧交给你放出去生息。”

“嗯，嗯！”胡雪岩说，‘这个打算办得到的。不过，也要防个万一。”

“万一不成，只有硬挺。现在也顾不得那许多了。”

胡雪岩点点头，自己觉得这件事总有八成把握，也就不再去多想，接下来谈到另一件事。

“这件事，关系王雪公的千秋。”胡雪岩说，“听大书我也听得不少，忠臣也晓得几个，死得像王雪公这样惨的，实在不多。总要想办法替他表扬表扬，留下长远的纪念，才对得起死者。”

“这又何劳你费心？朝廷表扬忠义，自然有一套恤典的。”

朝廷的恤典，胡雪岩当然知道。像王有龄的这种情形，恤典必须优渥，除了照“巡抚例赐恤”，在赐谥、立传、赐祭以外，殉节的封疆大吏照例可以入祀京师昭忠祠，子孙亦可获得云骑尉之类“世袭罔替”的“世职”。至于在本省及“立功省份”建立专祠，只要有人出面奏请，亦必可邀准，不在话下。

胡雪岩的意思，却不是指这些例行的恤典。“我心里一直在想，王雪公死得冤枉！”他说，“想起他‘死不瞑目’那句话，只怕我夜里都会睡不着觉。我要替他申冤。至少，他生前的冤屈，要教大家晓得。”

照胡雪岩的看法，王有龄的冤屈，不止一端。第一，王履谦处处掣肘，宁绍可守而失守，以致杭州粮路断绝，陷入无可挽救的困境；第二，李元度做浙江的官，领浙江的饷，却在衢州逗留不进——如果他肯在浙西拼命猛攻，至少可以牵制浙西的长毛，杭州亦不会被重重围困得毫无生路；第三，两江总督曾国藩奉旨援浙而袖手旁观，大有见死不救之意，未免心狠。

由于交情深厚，而且身历其境，同受荼毒，所以胡雪岩提到这些，情绪相当激动。而在古应春，看法却不尽相同。他的看法是就利害着眼，比较不涉感情。

“小爷叔，”古应春很冷静地问道，“你是打算怎么样替王雪公申冤？”

“我有两个办法，第一是要请人做一篇墓志铭，拿死者的这些冤屈都叙上去；第二是花几吊银子，到京里请一位‘都老爷’出面，狠狠参他一本。”

“参哪个？”

“参王履谦、李元度，还有两江的曾制台。”

“我看难！”古应春说，“曾制台现在正大红大紫的时候，参他不倒。再说句良心话，人家远在安庆，救江苏还没有力量，哪里又分得出兵来救浙江？”

胡雪岩心里不以为然，但不愿跟古应春争执。“那么，王履谦、李元度呢？”他说，“这两个人总是罪有应得吧？”

“王履谦是一定要倒霉的，李元度就说不定了。而且，现在兵荒马乱，路又不通，朝廷要彻查也无从查起。只有等将来局势平定了再说。”

这一下惹得胡雪岩心头火发，咆哮着问：“照你这样说，莫非就让这两个人逍遥法外？”

胡雪岩从未有过这样的疾言厉色，古应春受惊发愣，好半天说不出话。他那尴尬的脸色，亦是胡雪岩从未见过的，因而像镜子一样，使得他照见了自己的失态。

“对不起，老古！”他低着头说，声音虽轻缓了许多，但仍掩不住他内心的愤慨不平。当然，这愤慨绝不是对古应春。

古应春觉得胡雪岩可怜亦可敬，然而却不愿说些胡雪岩爱听的话去安慰他。“小爷叔，我知道你跟王雪公的交情。不过，做事不能只讲感情，要讲是非利害。”

这话胡雪岩自然同意，只一时想不出，在这件事上的是非利害是什么。一个人有了冤屈，难道连诉一诉苦都不能？然则何以叫“不平则鸣”？

古应春见他不语，也就没有再说下去，其实他亦只是讲利害，未讲是非。这一阵子为了替胡雪岩打听杭州的消息，他跟官场中人颇有往来，王有龄之殉节，以及各方面对杭州沦陷的感想批评，亦听了不少。大致说来，是同情王有龄的人多，但亦有人极力为曾国藩不救浙江辩护，其间党同伐异的论调非常明显。王有龄孤军奋战，最有渊源的人，是何桂清，他却是“泥菩萨过江，自身难保”。在这种情形之下，如果什么人要为王有龄打抱不平，争论是非，当然会触犯时忌，遭致不利，岂不太傻？

古应春也知道自己的想法庸俗卑下，但为了对胡雪岩的关切特甚，也就不能不从利害上去打算了。这些话一时说不透彻，而且最好是默喻而不必言传，他相信胡雪岩慢慢就会想明白。眼前最要紧的是筹划那十二万银子，以及替胡雪岩拟公文上闽浙总督。

从第二天起，古应春就为钱的事全力奔走。草拟公文则不必自己动笔，他的交游亦很广，找了一个在江苏巡抚衙门当“文案委员”的候补知县雷子翰帮忙，一手包办，两天工夫连江苏巡抚薛焕批给胡雪岩的回文都已拿到了。

这时，胡雪岩才跟刘不才说明经过。“三叔，”最后他说，“事情是这样去进行。不过，我亦不打算一定要这样子办。为什么呢？因为这件事很难做。”

刘不才的性情，最恨人家看不起他，说他是纨绔，不能干正事，因而听了胡雪岩的话，大不服气。“雪岩，”他凛然问道，“要什么人去做才容易？”

“三叔，”胡雪岩知道自己言语不检点，触犯了他的心病，引起误会，急忙答道，“这件事哪个做都难。如果你也做不成功，就没有人能做成功了。”

这无形中的一顶高帽子，才将刘不才哄得化怒为喜。“你倒说说看，怎么办法？”他的声音缓和了。

“第一，路上要当心……”

“你看，”刘不才抢着说，同时伸手去解扎脚带——三寸宽的一条玄色丝带，其中却有花样，他指给胡雪岩看，那条带子里外两层，一端不缝，像是一个狭长的口袋，“我前两天在大马路定做的。我就晓得这以后，总少不得有啥机密文件要带来带去，早就预备好了。”

“好的，这一点不难。”胡雪岩说，“到了杭州，怎么样向那些人开口，三叔，你想过没有？”

“你方始告诉我，我还没有想过，”刘不才略略沉吟了一下又说，“话太软了不好，硬了也不好。软了，当我怕他们，硬了又怕他们心里有顾忌，不敢答应，或者索性出首。”

“对了，难就难在这里。”胡雪岩说，“我有两句话，三叔记住：逢人只说三分话，未可全抛一片心。”

第五章

一个多月以后，刘不才重回上海。他的本事很大，为胡雪岩接眷，居然成功。可是，全家将到上海，胡雪岩反倒上了心事，就为借了“小房子”住在一起的阿巧，身份不明难以处置，只好求教七姑奶奶。

“七姐，你要替我出个主意，除你以外，我没有人好商量。”

“那当然！小爷叔的事，我不能不管。不过，先要你自己定个宗旨。”

问到胡雪岩对阿巧姐的态度，正是他的难题所在，唯有报以苦笑：“七姐，全本西厢记，不都在你肚子里？”

七姑奶奶对他们的情形，确是知之甚深。总括一句话：表面看来，他们恩爱异常，但暗地里隔着一道极深的鸿沟。阿巧姐虽倾心于胡雪岩，但宁可居于外室，不愿位列小星。因为她畏惮胡家人多，伺候老太太以外，还要执礼于大妇，甚至看芙蓉的词色。再有一种想法是，她出自两江总督行辕，虽非嫡室，但等于“署理”过掌印夫人，不管再做什么人的侧室，都觉得是一种委屈。

在胡雪岩，最大的顾虑亦正是为此。阿巧姐跟何桂清的姻缘，完全是自己一手促成，如今再接收过来，不管自己身受的感觉，还是想到旁人的批评，总有些不大对劲。在外面借“小房子”做露水夫妻，那是因为她千里相就于患难之中，因感生情，不能自已，无论对本身、对旁人，总还有句譬解的话好说，一旦接回家中，就无词自解了。

除此以外，还有个极大的障碍。胡太太曾经斩钉截铁地表示过：有出息的男人，三妻四妾不足为奇，大妇的名分是他人夺不去的，所以只要胡雪岩看中了，要回家则可，在外面另立门户则不可。同时她也表示过，凡是娶进门的，她必以姐妹看待。事实上对待芙蓉的态度，已经证明她言行如一，所以更显得她的脚步站得极稳，就连胡老太太亦不能不尊重她的话。

然而这是两回事。七姑奶奶了解胡雪岩的苦衷，却不能替他决定态度。“小爷叔，你要我帮你的忙，先要你自己拿定主意，或留或去，定了宗旨，才好想办法。不过，”她很率直地说，“我话要说在前头，不管怎么样，你要我帮着你瞒，那是办不到的。”

有此表示，胡雪岩大失所望。他的希望，正就是想请七姑奶奶设法替他在妻子面前隐瞒，所以听得这句话，作声不得。

这一下，等于心思完全显露，七姑奶奶便劝他：“小爷叔，家和万事兴！婶娘贤惠能干，是你大大的一个帮手。不过我再说一句，婶娘也很厉害，你千万别惹她恨你。如果说，你想拿阿巧姐接回去，我哪怕跑断腿、说破嘴，也替你去劝她。当然，成功不成功，不敢保险。倘或你下个决断，预备各奔东西，那包在我身上，你跟她好来好散，决不伤你们的和气。”

“那，你倒说给我听听，怎么样才能跟阿巧姐好合好散？”

“现在还说不出，要等我去动脑筋。不过，这一层，我有把握。”

胡雪岩想了好一会儿，委决不下，叹口气说：“明天再说吧。”

“小爷叔，你最好今天晚上细想一想，把主意拿定了它。如果预备接回家，我要早点替你安排。”七姑奶奶指一指外面说，“我要请刘三叔先在老太太跟婶娘面前，替你下一番功夫。”

胡雪岩一愣，是要下一番什么功夫？转个念头，才能领会。虽说自己妻子表示不禁良人纳妾，但却不能没有妒意。能与芙蓉相处得亲如姐妹，一方面是她本人有意要做个贤惠的榜样，一方面是芙蓉柔顺，甘于做小服低。这样因缘时会，两下凑成了一双两好的局面，是个异数，不能期望三妻四妾，人人如此。

七姑奶奶要请刘不才去下一番功夫，自然是先作疏通。果然自己有心，而阿巧姐亦不反对正式“进门”，七姑奶奶的做法是必要的。不过胡雪岩也因此被提醒了：阿巧姐亦是极厉害的角色，远非芙蓉可比。就算眼前一切顺利，阿巧姐改变初衷，妻子亦能克践诺言，然而好景绝不会长，两“雌”相遇，互持不下，明争暗斗之下，掀起醋海的万丈波澜，那时候可真是“两妇之间难为夫”了。

他这样一想，忧愁烦恼，同时并生，因而胃纳越发不佳。不过他一向不肯扫人的兴，见刘不才意兴甚好，也就打点精神相陪，谈到午夜方散。

回到“小房子”，阿巧姐照例茶水点心，早有预备。卧室中重帷深垂，隔绝了料峭春寒，她只穿一件软缎夹袄，剪裁得非常贴身，越显得腰肢一捻，十分苗条。

入手相握，才知她到底穿得太少了些。“若要俏，冻得跳！”他说，“当心冻出病来。”

阿巧姐笑笑不响，倒杯热茶摆在他面前，自己捧着一把灌满热茶的乾隆五彩的小茶壶，当作手炉取暖，双眼灼灼地望着，等他开口。

每天回来，胡雪岩总要谈他在外面的情形，在哪里吃的饭，遇见了什么有趣的人，听到了哪些新闻，可是这天却一反常态，坐下来不作一声。

“你累了是不是？”阿巧姐说，“早点上床吧！”

“嗯，累了。”

口中在答应她的话，他眼睛却仍旧望着悬在天花板下被称为“保险灯”的煤油吊灯。这神思不属，无视眼前的态度，在阿巧姐的记忆中只有一次，就是得知王有龄殉节的那天晚上。

“那哼啦！”她不知不觉地用极柔媚的苏白相依，“有啥心事？”

“老太太要来了！”

关于接眷的事，胡雪岩很少跟她谈。阿巧姐也只知道，他全家都陷在嘉兴，一时无法团圆，也就不去多想，这时突如其来地听得这一句，心里立刻就乱了。

“这是喜事！”她很勉强地笑着说。

“喜事倒是喜事，心事也是心事。阿巧，你到底怎么说？”

“什么怎么说？”她明知故问。

胡雪岩想了一会儿，语意暧昧地说：“我们这样子也不是个长局。”

阿巧姐颜色一变，将头低了下去。只见她睫毛闪动，却不知她眼中是何神色。于是，胡雪岩的心也乱了，站起来往床上一倒，望着帐顶发愣。

阿巧姐没有说话，但也不是灯下垂泪。她放下手中的茶壶，将坐在洋油炉子上的一只瓦罐取了下来，倒出熬得极浓的鸡汤，另外又从洋铁匣子里取出七八片“盐饼干”，盛在瓷碟子里，一起放在梳妆台上。接着她便替胡雪岩脱下靴子，套上一双绣花套鞋。

按部就班服侍到底，她才开口：“起来吃吧！”

坐在梳妆台畔吃临睡之前的一顿消夜，本来是胡雪岩每天最惬意的一刻。他一面看着阿巧姐卸妆，一面听她用吴侬软语有一搭、没一搭地，说些有趣而不伤脑筋的闲话，自以为是南面王不易之乐。

然而这天他的心情却有些不同，不过转念之间，还是不肯放弃这份乐趣，从床上一个虎跳似的跳下地来，倒吓了阿巧姐一下。

“你这个人！”她白了他一眼，“今朝真有点邪气。”

“得乐且乐。”胡雪岩忽然觉得肚子饿得厉害，“还有什么好吃的？”

“这个辰光，只有吃干点心。馄饨担、卖湖州粽子茶叶蛋的，都来过了。”阿巧姐问道，“莫非你在古家没有吃饱？”

“根本就没有吃！”

“为啥？菜不配胃口？”

“七姑奶奶烧的吕宋排翅，又是鱼生，偏偏没口福，吃不下。”

“这又是啥道理？”

"唉！"胡雪岩摇摇头，"不去说它了。再拿些盐饼干来！"他不说，她也不问，依言照办，然后自己坐下来卸妆，将一把头发握在手里，拿黄杨木梳不断地梳着。房间里静得很，只听见胡雪岩"嘎吱、嘎吱"咬饼干的声音。

"老太太哪天到？"阿巧姐突如其来地问。

"快了！"胡雪岩说，"不过十天半个月的工夫。"

"住在哪里呢？"

"还不晓得。"

"人都快来了，住的地方还不知道在哪里，不是笑话？"

"这两天事情多，还没有工夫去办这件事。等明天刘三爷走了再说。有钱还怕找不到房子？不过——"

"怎么？"阿巧姐转脸看着他问，"怎么不说下去？"

"房子该多大多小，可就不知道了。"

"这又奇了！多少人住多大的房子，难道你自己算不出来？"

"就是多少人算不出来。"胡雪岩看了她一眼，有意转过脸去，其实是在镜子里看她的表情。

阿巧姐沉默而又沉着，一副莫测高深的样子。然后，她站起来铺床叠被，始终不作一声。

"睡吧！"胡雪岩拍拍腰际，肚子里饱了，心里倒空落落地，有点儿上不巴天、下不巴地似的。

"你到底有啥心事？爽爽快快说。牵丝扳藤，惹得人肚肠根痒。"

有何心事，以她的聪明机警，熟透人情，哪有不知之理？她这样子故意装作不解，自然不是好兆头。胡雪岩在女人面前，不大喜欢用深心，但此时此人，却成了例外，因此以深沉对深沉，笑笑答道："心事要慢慢猜才有味道。何必一下子揭破？"

阿巧姐无奈其何，赌气不作声，叠好了被，伺候他卸衣上床。然后将一盏洋灯移到红木大床里面的搁儿上，捻小了灯芯，让一团朦胧的黄光，隐藏了她脸上的不豫之色。

这一静下来，胡雪岩的心思集中了。他发觉自己跟阿巧姐之间，只有两条路好走，一条是照现在的样子，再一条就是各奔西东。

“你不必胡思乱想。”他不自觉地说，“等我好好来想个办法。”

“没头没脑你说的是啥？”

“还不是为了你！”胡雪岩说，“住在外面，我太太不答应，住在一起，你又不愿意。那就只好我来动脑筋了。”

阿巧姐不作声。她是明白事理的人，知道胡雪岩的难处，但如说体谅他的难处，愿意住在一起，万一相处得不好，下堂求去，不但彼此破了脸，也落个很坏的名声——“跟一个，散一个”。倒不如此刻狠一狠心，让他去伤脑筋，看结果如何，再作道理。然而抚慰之意不可无。她从被底伸过一只手去，紧紧捏住胡雪岩的左臂，表示领情，也表示倚靠。

胡雪岩没有什么人可请教，唯有仍旧跟七姑奶奶商量。

“七姐，住在一起这个念头，不必去提它了。我想，最好还是照现在这个样子。既然你不肯替我隐瞒，好不好请你替我疏通一下？”

“你是说，要我替你去跟婶娘说好话，让你们仍旧在外面住？”

“是的！”

“难！”七姑奶奶大摇其头，“国有国法，家有家规，婶娘现在当家，她定的规矩又在道理上，连老太太也不便去坏她的规矩，何况我们做晚辈的？”

“什么晚辈不晚辈。她比较买你的账，你替我去求一次情，只此一回，下不为例！”

“小爷叔，你还想下不为例？这句话千万不能说，说了她反而生气。喔，已经有俩了，还不够，倒又在想第三个了！”

“你的话不错，随你怎么说，只要事情办成功就是了。”

“事情怕不成功！”七姑奶奶沉吟了好半晌说，“为小爷叔，我这个钉子也只好硬碰了！不成功，可不能怪我。”

“这句话，七姐你多交代的。”胡雪岩说，“一切拜托。千不念，万不念，我在宁波的那场病，实在亏她。”

这是提醒七姑奶奶，进言之际，特别要着重这一点。阿巧姐有此功劳，应该网开一面，格外优容。其实，他这句话也是多交代的，七姑奶奶当然也考虑过，虽说预备去碰钉子，但到底也要有些凭借，庶几成事有万一之望。这个凭借，就是阿巧姐冒险赶到宁波，衣不解带地伺奉汤药之劳。而且，她也决定了入手之处，是从说服刘不才开始。

“去年冬天小爷叔运米到杭州，不能进城，转到宁波，生了一场伤寒重症。消息传到上海，我急得六神无主。刘三叔，你想想，那种辰光，宁波又在长毛手里，而且人地生疏，生这一场伤寒病，如何得了？这种病全靠有个体贴的人照应，一点疏忽不得。我跟老古商量，我说只有我去，老古说我去会耽误大事。为啥呢？第一，我的性子急，伺候病人不相宜；第二，虽说大家的交情，已经跟亲人一样，但是我不在乎，怕小爷叔倒反而有顾忌，要茶要水还有些邋邋遢遢的事，不好意思叫我做。病人差不得一点，这样子没有个知心着意、切身体己的人服侍，病是好不了的。”

“这话倒也是。”刘不才问道，“后来是阿巧姐自告奋勇？”

“不是！是我央求她的。”七姑奶奶说，“她跟小爷叔虽有过去那一段，不过早已结了。一切都是重起炉灶，只是那把火是我烧起来的。刘三叔，你倒替我想想，我今朝不是也有责任？”

“我懂了！没有你当初央求她，就不会有今朝的麻烦。而你央求她，完全是为了救雪岩的命，实际上雪岩那条命，也等于是阿巧姐救下来的。是不是这话？”

“对！”七姑奶奶高兴地说，“刘三叔你真是‘光棍玲珑心，一点就透’！”

“七姐！”刘不才正色说道，“拿这两个理由去说，雪岩夫人极明白事理的人，一定没话好说。不过，她心里是不会舒服的。七姐，你这样‘硬吃一注’，犯不犯得着，你倒再想想看！”

“多谢你，刘三叔！”七姑奶奶答道，“为了小爷叔，我没有法子。”

“话不是这么说。大家的交情到了这个地步，不必再顾忌对方会不高兴什么的。做这件事，七姐，你要想想，是不是对胡家全家有好处？不是能教雪岩一个人一时的称心如意，就算有了交代！”

刘不才的看法很深，七姑奶奶细想一想，憬然有悟。然而她到底跟刘不才不同。她是胡家的至亲，而且住在一起，这家人家有本什么“难念的经”，当然他比她了解得多。因此，七姑奶奶觉得此事要重谈了。

“刘三叔，你这句话我要听，我总要为胡家全家好才好。再说，将来大家住在上海，总是内眷往来的时候多。如果胡家婶娘跟我心里有过节，弄得面和心不和，还有啥趣味？只有一层，我还想不明白，这件事要做成功了，难道会害他们一家上下不和睦？”

“这很难说！照我晓得，雪岩夫人治家另有一套，坏了她的规矩，破一个例，以后她说的话就要打折扣了。”

“小爷叔说过的：‘只此一遭，下不为例。’将来如果再有这样子的情形，不用胡家婶娘开口发话，我先替她打抱不平！”

听到这里，刘不才“噗哧”一声笑了，叹口气不响。

这大有笑人不懂事的意味，七姑奶奶倒有些光火，立即追一句：“刘三叔，我话说错了？”

“话不错，你的心也热。不过，唯其如此，你就是自寻烦恼。俗语道得好，‘清官难断家务事’，七姐，就算你是包公，断得明明白白，依旧是个烦恼！”

“怎么呢！这话我就听不懂了。”

“七姐，你聪明一世，懵懂一时，打到官司，不是原告赢，就是被告赢，治一经，损一经，何苦来哉！”

七姑奶奶恍然大悟。将来如果帮胡太太，就一定得罪了胡雪岩，岂不是治一经，损一经？

“好了，好了，刘三叔，你也是，有道理不直截了当说出来，要兜这么大一个圈子！亏得我不比从前，有耐心盘问，不然不是害我走错了路？”

这番埋怨的话，真有点蛮不讲理，但不讲理得有趣，刘不才只好笑了。

“我也不要做啥‘女包公’！还是做我的‘女张飞’来得好。”

话外有话，刘不才一下子就听了出来，不能不问：“七姐！你是怎么个打算？做女张飞还则罢了，做莽张飞就没意思了。”

“张飞也有粗中有细的时候，我自然有分寸。你放心好了，不会有啥风波。”

刘不才想了一下问道：“那么，是不是还要我在雪岩夫人面前去做功夫？”

“要！不过话不是原来的说法了。”

这下搞得刘不才发愣。是一非二的事，要么一笔勾销不谈此事，要谈，还要另一个说法吗？

“前半段的话，还是可以用，阿巧姐怎么跟小爷叔又生了感情，总有个来龙去脉，要让胡家婶娘知道，才不会先对阿巧姐有成见。”七姑奶奶停了一下说，“后半段的话改成这个样子——”

她的做法是先安抚胡太太，也就是先安抚胡雪岩。因为胡家眷属一到上海，胡雪岩有外室这件事，是瞒不住的，而且胡雪岩本人也会向七姑奶奶探问结果，所以她需要胡太太跟她配搭，先把局面安定下来。

“我要一段辰光，好在阿巧姐面前下水磨功夫。就怕事情还没有眉目，他们夫妇已经吵了起来。凡事一破了脸，往往就会弄成僵局。所以胡家婶娘最好装作不知道这回事，如果小爷叔‘夜不归营’，也不必去查问。”

“我懂你的意思，雪岩夫人也一定做得到。不过，雪岩做事，常常会出奇兵，倘或一个装糊涂，一个倒当面锣、对面鼓，自己跟她老实去谈了呢？”

“我想这种情形不大会有，如果是这样，胡家婶娘不承认，也不反对，一味敷衍他就是了。”

“我想也只好这样子应付。”刘不才点点头，“一句话：以柔克刚。”

“以柔克刚就是圆滑。请你跟胡家婶娘说，总在三个月当中，包在我身上，将这件事办妥当。什么叫妥当呢？就是不坏她的规矩，如果阿巧姐不肯进门姓胡，那就一定姓了别人的姓了。”

“原来你是想用条移花接木之计。”刘不才兴致盎然地问，“七姐，你是不是替阿巧姐物色好了什么人？”

“没有，没有！要慢慢去觅。”七姑奶奶突然笑道，“其实，刘三叔，你倒蛮配！”

“开玩笑了！我怎么好跟雪岩‘同科’？”

* * *

回家已经午夜过后的丑时了，但是胡雪岩的精神却还很好，坐在梳妆台畔看阿巧姐卸妆，同时问起她们这一夜出游的情形。

“先去吃大菜。实在没有什么好吃，炸鹌鹑还不如京馆里的炸八块。又是我们这么两个人，倒像——”阿巧姐摇摇头，苦笑着不肯再说下去。

像什么？胡雪岩闭起眼睛，作为自己是在场执役的“西崽”去体会。这样两位堂客，没有“官客”陪伴，抛头露面敢到那里“动刀动枪”去吃大菜，是啥路道？照她们的年纪和打扮来说，就像长三堂子里的两个极出色的“本家”。

阿巧姐的想法必是如此，所以才不愿说下去。了解到这一点，自然而然地意会到她的心境，即令不是向往朱邸，确已鄙弃青楼，真有从良的诚意。

由于这样的看法，他便越觉得阿巧姐难舍，因而脱口问道：“七姐怎么跟你说？”

“什么怎么跟我说？”阿巧姐将正在解髻的手停了下来，“她会有什么话跟我说？你是先就晓得的是不是？你倒说说看，她今天拿五爷丢在家里，忽然要请我看戏吃大菜，到底是为了什么？”

这一连串的疑问，将胡雪岩搞得枪法大乱，无法招架。不过他有一样本事，善于用笑容来遮盖任何窘态，而那种窘态亦绝不会保持得太久，很快地便沉着下来。

“我不懂你说的啥，”他说，“我是问你，七姐有没有告诉你，她何以心血来潮约你出去玩？看样子你也不知道，那我就更加不知道了。”

“连你这样聪明的人都不知道？”阿巧姐微微冷笑，“那也就没有什么好说的了。”

“夫妇闲谈，说说何妨？”

阿巧姐倏然抬头，炯炯清眸，逼着胡雪岩：“夫妇？我有那么好的福气？”

无意间一句话，倒似乎成了把柄，不过也难不倒胡雪岩。“在这里我们就是夫妇。”他从容自在地回答。

“所以，”她点点头，自语似的，“我就更不能听七姑奶奶的话了。”

“她说了什么话？”

“她劝我回去。”

这“回去”二字可有两个解释，一是回娘家，一是进胡家的大门做偏房。她的娘家在苏州木渎，而苏州此刻在长毛手里，自然没有劝她回娘家的道理。

弄清楚了她的话，该问她的意向，但不问可知，就无须多此一举。停了好一会儿，他口中爆出一句话来：“明天真的要去找房子了。”

他的态度有些莫测高深。阿巧姐记起前几天谈到找房子的事，胡雪岩曾经暗示要让她跟大妇住在一起。他此刻还是那样的心思？必得问一问。

于是她试探地说：“如果真的一时找不到，不如先住到这里来。”

“住不下。”

这“住不下”是说本来就住不下呢，还是连她在一起住不下？阿巧姐依然不明白，就只好再试探了。

“暂时挤一挤。”她说，“逃难辰光也讲究不来那么多。”

“那么，你呢？”

“我？”阿巧姐毅然决然地说，“另外搬。”

“那又何必？一动不如一静。”胡雪岩想了一会儿，觉得还是把话说明了好，“我跟你的心思一样，就照这个样子最好。我已经托了七姑奶奶了，等我太太一来，请她去疏通，多说两句好话，特别通融一次。”

“那就奇怪了！”阿巧姐有些气愤，“七姑奶奶反而劝我回去，跟你托她的意思，完全相反，这是为啥？”

胡雪岩深为失悔，自己太疏忽了！明知道七姑奶奶劝她的话是什么，不该再说实话，显得七姑奶奶为人谋而不忠。同时他也被提醒了，真的，七姑奶奶这样做是什么意思，倒费人猜疑。

然而，不论如何，眼前他却必须为七姑奶奶辩白。“也许她是先探探你的口气。”他问，“她怎么说？”

“她说：‘妇道人家总要有个归宿，还是正式姓了胡，进门磕了头的好。不然，就不如拿个决断出来！’”

“何谓‘拿个决断出来’？”

“你去问她。”

阿巧姐这懒得说的语气，可知所谓“决断”，是一种她决不能同意的办法。胡雪岩将前后语言，合起来作一个推敲，懂了七姑奶奶的心思，只不懂她为何有那样的心思。

“七姑奶奶做事，常有教人猜想不到的手段。你先不必气急，静下心来看一看再说。”

“要看到什么时候？”阿巧姐突然咆哮，声音又尖又高，“你晓不晓得七姑奶奶怎么说你？说你滑头，说你没有常性，见一个爱一个！这种人的良心让狗吃掉了，劝我早早分手，不然将来有苦头吃。我看啊，她的话一点不错。哼！骗死人不偿命。”

这样夹枪带棒一顿乱骂，拿胡雪岩搞得晕头转向，几乎不相信自己的耳朵。他心里当然也很生气，气的不是阿巧姐，而是七姑奶奶。她不但为人谋而不忠，简直是出卖朋友。彼此这样的交情，而竟出此阴险的鬼蜮伎俩！这口气实在教人咽不下。

胡雪岩从来没有这样生气过，气得脸青唇白，刚要发作，突然警觉：七姑奶奶号称“女中丈夫”，胸中不是没有丘壑的人，更不是不懂朋友义气的人，她这样说法，当然有她的道理在内，这层道理一定极深，深得连自己都猜不透。这样一转念间，他脸色立刻缓和了，先问一句：“七姑奶奶还说点啥？”

“说点啥？”阿巧姐岂仅余怒不息，竟是越想越恨，“不是你有口风给她，打算不要我了，她会说这样的话？死没良心的——”苏州女人爱骂“杀千刀”，而阿巧姐毕竟余情犹在，把这三个字硬咽了回去。

胡雪岩不作辩白，因为不知道七姑奶奶是何道理，怕一辩就会破坏了她的用意。然而不辩白又不行，他只好含含混混地说：“你何必听她的？”

“那么，我听谁？听你的？”阿巧姐索性逼迫，“你说，你倒扎扎实实说一句我听。”

何谓“扎扎实实说一句”？胡雪岩倒有些困惑了。“你说！”他问，“你要我怎么说一句？”

“你看你！我就晓得你变心了。”阿巧姐跺着脚恨声说道，“你难道不晓得怎么说？不过不肯说而已！好了，好了，我总算认识你了。”

静夜娇叱，惊起了丫头娘姨。窗外人影幢幢，是想进来解劝而不敢的模样。胡雪岩自觉无趣，站起身来劝道：“夜深了，睡吧！”

说完，他悄悄举步，走向套间。那里也有张床，是偶尔歇午觉用的，此时正好用来逃避狮吼，胡雪岩一个人捻亮了灯，枯坐沉思。

丫头姨娘看看无事，各自退去。阿巧姐赌气不理胡雪岩，一个人上床睡下。胡雪岩见此光景，也不敢去招惹她，将就睡了一夜。第二天他起身，走出套间，阿巧姐倒已经坐在梳妆台前了。她不言不语，脸儿黄黄，益显得纤瘦，仔细看去，似有泪痕，只怕夜来将枕头都哭湿了。

“何苦！”他说，“自己糟蹋身子。”

“我想过了。”阿巧姐木然地说，“总归不是一个了局。你呢，我也弄不过你。算了，算了！”

她一面说，一面摆手，而且将头扭到一边，大有一切撒手之意。胡雪岩心里自不免难过，但却想不出什么适当的话去安慰她。

“今天中午要请郁老大吃饭。”他说，意思是要早点出门。

“你去好了。”阿巧姐说，声音中带着些冷漠的意味。

胡雪岩有些踌躇，很想再说一两句什么安抚的话，但实在没有适当的意思可以表白，也就只好算了。

到古家才十点钟，七姑奶奶已经起身，精神抖擞地在指挥男佣女仆，准备款客。大厅上的一堂花梨木几椅，全部铺上了大红缎子平金绣花的椅披，花瓶中新换了花，八个擦得雪亮的高脚银盘，摆好了干湿果子。这天的天气很好，阳光满院，又没有风，所以屏门窗子全部打开，格外显得开阔爽朗。

“小爷叔倒来得早！点心吃了没有？”七姑奶奶忽然发觉，“小爷叔，你的气色很不好，是不是身子不舒服？”

“不是！”胡雪岩说，“昨晚上一夜没有睡好。”

“为啥？”七姑奶奶又补了一句，“就一夜不睡，也不至于弄成这个样子，总有道理吧？”

“对。其中有个缘故。”胡雪岩问道，“老古呢？”

“到号子里去了。十一点半回来。”

“客来还早。七姐有没有事？没有事我有几句话想跟你说。”

七姑奶奶的眼睛眨了几下，很沉着地回答说：“没有事。我们到应春书房里去谈。”

到得书房，胡雪岩却又不开口，捧着一碗茶，只是出神。七姑奶奶已经有点猜到他的心事，如果是那样的话，发作得未免太快，自己该说些什么，需要好好想一想。所以他不说话，她也乐得沉默。

胡雪岩终于开口了：“七姐，昨天晚上，阿巧跟我大吵一架。”他问，

“你到底跟她说了些啥？”

七姑奶奶不即回答，反问一句：“她怎么跟你吵？”

“她说，我有口风给你，打算不要她了。七姐，这不是无影无踪的事？”

七姑奶奶笑一笑。“还有呢？”她再问。

“还有，”胡雪岩很吃力地说，“说你骂我滑头，良心让狗吃掉了。又说我是见一个爱一个。”

七姑奶奶又笑了，这一笑似乎有点不好意思。“小爷叔，”她带点逗弄的意味，“你气不气？”

“先是有点气。后来转念想一想，不气了。我想，你也不是没有丘壑的人，这样子说法，总有道理吧？”

听到这话，七姑奶奶脸上顿时浮起欣慰而感激的神色。“小爷叔，就因为你晓得我的本心，我才敢那样子冒失。其实也不是冒失，事先我跟人商量过，也好好想过，觉得只有这样子做最好。不过，不能先跟你说，说了就做不成了。”她撇开这一段，又问阿巧姐，“她怎么个说法？为啥跟你吵？是不是因为信了我的话？”

“她是相信我给了你口风，打算不要她了，所以你才会跟她说这些话。”胡雪岩说，“换了我，也会这样子想，不然，我们这样的交情，你怎么会在她面前，骂得我一文不值？”

“不错！完全不错。”七姑奶奶很在意地问，“小爷叔，那么你呢？你有没有辩白？”

“没有。”胡雪岩说，“看这光景，辩亦无用。”

由于胡雪岩是这样无形中桴鼓相应的态度，使得七姑奶奶的决心无可改变了。她是接受了刘不才的劝告，以胡家的和睦着眼，来考虑阿巧姐跟胡雪岩之间的尴尬局面，认为只有快刀斩乱麻，才是上策。但话虽如此，她到底不能一个人操纵局面，同时也不能先向胡雪岩说破，那就只有见机行事，到什么地步说什么话了。

第一步实在是试探。如果阿巧姐不信她，只信胡雪岩，拿她批评胡雪岩用情不专、迹近薄幸的种种“背后之言”付之一笑，听过丢开，这出戏就很难唱得下去了；或者，胡雪岩对阿巧姐迷恋已深，极力辩白绝无其事，取得阿巧姐的谅解，这出戏就更难唱得下去了。谁知阿巧姐疑心她的话，出于胡雪岩的授意，而胡雪岩居然是默认的模样，这个机会若是轻轻放过，岂不大负本心？

于是，她正一正脸色，显得极郑重地相劝：“小爷叔！阿巧姐你不能要了。旁观者清，我替你想过，如果你一定不肯撒手，受累无穷。”

照七姑奶奶的说法，胡雪岩对阿巧姐有“四不可要”。第一，阿巧姐如果一定要在外面“立门户”，坏了胡太太的家法，会搞得夫妇反目；第二，即令阿巧姐肯“回去”，亦是很勉强的事，心中有了芥蒂，妻妾之间会失和；第三，阿巧姐既由何家下堂，而且当初是由胡雪岩撮合，如今就该避嫌疑，不然保不定会有人说他当初不过“献美求荣”，这是个极丑的名声；第四，阿巧姐出身青楼，又在总督衙门见过大世面，这样的人，是不是能够跟着胡雪岩从良到底，实在大成疑问。

“小爷叔！”最后七姑奶奶又恳切地劝说，“杭州一失守，王雪公一殉难，你的老根断掉了，靠山倒掉了。以后等于要重起炉灶，着实得下一番功夫，才能恢复从前那种场面。如果说，你是像张胖子那样肯守的，只要一家吃饱穿暖就心满意足，那我没有话说。想要创一番事业，小爷叔，你这个时候千万闹不得家务。不但闹不得家务，还要婶娘切切实实助你一臂之力才行。这当中的利害关系，你倒仔细想一想！”

前面的“四不可要”，胡雪岩觉得也不过“想当然耳”的危言耸听，最后一句“这个时候千万闹不得家务”，却真的让他悚然心惊了。“七姐，你晓得的，我不是张胖子那种人，我不但要重起炉灶创一番事业，而且要大大创它一番事业。你提醒了我，这个时候心无二用，哪里有工夫来闹家务？”

“是啊！”七姑奶奶抢着说，“你不想闹家务，家务会闹到你头上来！推不开，摔不掉，那才叫苦恼。”

“我就是怕这个！看样子，非听你的不可了。”

“这才是！谢天谢地，小爷叔，你总算想通了。”七姑奶奶高兴地说，“阿巧姐自然是好的，不过也不是天下独一无二就是她，将来有的是。”

“将来！”胡雪岩顿一顿足，“就看在将来上面。七姐，我们好好来谈一谈。”

要谈的是如何处置阿巧姐。提到这一层，七姑奶奶不免踌躇。“说实话，”她说，“我还要动脑筋！”

“七姐，”胡雪岩似乎很不放心，“我现在有句话，你一定要答应我。你动出啥脑筋来，要先跟我说明白。”

这话使得七姑奶奶微觉不安，也微有反感：“哟！哟！你这样子说法，倒像我会瞒着你，拿她推到火坑里去似的。”她很费劲地分辩，“我跟阿巧姐一向处得很好，现在为了你小爷叔，抹煞良心做事，你好像反倒埋怨我独断独行……”

“七姐，七姐！”胡雪岩不容她再往下说，兜头长揖，“我不能‘狗咬吕洞宾，不识好人心’，无非我自己觉得对不起她，要想好好补报她一番而已。”

“我还不是这样？你放心好了，我决不会动她的坏脑筋。”说到这里，七姑奶奶的眼睛突然发亮，同时绽开笑靥，望空出神。

这是动到了极好的脑筋。胡雪岩不敢打搅她，但心里却急得很，渴望她揭开谜底。

七姑奶奶却似有意报复：“我想得差不多了。不过，小爷叔对不起，我现在还没有动手，到开始做的时候，一定跟你说明白，你也一定会赞成。”

“七姐！”胡雪岩赔笑说道，“你何妨先跟我说说？”

“不行，起码要等我想妥当，才能告诉你。”七姑奶奶又说，“不是我故意卖关子，实在是还没有把握，不如暂且不说的好。”

听她言词闪烁，竟不知她葫芦里卖的什么药。以她的性情，再问亦无用，胡雪岩只好叹口气算了。

到了第二天，胡雪岩又去看七姑奶奶，恰好古应春也在，谈起家眷将到，另外要找房子，置家具，备办日用物品——本来可以关照阿巧姐动手的，此刻似乎不便麻烦她了。

“不要紧！”七姑奶奶在这些事上最热心，也最有兴趣，慨然应承，“都交给我好了。”

在一旁静听的古应春不免困惑。“为啥不能请阿巧姐帮忙？”他问。

“其中自然有道理。”七姑奶奶抢着说，“回头告诉你。”

“又是什么花样？”古应春跟他妻子提忠告，“你可不要替小爷叔乱出主意。现在这个辰光，顶要紧的就是‘安静’二字。”

“正是为了‘安静’两个字。”七姑奶奶不愿丈夫打搅，催着他说，“不是说，有人请你吃花酒？可以走了。”

“吃花酒要等人来催请，哪有这么早自己赶了去的？”古应春看出妻子的意思，觉得还是顺从为妙，所以又自己搭讪着说，“也好！我先去看个朋友。”

“慢点！”七姑奶奶说，“我想起来了，有次秦先生说起，他的亲戚有幢房子在三马路，或卖或典都可以，你不妨替小爷叔去问一问。”

秦先生是她家号子里的账房。古应春恪遵阃令，答应立刻去看秦先生细问，请胡雪岩第二天来听消息。

“这样吧，”七姑奶奶说，“你索性请秦先生明天一早来一趟。”

“大概又是请他写信。”古应春说，“如果今天晚上有空，我就叫他来。”

于是七姑奶奶等丈夫一走，便又跟胡雪岩谈阿巧姐。“小爷叔，”她问，“你的主意打定了？将来不会懊悔，背后埋怨我棒打鸳鸯两分离？”

“哪有这样的事？七姐在现在还不明白我的脾气？”

“我晓得，小爷叔是说到做到、做了不悔的脾气。不过，我还是问一声的好，既然小爷叔主意打定，明天我就要动手了。你只装不知道，看出什么异样，放在肚子里就是。”

“我懂！”胡雪岩问，“她如果要逼着我问，我怎么样？”

“不会逼着你问的，一切照旧，毫无变动，她问什么？”

“好的！那就是我们杭州人说的那句话：‘城隍山上看火烧！’我只等着看热闹了。”

如果不是极深的交情，这句话就有讽刺意味了。不过七姑奶奶还是提醒他，不可自以为已经置身事外。一旦火烧了起来，也许会惊心动魄，身不由主，那时一定要有定力，视如不见，切忌临时沉不住气，横身插入。“那一来，”她说，“就会引火烧身，我也要受连累，总而言之一句话，不管阿巧姐说什么，你不要理她！”

原来七姑奶奶由胡雪岩要买房子想到一个主意，决定借这个机会刺激阿巧姐。若能把她气走了，一了百了，但也可能会发生极大的风波，所以特意提出警告。

购屋之事，相当顺利。秦先生所介绍的那幢房子，在三马路靠近有名的昼锦里，虽是闹市，但屋宇宏深，关紧大门，就可以隔绝市嚣，等于闹中取静。胡雪岩深为中意，问价钱也不贵，只有鹰洋两千五百元，所以当天就成交了。

七姑奶奶非常热心。“小爷叔，”她说，“你再拿一千块钱给我，一切都归我包办。这三天你去干你的事，到第四天你来看，是啥样子。”

“这还有啥好说的？不过，七姐，太费你的心了！”

胡雪岩知道她的脾气，这样说句客气话就行了。如果觉得她过于劳累，于心不安，要派人去为她分劳，反使得她不高兴，所以交了一千银洋给她，不闻不问。趁这三天工夫，他在自己钱庄里盘一盘账，问一问业务，倒是切切实实做了些事。

第三天胡雪岩从集贤里阜康钱庄回家，只见阿巧姐头光面滑，点唇涂脂，是打扮过了，但身上却穿的是家常衣衫，不知是正要出门，还是从外面回来。

“我刚回来。我去看七姑奶奶了。”阿巧姐说，“三马路的房子，弄得很漂亮啊。”

她语气很平静，但在胡雪岩听来，似有怨责他瞒着她的味道，因而讪讪的有些无从接口。

“七姑奶奶问我，房子好不好？我自然说好。她又问我想不想去住，你道我怎么回答她？我说，我没有这份福气。”

胡雪岩本来想答一句：只怕是我没有这份福气。但他话到口边，忽又缩住，用漫不经意的口吻答道：“住这种夷场上的所谓‘弄堂房子’，算啥福气？将来杭州光复，在西湖上好好造一座庄子，住那种洞天福地，可真就要前世修一修了。”

阿巧姐不作声，坐到梳妆台前去卸头面首饰。胡雪岩便由丫头伺候着，脱掉马褂，换上便鞋，坐在窗前喝茶。

“我看，”阿巧姐突然说道，“我修修来世吧！”

“来世我们做夫妻。”胡雪岩脱口相答。

阿巧姐颜色大变。在胡雪岩的意思，既然她今生不肯嫁胡家的偏房，那就只好期望来世，一夫一妻，白头到老。而阿巧姐误会了！

“我原在奇怪，七姑奶奶为啥说那些话？果不其然，你是变心了！有话你很可以自己说，何必转弯抹角去托人？”

胡雪岩知道自己失言了，然而他觉得这也实在不能怪自己。那天他原就问过七姑奶奶，如果阿巧姐逼着要问她的归宿，如何作答。七姑奶奶认为“一切照旧，毫无变动”，她不会问。照现在看，情形不同了！新居既已为她所见，“变动”便已开始，以后她不断会问，总不能每次一问，便像此刻一样，惹得她怨气冲天。

看来还是要靠自己动脑筋应付！他这样对自己说，而且马上很用心地去体察她的态度。为什么她不自己想一想，她这样不肯与大妇同住，悖乎常情，强人所难，而偏偏一再要指责他变心？莫非她自己有下堂求去之意，只是说不出口，有意这样诿过、这样逼迫，想把决裂的责任加在他头上？

这是个看来近乎荒诞的想法。胡雪岩自问：果真自己是小人之心？不见得！阿巧姐当初对何桂清亦曾倾心过，到后来不管怎么说，总是负心，而且是在何桂清倒霉的时候负心。这样看起来，将她看成一个“君子”，似乎也太天真了些。

就这一念之间，他自己觉得心肠硬了，用不大带感情的、平静得近乎冷漠的声音说：“我没有什么话好说。你愿意修修来世，我当然也只好希望来世再做夫妻。”

“你的意思是，今生今世不要我了？”阿巧姐转过脸来，逼视着他问。

他将视线避了开去。“我没有说这话，不过——”他没有再说下去。

“说啊！男子汉大丈夫，说话不要吞吞吐吐！”

遇到他这种口吻语气，如果她是愿意委屈息事的，至多流泪，不会追问，既然追问，便有不惜破脸的打算。胡雪岩觉得了解她的态度就够了，此时犯不着跟她破脸——最好永不破脸，好来好散！

于是他笑笑说道：“我们都不是三岁两岁的小孩，这个样子叫底下人笑话，何必呢？”

“哼！”阿巧姐冷笑了一下，依然回过脸去，对镜卸妆。胡雪岩觉得无聊得很。这种感觉是以前所从不曾有过的，他在家的时候不多，所以一回到家，只要看见阿巧姐的影子，便觉得世界上只有这个家最舒服，非万不得已，不肯再出门。而此刻，他却想到哪里去走走，哪怕就在街上逛逛也好。

此念一动，不可抑制，他站起身来说：“我还要出去一趟。”说了这话，又觉歉然，因而问道，“你想吃点啥？我替你带回来。”

阿巧姐只摇摇头，似乎连话也懒得说。胡雪岩觉得背上一阵一阵发冷，拔步就走，就穿着那双便鞋，也不着马褂，径自下楼而去。

他走出大门，不免茫然，“轿班”阿福赶来问道：“老爷要到哪里去？我去叫人。”

轿班一共四个人，因为胡雪岩回家时曾经说过，这夜不再出门，所以那三个住在阜康钱庄的都已走了，只剩下阿福在家。

"不必！"胡雪岩摆一摆手，径自出弄堂而去。

茫然闲步，意兴阑珊，心里要想些有趣的事，偏偏抛不开的是阿巧姐。美目盼兮，巧笑倩兮，那些影子都在眼前，其美如莺的吴侬软语亦清清楚楚地响在耳际。突然间，胡雪岩有着浓重的悔意，掉头就走，而且脚步极快。

到家只见石库墙门已经关上了，叩了几下铜环，来开门的仍是阿福。胡雪岩踏进门便上楼，一眼望去，心先凉了！

"奶奶呢？"他指着漆黑的卧室，向从另一间屋里迎出来的丫头素香问说。

"奶奶出去了。"

"到哪里？"

"没有说。"

"什么时候走的？"

"老爷一走，奶奶就说要出去。"素香答说，"我问了一声，奶奶骂我：少管闲事。"

"那，怎么走的呢？"胡雪岩问，"为什么没有要你跟去？"

"奶奶不要我跟去，说是等一息就回来。我问要不要雇顶轿子，她说她自己到弄堂口会雇的。"

胡雪岩大为失望，而且疑虑重重。原来想跟阿巧姐来说"一切照旧，毫无变动"，不管胡太太怎么说，他决意维持这个外室，除非阿巧姐愿意另外择人而事，他是决不会变心的。这一番热念，此刻全都沉入深渊。而且他觉得阿巧姐的行踪，深为可疑。素香是她贴身的丫头，出门总是伴随的，而竟撇下不带，可知所去的这个地方，是素香去不得的，或者说，是她连素香都要瞒住的。

意会到此，心中泛起难以言宣的酸苦抑郁，他站在客堂中，久久无语。这使得素香有些害怕，怯怯地问道："老爷！是不是在家吃饭？我去关照厨房。"

"我不饿！"胡雪岩问，"阿祥呢？"

“阿祥，出去了。”

“出去了！到哪里？”

“要——”素香吞吞吐吐地说，“要问阿福。”

这神态亦颇为可疑，胡雪岩忍不住要发怒，但一转念间冷静了。“你叫阿福来！”他说。

* * *

等把阿福喊来一问，才知究竟，阿祥是在附近的一家小杂货店“白相”。那家杂货店老夫妇两个，只有一个十七岁的女儿，胡雪岩也见过，生得像“无锡大阿福”，圆圆胖胖的一张脸，笑口常开。阿祥情有所钟，只等胡雪岩一出门，便到那家杂货店去盘桓，是他家不支薪工饭食的伙计兼跑街。

“老爷要喊他，我去把他叫回来。”

“不必！”胡雪岩听得这段“新闻”，心里舒服了些，索性丢下阿巧姐来管阿祥的闲事，“照这样说，蛮有意思了！那家的女儿，叫啥名字？”

“跟——”阿福很吃力地说，“跟奶奶的小名一样。”

原来也叫阿巧。“那倒真是巧了！”胡雪岩兴味盎然地笑着。

“我跟阿祥说，你叫人家的时候，不要直呼直令地叫人家的名字，那样子犯了奶奶的讳。做下人的不好这样子没规矩。”

这是知书识礼的人才会有的见解，不想出现在两条烂泥腿的轿班身上，胡雪岩既惊异又高兴，但口中问的还是阿祥。

“他不叫人家小名叫啥？”胡雪岩问，“莫非叫姐姐、妹妹？那不是太肉麻了。”

“是啊！那也太肉麻。阿祥告诉我说，他跟人家根本彼此都不叫名字，两个人都是‘喂’呀‘喂’的。在她父母面前提起来，阿祥是说‘你们家大小姐’。”

“这倒妙！”胡雪岩心想男女之间，彼此都用“喂”字称呼，辨声知人，就绝不是泛泛的情分了，又问道，“她父母对阿祥怎么样？”

“她家父母对阿祥蛮中意的。”

“怎么叫蛮中意？”胡雪岩问，“莫非当他‘毛脚女婿’看待？”

“也差不多有那么点意思。”

“既然如此，你们应该出来管管闲事，吃他一杯喜酒啊！”

“阿祥是老爷买来的，凡事要听老爷作主，我们怎么敢管这桩闲事，再说，这桩闲事也管不了。”

“怎么呢？”

“办喜事要——”

胡雪岩会意，点点头说：“我知道了。你把阿祥替我去叫回来。”

用不到一盏茶的工夫，阿祥被找了回来。脸上讪讪的，有些不大好意思。显然，他在路上就已听阿福说过，知道是怎么一回事了。

“你今年十几？”

“十七。”

“十七！”胡雪岩略有些踌躇似的，“是早了些。”他停了一下又问，“‘他们家大小姐’几岁？”

这句对阿巧的称呼，是学着阿祥说的，自是玩笑，听来却有讥嘲之意。阿祥大窘，嗫嚅着说：“比我大两月，我是五月里生的，她的生日是三月三。”

“连人家的时辰八字都晓得了！”胡雪岩有些忍俊不禁，但为了维持尊严，不得不忍笑问道，“那家人家姓啥？”

“姓魏。”

“魏老板对你怎么样？”胡雪岩说，“不是预备拿女儿给你？你不要难为情，跟我说实话。”

“我跟老爷当然说实话。”阿祥答道，“魏老板倒没有说什么，老板娘有口风透露了。她说，他们老夫妇只有一个女儿，舍不得分开，要娶她女儿就要入赘。”

“你怎么说呢？”

“我装糊涂。”

“为啥？”胡雪岩问，“是不肯入赘到魏家？”

“我肯也没有用。我改姓了主人家的姓，怎么再去姓魏？”

“你倒也算是有良心的。”胡雪岩满意地点点头，“我自有道理。”

这当然是好事可谐了！阿祥满心欢喜，但脸皮到底还薄，明知是个极好的机会，却不敢开口相求，就此“敲钉转脚”拿好事弄定了它。

不说话却又感到僵手僵脚，一身不自在，于是他搭讪着问道：“老爷恐怕还没有吃饭？我来关照他们！”接着便喊，“素香，素香！”

素香从下房里闪了出来，正眼都不看阿祥，走过他面前，低低咕哝了一句：“叫魂一样叫！”然后到胡雪岩面前问道：“老爷叫我？”

做主人的看在眼里，恍然大悟，怪不得问她阿祥在哪里，她有点懒得搭理的模样。原来阿祥跟魏阿巧好了，她在吃醋。照此说来，落花有意，流水无情，阿祥倒辜负她了。

这样想着，胡雪岩便有些替素香委屈。不过事到如今，没有胡乱干预，扰乱已成之局的道理，他唯有装作不解，找件事差遣素香去做。

“我不在家吃饭了。”他嘱咐阿祥，“你马上到张老板那里去，说我请他吃酒。弄堂口那家酒店叫啥字号？”

“叫王宝和。”

“我在王宝和等他。你去快点，请他马上来。”

“是！”阿祥如奉了将军令一般，高声答应，急步下楼。

等他一走，胡雪岩喝完一杯素香倒来的茶，也就出门了。走到王宝和，他朝里一望，王老板眼尖，急忙迎了出来，哈腰曲背地连连招呼：“胡大人怎么有空来？是不是寻啥人？”

“不是！到你这里来吃酒。”

王老板顿时有受宠若惊之感：“请！请！正好雅座有空。胡大人来得巧了。”

所谓雅座是凸出的一块方丈之地，一张条案配着一张八仙桌，条案上还供着一座神龛，内中一方“王氏昭穆宗亲之位”的神牌。胡雪岩看这陈设，越发勾起乡思，仿佛置身在杭州盐桥附近的小酒店中，记起与张胖子闲来买醉的那些日子了。

“胡大人，我开一坛如假包换的绍兴花雕，您老人家尝尝看。”

“随你。”胡雪岩问，“有啥下酒菜？”

“蛏子刚上市。还有鞭笋，嫩得很。再就是酱鸭、糟鸡。”

“都拿来好了。另外要两样东西，‘独脚蟹’、油炸臭豆腐干。”

“独脚蟹”就是发芽豆，大小酒店必备。油炸臭豆腐干就难了。“这时候，担子都过去了。”王老板说，“还不知有没有。”

“一定要！”胡雪岩固执地说，“你叫个人，多走两步路去找，一定要买来！”

“是，是！一定买来，一定买来！”王老板一迭连声地答应，叫个小徒弟遍处去找，还特地关照一句，“快去快回。”

于是，胡雪岩先独酌。一桌子的酒菜，他单取一样发芽豆。他咀嚼的不是豆子，而是寒微辰光那份苦中作乐的滋味，心里是说不出的那种既辛酸又安慰的隽永向往的感觉。

一抬眼突然发觉，张胖子笑嘻嘻地站在面前，才知道自己是想得出神了，定定神问道：“吃了饭没有？”

“正在吃酒，阿祥来到。”张胖子坐下来问道，“今天倒清闲，居然想到这里来吃酒？”

“不是清闲，是无聊。”

张胖子从未听他说过这种泄气的话，不由得张大了眼想问，但烫来的酒，糟香扑鼻，就顾不得说话先要喝酒了。

“好酒！”他喝了一口说，啧啧地咂着嘴唇，“嫡路绍兴花雕。”

“酒再好，也比不上我们在盐桥吃烧酒的味道好。”

“呕！”张胖子抬头四顾，“倒有点像我们常常去光顾的那家‘纯号’酒店。”

“现在也不晓得怎么样了。”胡雪岩微微叹息着，一仰脸，干了一碗。

“你这个酒，不能这样子喝！要吃醉的。”张胖子停杯不饮，愁眉苦脸地说，“啥事情不开心？”

“没有啥！有点想杭州，有点想从前的日子。老张，‘贫贱之交不可忘，糟糠之妻不下堂’，来，我敬你！”

张胖子不知他是何感触，惴惴然看着他说：“少吃点，少吃点！慢慢来。”

还好，胡雪岩是心胸开阔的人，酒德甚好，两碗酒下肚，只想高兴的事。想到阿祥，他便即问道：“老张，前面有家杂货店，老板姓魏，你认不认识？”

“我们是同行，怎么不认识？你问起他，总有缘故吧？”

“他有个女儿，也叫阿巧，长得圆圆的脸，倒是宜男之相。你总也很熟？”

听这一说，张胖子的兴致来了，精神抖擞地坐直了身子，睁了眼睛看着胡雪岩，一面点头，一面慢吞吞地答道：“我很熟，十天八天总要到我店里来一趟。”

“为啥？”

“她老子进货，到我这里来拆头寸，总是她来。”

“这样说，他这个杂货店也可怜巴巴的。”

“是啊，本来是小本经营。”张胖子说，“就要他这样才好。如果是殷实的话，铜钿银子上不在乎，做父母的就未必肯了。”

“肯什么？”胡雪岩不懂他的话。

“问你啊！不是说她宜男之相？”

胡雪岩愣了一下，突然意会，一口酒直喷了出来。他赶紧转过脸去，一面呛，一面笑，将个张胖子搞得丈二金刚摸不着头。

“啊！老张，你一辈子就是喜欢自作聪明，你想到哪里去了？”

“你，”张胖子嗫嚅着说，“你不是想讨个会养儿子的小？”

“所以说，你是自作聪明。哪有这回事？不过，谈的倒也是喜事，媒人也还是要请你去做。”接着，胡雪岩便将阿祥与阿巧的那一段情，都说给了张胖子听。

“好啊！”张胖子很高兴地，“这个媒做来包定不会‘春梅浆’！”

“春梅浆”是杭州的俗语，做媒做成一对怨偶，男女两家都嗔怨媒人，有了纠纷，责成媒人去办交涉，搞得受累无穷，就叫“春梅浆”。老张说这话，就表示他对这头姻缘亦很满意，使得胡雪岩越发感到此事做得惬意称心。一高兴之下，又将条件放宽了。

“你跟魏老板去说，入赘可以，改姓不可以。既然他女儿是宜男之相，不怕儿子不多，将来他自己挑一个顶他们魏家的香烟好了。至于阿祥，我叫他也做杂货生意，我借一千银洋给他做本钱。”

“既然这样，也就不必谈聘金不聘金了。嫁妆、酒席，一切都是男家包办。拜了堂，两家并作一家。魏老板不费分文，有个女婿养他们的老，有这样便宜的好事，他也该心满意足了。你看我，明天一说就成功，马上挑日子办喜事。”

“那就重重拜托。我封好谢媒的红包，等你来拿。”

“谢什么媒！你帮我的忙还帮得少了不成？”

谈到这里，小徒弟捧来一大盘油炸臭豆腐干。胡雪岩不暇多说，一连吃了三块，有些狼吞虎咽的模样，便又惹得爱说话的张胖子要开口了。

“看你别的菜不吃，发芽豆跟臭豆腐干倒吃得起劲！”

胡雪岩点点头，停箸答道：“我那位老把兄嵇鹤龄，讲过一个故事给我听。从前有个穷书生，去庙里住，跟一个老和尚做了朋友。老和尚常常掘些芋头煨在热灰里，穷书生吃得津津有味。到后来穷书生十年寒窗无人问，一举成名天下知，飞黄腾达，做了大官。他衣锦还乡，想到煨芋头的滋味，特为去拜访老和尚，要尝一尝，一尝之下，说不好吃。老和尚答他一句：芋头没有变，你人变了！我今天要吃发芽豆跟臭豆腐干，也就仿佛是这样一种意思。”

“原来如此！你倒还记得，当初我们在纯号‘摆一碗’，总是这两样东西下酒。”张胖子接着又问，“现在你尝过了，是不是从前的滋味？”

“是的。”

“那倒难得！”张胖子有点笑他言不由衷的意味，“鱼翅海参没有拿你那张嘴吃刁？”

“你弄错了，我不是说它们好吃！从前不好吃，现在还是不好吃。”

“这话我就不懂了！不好吃何必去吃它？”张胖子说，“从前也不晓得吃过多少回，从来没有听你说过，发芽豆、臭豆腐干不好吃。”

“不好吃，不必说，想法子去弄好吃的来吃。空口说白话，一点用都没有，反而害得人家都不肯吃苦了！”

这几句话说得张胖子愣住了，怔怔地看了他好半天，方始开口：“老胡，我们相交不是三年五年，到今天我才晓得你的本性。这就难怪了！你由学生意爬到今天大老板的地位，我从钱庄大伙计弄到开小杂货店，都是有道理的。”

一向笑嘻嘻的张胖子，忽然大生感触，面有抑郁之色。胡雪岩从他的牢骚话中，了解了他不得意的心情，多年的患难贫贱之交，心里自然也很难过。

胡雪岩真想安慰他，因而想到跟刘不才与古应春所商量的计划。不久前联络好了杭州的小张和嘉兴的孙祥太，预备大举贩卖洋广杂货，不正好让张胖子也凑一股？股本当然是自己替他垫，只要他下手帮忙，无论如何比株守一爿小杂货店来得有出息。

他话已经要说出口了，想想不妥。张胖子嘴不紧，而这个贩卖洋广杂货的计划，是有作用的，不宜让他与闻。要帮他的忙，不如另打主意。

想了一下，倒是有个主意。“老张，”他说，“我也晓得你现在委屈。不过时世不对，暂时要守一守。我的钱庄，你晓得的，杭州的老根一断，就没有源头活水了，现在也是苦撑在那里的局面。希望是一定有的，要摆功夫下去。你肯不肯来帮帮我的忙？”

“你我的交情，谈不到肯不肯。不过，老胡，实在对不起，钱庄饭我吃得寒心了。你想想，我从前那个东家，我那样子替他卖力，弄到临了，翻脸不认人。如果不是你帮我一个大忙，吃官司都有份。从那时候起，我就罚过咒，再不吃钱庄饭！自己小本经营，不管怎么样，也是个老板。”说到这里，张胖子自觉失言，赶紧又作补充，“至于对你，情形当然不同。不过我罚过咒，不帮人家做钱庄，这个咒是跪在关帝菩萨面前罚的，不好当耍。老胡，千言万语并一句：对不起你！”说完，举杯表示道歉。

“这杯酒，我不能吃。我有两句话请问你，你罚咒，是不帮人家做钱庄？”

“是的。”

“就是说，不给人家做伙计？”

“是的！”张胖子重重地回答。

“那么，老张，你先要弄清楚，我不是请你做阜康的伙计。”

“做啥？”张胖子愕然相问。

“做股东。等于你自己做老板！这样子，随便你罚多重的咒，都不会应了。”

“做股东！”张胖子心动了，“不过，我没有本钱。”

“本钱我借你。我划一万银子，算你的股份。你来管事，另外开一份薪水。”胡雪岩说，“你那家小杂货店，我也替你想好了出路，盘给阿祥，他自然并到他丈人那里。你看，这不是顺理成章的事？”

这样的条件，这样的交情，照常理说，张胖子应该一诺无辞，但他仍在踌躇。因为第一，钱庄这一行，他受过打击，确实有些寒心；第二，交朋友将心换心，唯其胡雪岩如此厚爱，自己就更得忖量一下，倘或接手以后，没有把握打开局面，整顿内部，让好朋友失望，倒不如此刻辞谢，还可以保全交情。

当然，他说不出辞绝的话，而且也舍不得辞绝，考虑了又考虑，说了句：“让我先看一看再说。”

“看？你用不着看了！”胡雪岩说，“阜康的情形比起从前王雪公在世的时候那样热闹，自然显得差了。跟上海的同行比一比，老实说一句，比上不足，比下着实有余。阜康绝没有亏空，放款出去的户头，都是靠得住的，几个大存户亦都殷实得很，不至于一下子都来提款。毛病是我不能拿全副精神摆在上头。原来请的那个大伙，人既老实，身子又不好，所以弄得死气沉沉，没有起色。你去了，当然会不同。等我来出两个主意，请你一手去做，同心协力拿阜康这块招牌再刷得它金光闪亮。”

照这样说，大可一干，不过——“我到底是啥身份到阜康呢？”他说，“钱庄的规矩，你是晓得的。”

钱庄的规矩，大权都在大伙手里，股东不得过问。胡雪岩原就有打算的，毫不迟疑地答道：“对我来说，你是股东，对阜康来说，你是大伙。你不是替人家做伙计，是替自己做。”

这个解释很圆满，张胖子表示满意，毅然决然地答道：“那就一言为定。主意你来出，事情我来做，对外是你出面，在内归我负责。”

“好极！我正就是这个意思……”

“慢来。”张胖子突然想到，迫不及待地问，“原来的那位老兄呢？”

“这你不必担心。他身体不好，而且儿子已经出道，在美国人的洋行里做‘康白度’，老早就劝他回家享福。他因为我待他不错，虽然辞过几次，但我不放他，也就不好意思走。现在有你去接手，在他真正求之不得。”

张胖子释然了。“我就怕敲了人家饭碗！”他又生感慨，“我的东家不好，不能让他也在背后骂东家不好。”

“你想想我是不是那种人？”胡雪岩问道，“老张，君子一言，驷马难追。从此刻起，我们就算合伙了！倒谈谈生意经，你看，我们应该怎么个做法？”

这一下，将张胖子问住了。他是钱庄学徒出身，按部就班做到大伙，讲内部管理，要看实际情形而定，谈到外面的发展，也要先了解了解市面。如要他凭空想个主意出来，可就抓瞎了。

想了好一会儿，他说："现在的银价上落很大，如果消息灵通，兑进兑出一转手之间，利息不小。"

"这当然。归你自己去办，用不着商量。"胡雪岩说，"我们要商量的是，长线放远鹞，看到三五年以后，大局一定，怎么样能够飞黄腾达，一下子蹿了起来。"

"这——"张胖子笑道，"我就没有这份本事了。"

谈生意经，胡雪岩一向最起劲，又正当微醺之时，兴致更佳，"今天难得有空，我们索性好好儿筹划一番。"他问，"老张，山西票号的规矩，你总熟悉的吧？"

"隔行如隔山。钱庄、票号看来是同行，做法不同。"张胖子在胡雪岩面前不敢不说老实话，"而且，票号的势力不过长江以南，他们的内幕，实在没有机会见识。"

"我们做钱庄，唯一的劲敌就是山西票号。知己知彼，百战百胜，所以这方面，我平时很肯留心。现在，不妨先说点给你听。"

照胡雪岩的了解，山西票号原以经营汇兑为主，而以京师为中心。这几年干戈扰攘，道路艰难，公款解京，诸多不便，因而票号无形中代理了一部分部库与省库的职司，公款并不计息，汇水尤为可观，自然大获其利。还有各省的巨商显宦，认为天下最安稳的地方，莫如京师，所以多将现款，汇到京里，实际上就是存款。这些存款的目的不是生利，而是保本，所以利息极轻。

"有了存款要找出路。头寸烂在那里，大元宝不会生小元宝的。"胡雪岩说，"山西票号近年来通行放款给做京官的，名为'放京债'。听说一万两的借据，实付七千……"

"什么？"张胖子大声打断，"这是什么债，比印子钱还要凶！"

"你说比印子钱还要凶，借的人倒是心甘情愿。反正羊毛出在羊身上，老百姓倒霉！”

“怎么呢？”

“你想，做官借债，拿什么来还？自然是老百姓替他还。譬如某人放了你们浙江藩司，京里打点上任盘费，到任以后置公馆、买轿马、用底下人，哪一样不用钱？于是乎先借一笔京债，到了任想法子先挪一笔款子还掉，随后慢慢儿弥补。不在老百姓头上动脑筋，岂不是就要闹亏空了？”

“这样子做法难道没有风险！譬如说，到了任不认账？”

“不会的。第一，有保人，保人一定也是京官；第二，有借据，如果赖债，到都察院递呈子，御史一参，赖债的人要丢官；第三，自有人帮票号的忙，不准人赖债。为啥呢？一班穷翰林平时都靠借债度日，就盼望放出去当考官、当学政，收了门生的‘贽敬’来还债，还了再借，日子依旧可以过得下去。倘若有人赖了债，票号联合起来，说做官的没有信用，从此不借，穷翰林当然大起恐慌，会帮票号讨债。”胡雪岩略停一下又说，“要论风险，只有一样，新官上任，中途出了事，或者死掉，或者丢官。不过也要看情形而定，保人硬气的，照样会一肩担承。”

“怪不得！”张胖子说，“这几年祁、太、平三帮票号，在各省大设分号。原来有这样的好处！”他跃跃欲试地说，“我们何不学人家一学？”

“着啊！”胡雪岩干了一杯酒，“我正就是这个意思。”

胡雪岩的意思是，仿照票号的办法，办两项放款。第一是放给做官的。由于南北道路艰难，时世不同，这几年官员调补升迁，多不按常规，所谓“送部引见”的制度，虽未废除，却多变通办理。尤其是军功上保升的文武官员，多是当到藩司、臬司的大员，主持过一省钱谷、司法却未曾进过京。他们若由京里补缺放出来，自然可以借京债，但如果在江南升调——譬如江苏知县调升湖北的知府，没有一笔盘缠与安家银子就“行不得也”！胡雪岩打算仿照京债的办法，帮帮这些人的忙。

“这当然是有风险的。但要通扯扯算，以有余补不足。自从开办厘金以来，不晓得多少人发了财。像这种得了税差的，早一天到差，多一天好处，再高的利息，他也要借，而且不会吃倒账。我们的做法是要在这些户头上多赚他些，来弥补倒账。话不妨先说明白，我们是‘劫富济贫’的做法。”

“劫富济贫！”张胖子念了两遍，点点头说，“这个道理我懂了。第二项呢？”

“第二项放款是放给逃难到上海来的内地乡绅人家。这些人家在原籍，多是靠收租过日子的，一早拎只鸟笼泡茶店，下午到澡塘子睡一觉，晚上‘摆一碗’，吃得醉醺醺回家。一年三百六十天，起码三百天是这样子。这种人，恭维他，说他是做大少爷。讲得难听点，就是无业游民。如果不是祖宗积德，留下大把家私，一定做‘伸手大将军’了。当初逃难来的时候，总有些现款细软在手里，一时还不会‘落难’。日久天长，坐吃山空，又是在这个花天酒地的夷场上，所以这几年下来，很有些赫赫有名的大少爷，快要讨饭了！”

这话不是过甚其词，张胖子就遭遇到几个，境况最凄惨的，甚至倚妻女卖笑为生。因此，胡雪岩的话在他深具同感，只是放款给这些人，他不以为然。“救急容易求穷难！”他说，“非吃倒账不可！”

“不会的。”胡雪岩说，“这就要放开眼光来看。长毛的气数快尽了！江浙两省一光复，逃难的回家乡，大片田地长毛抢不走。他们苦一两年，仍旧是大少爷，怎么会吃倒账？”

“啊！”张胖子深深吸了口气，“这一层我倒还没有想到。照你的说法，我倒有个做法。”

“你说！”

“叫他们拿地契来抵押。没有地契的，写借据，言明如果欠款不还，甘愿以某处某处田地作价抵还。”

“对！这样做法，就更加牢靠了。”

“还有！”张胖子跟胡雪岩一席长谈，启发良多，也变得聪明了，他说，“既然是救穷，就要看远一点。那班大少爷出身的，有一万用一万，不顾死活的，所以第一次来抵押，不可以押足，预备他不得过门的时候来加押。”

这就完全谈得对路了，越谈越多，也越谈越深。然而仅谈放款，又哪里来的款子可放？张胖子心里一直有着这样一个疑问，却不肯问出来。因为在他意料中，心思细密的胡雪岩，一定会自己先提到，无须动问。

而胡雪岩却始终不提这一层，这就逼得他不能不问了：“老胡，这两项放款，期限都是长的，尤其是放给有田地的人家，要等光复了，才有收回的确期，只怕不是三两年的事。这笔头寸不在少数，你打算过没有？”

“当然打算过。只有放款没有存款的生意，怎么做法？我倒有个吸收存款的办法，只怕你不赞成。”

“何以见得我不赞成？做生意嘛，有存款进来，难道还推出去不要？”

胡雪岩不即回答，笑一笑，喝口酒，神态显得很诡秘，这让张胖子又无法捉摸了。他心里的感觉很复杂，又佩服，又有些戒心，觉得胡雪岩花样多得莫测高深，与这样的人相处，实在不能掉以轻心。

终于开口了，胡雪岩问出来一句令人意料不到的话：“老张，譬如说：我是长毛，有笔款子化名存到你这里，你敢不敢收？”

“这——”张胖子答，“这有啥不敢？”

“如果有条件的呢？”

“什么条件？”

“他不要利息，也不是活期，三年或者五年，到期来提，只有一个条件，不管怎么样，要如数照付。”

“当然如数照付，还能怎么样？”

“老张，你没有听懂我的意思，也还不明白其中的利害。抄家你总晓得的，被抄的人，倘或有私财寄顿在别处，照例是要追的。现在就是说，这笔存款，即使将来让官府追了去，你也要照付。请问你敢不敢担这个风险？”

这一说，张胖子方始恍然。“我不敢！”他大摇其头，“如果有这样的情形，官府来追，不敢不报，不然就是隐匿逆产，不得了的罪名。等一追了去，人家到年限来提款，你怎么应付？”

“我晓得你不敢！”胡雪岩说，“我敢！为啥呢？我料定将来不会追。”

“喔，何以见得？你倒说个道理我听听。”

“何用说道理？打长毛打了好几年了，活捉的长毛头子也不少，几时看官府追过。”胡雪岩放低了声音又说，“你再看看，官军捉着长毛，自然搜刮一空，根本就不报的，如果要追，先从搜刮的官军追起，那不是自己找自己麻烦？我说过，长毛的气数快尽了！好些人都在暗底下盘算，他们还有一场劫，只要逃过这场劫，后半辈子就可以衣食无忧了。”

“是怎么样一场劫？”

“这场劫就是太平天国垮台。一垮台，长毛自然变成‘过街老鼠’，人人喊打，在那一阵乱的时候最危险。只要局面一定，朝廷自然降旨：首恶必惩，胁从不问，更不用说追他们的私产。所以说，只要逃过这场劫，后半辈子就可以衣食无忧。”

谈到这里，张胖子恍然大悟。搜刮饱了的长毛，要逃这场劫有个逃法，一是保命，二是保产。大劫来时即令逃得了命，也逃不了财产。换句话说，保命容易保产难，所以要早作安排。

想通了，不由得连连称“妙”！但张胖子不是点头，而是摇头，“老胡，”他带着些杞人忧天的味道，“你这种脑筋动出来，要遭天忌的！”

“这也不足为奇！我并没有害人的心思，为啥遭天之忌？”

“那么，犯不犯法呢？”张胖子自觉这话说得太率直，赶紧又解释，“老胡，我实在因为这个法子太好了。俗语说得是：好事多磨！深怕其中有办不通的地方，有点不大放心。”

“你这话问得不错的。犯法的事，我们不能做。不过，朝廷的王法是有板有眼的东西，它怎么说，我们怎么做，这就是守法。它没有说，我们就可以照我们自己的意思做。隐匿罪犯的财产，固然犯法，但要论法，我们也有一句话说。人家来存款的时候，额头上没有写着字：我是长毛。化名来存，哪个晓得他的身份？”

“其实我们晓得的，良心上总说不过去！”

“老张，老张！”胡雪岩喝口酒，又感叹又欢喜地说，“我没有看错人，你本性厚道，实在不错。然而要讲到良心，生意人的良心，就只有对主顾来讲。公平交易，老少无欺，就是我们的良心。至于对朝廷，要做官的讲良心。这实在也跟做生意跟主顾讲良心是一样的道理。‘学成文武艺，卖与帝王家’，朝廷是文武官儿的主顾，是他们的衣食父母，不能不讲良心。在我们就可以不讲了。”

“不讲良心讲啥？”

“讲法，对朝廷守法，就是对朝廷讲良心。”

张胖子点点头，喝着酒沉思，好一会儿才欣然开口：“老胡，我算是想通了。多少年来我就弄不懂，士农工商，为啥没有奸士、奸农、奸工，只有奸商？可见得做生意的人的良心，别有讲究。不过要怎么个讲究，我想不明白。现在明白了！对朝廷守法、对主顾讲公平，就是讲良心，就不是奸商！”

“一点不错！老实说一句：做生意的守朝廷的法，做官的对朝廷有良心，一定天下太平。再说一句：只要做官的对朝廷讲良心，做生意的就不敢不守法。如果做官的对朝廷没有良心，要我们来对朝廷讲良心，未免迂腐。”

“嗯，嗯，你这句话，再让我来想一想。”张胖子一面想，一面说，“譬如，有长毛头子抓住了，抄家，做官的抹煞良心，侵吞这个人的财产，那就是不讲良心。如果我们讲良心呢？长毛化名来存款，说是应该充公的款子，我们不能收。结果呢？白白便宜赃官，仍旧让他侵吞了。对！”他一拍桌子，大声说道，“光是做生意的对朝廷讲良心，没有用处。我们只要守法就够了！”

“老张啊！”胡雪岩也欣然引杯，“这样才算是真正想通。”

这一顿酒吃得非常痛快，最后是张胖子抢着做的东。分手之时，胡雪岩特别关照，他要趁眷属未到上海来的这两天，将钱庄和阿祥的事安排好，因为全家劫后重聚，他打算好好陪一陪老母，那时什么紧要的大事都得搁下来。

张胖子诺诺连声。一回到家先跟妻子商议，那爿小杂货店如何收束。他妻子倒也是有些见识的，听了丈夫的话，又高兴，又伤感。她走进卧房，开箱子取出一个棉纸包，打开来给张胖子看，是一支不甚值钱的银镶风藤镯子。

做丈夫的莫名其妙，这支镯子与所谈的事有何相干？而张太太却是要从这上头谈一件往事。“这支镯子是雪岩的！就在这支镯子上，我看出他要发达。”她说，“这还是他没有遇到王抚台的时候的话。那时他钱庄里的饭碗敲破了，日子很难过。有一天来跟我说，他有个好朋友从金华到杭州来谋事，病在客栈里，房饭钱已经欠了半个月，还要请医生看病，没有五两银子不能过门，问我能不能帮他一个忙。我看雪岩虽然落魄，那副神气不像倒霉的样子。一件竹布长衫，虽然褪了色，也打过补丁，照样浆洗得蛮挺括，见得他家小也是贤惠能帮男人的。就为了这一点，我‘嗯顿’都不打一个，借了五两银子给他。”

“咦！”张胖子大感兴趣，“还有这么一段故事，倒没听你说过。钱，后来还你没有？”

“你不要打岔，听我说！”张太太说，“当时雪岩对我说：‘现在我境况不好。这五两银子不知道啥时候能还，不过我一定会还。’说老实话，我肯借给他，自然也不打算他一时会还，所以我说：‘不要紧！等你有了还我。’他就从膀子上勒下这只风藤镯子，交到我手里说：‘镯子连一两银子都不值，不能算押头，不过这只镯子是我娘的东西，我看得很贵重。这样子做，是提醒我自己，不要忘记掉还人家的钱。’我不肯要，他一定不肯收回，就摆了下来。”

“这不像雪岩的为人，他说了话一定算数的。”

“你以为镯子摆在我这里，就是他没有还我那五两银子？不是的！老早就还了。”

“什么时候？”

“就在他脱运交运，王抚台放到浙江来做官，没有多少时候的事。”

“那么镯子怎么还在你手里呢？”

“这就是雪岩做人，不能不服他的道理。当时他送来一个红封套，里头五两银子银票，另外送了四色水礼。我拿镯子还他，他不肯收。他说，现在的五两银子绝不是当时的五两银子，他欠我的情，还没有报。这只镯子留在我这里，要我有啥为难的时候去找他，等帮过我一个忙，镯子才肯收回。我想，他娘现在戴金佩玉，也不在乎一只风藤镯子，无所谓的事了，所以我就留了下来。那次他帮你一个大忙，我带了四样礼去看他，特为去送镯子。他又不肯收。”

“这是啥道理？”张胖子越感兴味，“我倒要听听他又是怎么一套说法？”

“他说，他帮你的忙，是为了同行的义气，再说男人在外头的生意，不关太太的事。所以他欠我的情，不能‘划账’，镯子叫我仍旧收着，他将来总要替我做件称心满意的事，才算补报了我的情。”

“话倒也有道理。雪岩这个人够味道就在这种地方，明明帮你的忙，还要教你心里舒坦。闲话少说，我们倒商量商量看，这爿杂货店怎么样交出去？”张胖子皱着眉说，“麻雀虽小，五脏俱全，人欠欠人的账目，鸡零狗碎的，清理起来，着实好有几天头痛。”

“头痛，为啥要头痛？人欠欠人都有账目的，连店址带货色‘一脚踢’。我们‘推位让国’都交给了人家，拍拍身子走路，还不轻松？”

张胖子大喜。“对！还是你有决断。”他说，“明天雪岩问我盘这爿店要多少钱，我就说，我是一千六百块洋钱下本，仍旧算一千六百块好了。”

这套说法完全符合张太太的想法。三四年的经营，就这片刻间决定割舍，夫妇俩都无留恋之意，因为对“老本行”毕竟有根深蒂固的感情在，而且又是跟胡雪岩在一起。相形之下，这爿小杂货店就不是“鸡肋”而是“敝屣”了。

*　*　*

一早起身，张胖子还保持着多年的习惯，提着鸟笼上茶店，有时候经过魏老板那里，因为同行的缘故，也打个招呼。魏老板克勤克俭，从来不上茶店，但张胖子这天非邀他去吃茶不可，因为做媒的事，当着阿巧不便谈。

踏进店堂，开门见山道明来意，魏老板颇有突然之感，因而便有辞谢之意。就在这时候，阿巧替她父亲来送早点，一碗豆腐浆，一团粢米饭，看到张老板甜甜地招呼："张伯伯早！点心吃过没有？"

张胖子不即回答，将她从头看到脚，真有点相亲的味道，看得阿巧有些发窘。但客人还未答话，不便掉身而去，只有将头扭了开去，避开张胖子那双盯住了看的眼睛。

"阿巧！"张胖子问道，"你今年几岁？"

"十七。"

"生日当然是七月初七。时辰呢？"

这下惊了阿巧！一早上门，来问时辰八字，不是替自己做媒是做啥？这样转着念头，她立刻想到阿祥，也立刻就着慌了。"哪个要你来做啥断命的媒？"她在心中自语，急急地奔到后面，寻着她母亲问道："张胖子一早跑来为啥？"

"哪个张胖子？"

"还有哪个？不就是同行冤家的张胖子！"

"他来了？我不晓得啊！"

"娘！"阿巧扯着她的衣服说，"张胖子不晓得啥心思，又问生日，又问时辰。我——"她顿一顿足说，"我是不嫁的！用不着啥人来啰唆。"

这一说，做母亲的倒是精神一振，不晓得张胖子替女儿做的媒，是个何等样人，当时便说："你先不要乱！等我来问问看。"

发觉母亲是颇感兴趣的神气，阿巧非常失望，也很着急。她心里在想，此身已有所属，母亲是知道的，平时对阿祥的言语态度，隐隐然视之为“半子”，那就不但知道自己属意于什么人，而且这个人也是她所中意的。既然如此，何必又去“问问看”？岂不是不明事理的老糊涂了！

苦的是她心里这番话说不出口，也无法用任何暗示提醒母亲。情急之下，阿巧只有撒娇，拉住她母亲的衣服不放。

“不要去问！狗嘴里吐不出象牙，没有啥好问的。”

“问问也不要紧。你这样子做啥？”

母女俩拉拉扯扯，僵持着，也因循着，而魏老板却因为情面难却，接受了张胖子的邀请，在外面提高了声音喊：“阿巧娘！你出来看店，我跟张老板吃茶去了。”

这一下阿巧更为着急。原意是想母亲拿父亲叫进来，关照一句：如果张胖子来做媒，不要理他。不想要紧话未曾说清楚，白白耽误了工夫。如今一起去吃茶，当然是说媒。婚事虽说父母之命，而父亲可以做七分主，如果在茶店里糊里糊涂听信了张胖子的花言巧语，那就是她一辈子不甘心的恨事。

念头风驰电掣般快，转到此处，阿巧脱口喊道：“爹！你请进来，娘有要紧话说。”

魏老板听这一说，便回了进来。他妻子问他：“张胖子是不是来替阿巧做媒？”

魏老板还未答话，阿巧接口：“哪个要他来做啥媒？我是不嫁的。”

“咦！”魏老板看看妻子，又看看女儿，真有些莫名其妙了，“你们怎么想到这上头去了？”

阿巧耳朵灵，心思快，立刻喜孜孜地问道：“那么，他来做啥呢？”

“他说要跟我谈一笔生意。”

“谈生意？”他妻子问道，“店里不好谈？”

“我也是这么说。他说他一早起来一定要吃茶，不然没有精神。我就陪他去吃一回也不要紧。”

“好，好！”阿巧推一推她父亲，“你老人家请！不过，只好谈生意，不好谈别的。”

这一去去了两个钟头还不回来。阿巧心里有些嘀咕，叫小徒弟到张胖子每天必到的那家茶店里去悄悄探望。须臾回转，张胖子跟魏老板都不在那里。

这就显得可疑了。等到日中，依然不见魏老板的影子。母女俩等了好半天等不回来，只有先吃午饭。刚扶起筷子，魏老板回来了，满脸红光，也满脸的笑容。

阿巧又是欣慰又是怨。“到哪里去了？”她埋怨着，“吃饭也不回来！”

“张胖子请我吃酒，这顿酒吃得开心。”

“啥开心？生意谈成功了？”阿巧问，“是啥生意？”

“不但谈生意，还谈了别样。是件大事！”魏老板坐下来笑道，“你们猜得不错，张胖子是来替我们女儿做媒的。”

听到这里，阿巧手足发冷，一下扑到母亲肩上，浑身抖个不住。

魏老板夫妇俩无不既惊且诧，问她是怎么回事，她却又似不肯明说，只勉强坐了下来，怔怔地望着她父亲。

到底知女莫若母，毕竟猜中了她的心事，急急向丈夫说：“张胖子做媒，你不要乱答应人家。”

“为啥不答应？”

“你答应人家了！是怎么样的人家，新郎倌什么样子？”

“新郎倌什么样子，何用我说？你们天天看见的。”

提到每天看到的人，阿巧第一个想起的是间壁水果店的小伙计润生，做事巴结，生得也还体面。他有一手“绝技”，客人上门买只生梨要削皮，润生手舞两把平头薄背的水果刀，旋转如飞，眼睛一眨的工夫，削得干干净净，梨皮成一长条。阿巧最爱看他这手功夫，他也最爱看阿巧含笑凝视的神情。有一次看得出神失了手，自己削掉一小节指头，一条街上传为笑谈。以此话柄为嫌，阿巧从此总是避着他，但彼此紧邻，无法不天天见面，润生颇得东家的器重，当然是可能来求婚的。

第二个想起的是对面香蜡店的小开，生得倒是一表人才，而且门当户对，可惜终年揭不得帽子，因为是个癞痢。阿巧想起来就腻味，赶紧抛开再想。

这一想就想到阿祥了，顿时面红心跳，但要问问不出口，好在有她母亲。“是哪个？”她问她丈夫。

“还有哪个，自然是阿祥！”

“祥”字刚刚出口，阿巧便霍地起身，躲了进去，脚步轻盈无比。魏老板愣了一会儿，哈哈大笑。

“笑啥？快说！阿祥怎么会托张胖子来做媒？他怎么说？你怎么答复他？从头讲给我们听。”

这一讲，连“听壁脚”的阿巧在内，无不心满意足，喜极欲涕，心里都有句话：“阿祥命中有贵人，遇见胡道台这样的东家！”

* * *

然而胡道台此时却还管不到阿祥的事，正为另一个阿巧在伤脑筋。

阿巧姐昨夜通宵不归，一直到这天早晨九点钟才回家。问起她的行踪，她说心中气闷，昨天在一个小姐妹家谈了一夜。

她的“小姐妹”也都三十开外了，不是从良，便是做了本家——老鸨。如是从了良的“人家人”，不会容留她只身一个人过夜，一定在头天夜里就派人送了她回来。这样看来，她的行踪就很有疑问了。

于是胡雪岩不动声色地派阿祥去打听。阿巧姐昨天出门虽不坐家里轿子，但料想她也不会步行，所以阿祥承命去向弄堂口待雇的轿夫去探问。果然问到了，阿巧姐昨天是去了宝善街北的兆荣里。那轿夫还记得她是在倒数第二家，一座石库门前下的轿。

所谓“有里兆荣并兆富，近接公兴，都是平康路”，那一带的兆荣里、兆富里、公兴里是有名的纸醉金迷之地。阿巧姐摒绝从人，私访平康，其意何居？着实可疑。

要破这个疑团，除却七姑奶奶更无别人。胡雪岩算了一下，这天正是她代为布置新居，约定去看的第四天，因而坐轿不到古家，直往昼锦里而去。

果然，屋子已粉刷得焕然一新，七姑奶奶正亲自指挥下人，在安放簇新的红木家具。三月底的天气，艳阳满院，相当闷热，七姑奶奶一张脸如中了酒似的，而且额上见汗，头发起毛，足见劳累。

胡雪岩大不过意，兜头一揖，深深致谢。七姑奶奶答得漂亮："小爷叔用不着谢我，老太太、婶娘要来了，我们做小辈的，该当尽点孝心。"

说着，她便带领胡雪岩一间屋子一间屋子地去看，不但上房布置得井井有条，连下房也不疏忽，应有尽有。费心如此，做主人的除了没口夸赞以外，再不能置一词。

一个圈子兜下来，回到客厅喝茶休息，这时候胡雪岩方始开口，细诉阿巧姐一夜的芳踪，向七姑奶奶讨主意。

事出突兀，她一时哪里有主意？她将胡雪岩所说的话，前前后后细想了一遍，觉得有几件事先要弄清楚。

"小爷叔，"她问，"阿巧姐回来以后，对你是啥样子？有没有发牢骚？"

"没有，样子很冷淡。"

"有没有啥收拾细软衣服，仿佛要搬出去的样子？"

"也没有。"胡雪岩答说，"坐在那里剥指甲想心事，好像根本没有看到我在那里似的。"

就问这两句话便够了。七姑奶奶慢慢点着头，自言自语似的说："这就对了！她一定是那么个主意！"

由于刚才一问一答印证了回忆，胡雪岩亦已有所意会。然而他宁愿自己猜得不对，。"七姐，"他很痛苦地问，"莫非她跟她小姐妹商量好了，还要抛头露面，自己去'铺房间'？"

“贱货！”他脱口骂了一句。

“小爷叔！这，我要替阿巧姐不服。”七姑奶奶的本性露出来了，义形于色地说，“一个人总要寻个归宿。她不愿做低服小，只为觉得自己出身不是良家，一向自由惯了的，受不得大宅门的拘束，要在外头住，说起来也不算过分。这一层既然办不到，只有另觅出路，哪里来的还到哪里去，不也是顺理成章的事？就算是从良，总亦不能喊个媒婆来说：‘我要嫁人了，你替我寻个老公来！’她‘铺房间’自己不下水，遇见个知心合意的，自订终身，倒是正办。”

听她一顿排揎，胡雪岩反倒心平气和了，笑笑说道：“其实她要这样子做，倒应该先跟七姐来商量。”

“跟我没商量！我心里不反对她这样子做，口里没有赞成她再落火坑的道理。阿巧姐是聪明人，怎么会露口风？我现在倒担心一件事，怕她心里恨你，将来会有意坍你的台。”

“怎么坍法？”胡雪岩苦笑着，“只要她再落水，我的台就让她坍足了。”

“那还不算坍足。明天她挂上一块‘杭州胡寓’的牌子，那才好看呢！”

一句话说得胡雪岩发愣。他也听人说过，这一两年夷场“花市”繁盛异常，堂子里兴起一种专宰冤大头的花样。找个初涉花丛、目炫于珠围翠绕、鼻醉于粉腻脂香、耳溺于嗷嘈弦管的土财主，筵前衾底，做足了宛转绸缪的柔态痴情，到两情浓时，论及嫁娶，总说孤苦伶仃一个人，早已厌倦风尘，只为“身背浪向”有几多债务，只要替她完了债，她就是他家的人，除此别无要求。

于是冤大头替她还债“卸牌子”，自此从良。一到做了良家妇女，她渐渐不安于室，百般需索，贪壑难填。稍不如意，她就会变脸，三天一小吵，五天一大吵，吵得这家人家的上上下下，六神不安。冤大头这才知道上了恶当，然而悔之晚矣！少不得再花一笔钱，才能请她走路。

这个花样名为“潒浴”。如果洗清了一身债务，下堂求去，两不相干，还算是有良心的。有些积年妖狐，心狠手辣，嫁而复出，还放不过冤大头，顶着他的姓接纳生张熟魏，甚至当筵诉说她的嫁后光阴如何如何，或者这家人家的阴私家丑，少不得又要花钱，才能无事。

不过，阿巧姐总不至于如此绝情。胡雪岩问道：“她这样子做，于她有什么好处？她是理路极清楚的人，为啥要做这种损人不利己的事？”

“小爷叔这句话说得很实在，阿巧姐应该不是这种人。事情到了这步田地，反倒好办了。小爷叔，你交给我，包你妥当。”七姑奶奶接着又说，“小爷叔，你这两天不要回去！住在我这里，还是住在钱庄里，随你的便，就是不要跟阿巧姐见面。”

胡雪岩实在猜不透她葫芦里卖的什么药，料知问亦无用，为今之计，只有丢开不管，听凭她去料理了。

于是他说：“我住在钱庄里好了。我请了张胖子做档手，趁这两天工夫陪他在店里谈谈以后的生意。”

“张胖子为人倒靠得住的。就这样好了！你去忙你的生意，有事我会到阜康来接头。”

当天下午，七姑奶奶就去看一个人，是尤五的旧相知怡情老二。当年因为松江漕帮正在倒霉的时候，弟兄们生计艰难，身为一帮当家的尤五岂可金屋藏娇？因而尽管怡情老二说之再三，尤五始终不肯为她“卸牌子”。怡情老二一气之下，择人而事，嫁的是个破落的世家子弟，体弱多病，不到两年呜呼哀哉。怡情老二没有替他守节的必要，事实上也不容于大妇，因而重张艳帜，先是做“先生”，后来做“本家”，跟尤五藕断丝连，至今不绝。

阿巧姐原是怡情老二房间里的人，七姑奶奶去看怡情老二，一则是要打听打听阿巧姐预备复出，到底是怎么回事；再则也是要利用她跟阿巧姐旧日的情分，从中斡旋。不过自己一个良家妇女，为了古应春的声名，不便踏入妓家，特意到相熟的一家番菜馆落脚，托西崽去请怡情老二来相会。

两个人有大半年不曾见面了。由于彼此的感情一向很好，所以执手殷勤，叙不尽的寒温。怡情老二问讯了七姑奶奶全家，与尤五以外，也问起胡雪岩，这恰好给了她一个诉说的机会。

“我今天就是为我们这位小爷叔的事，要来跟你商量。”七姑奶奶说，“阿巧姐跟胡老爷要分手了。”

“为啥？”怡情老二讶然相问，“为啥合不来？”

“其实也没有啥合不来。”七姑奶奶将胡家眷属脱困，将到上海，谈到阿巧姐的本心，语气中一直强调，脱辐已成定局，姻缘无可挽救。

怡情老二凝神听完，面现困惑。“阿巧姐跟我，一两个月总要见一次面，这样的大事，她怎么不来跟我谈？”她问，“她跟胡老爷分手以后怎么办？苏州又回不去，而且乡下她也住不惯的。”

“是啊！”七姑奶奶接口说道，“不管她怎么样，我们大家的情分总在的，就是胡老爷也很关心她。一个女流之辈，孤零零的，总要有个妥当的安顿之处才好。她自己好像打定了主意。不过，这个主意照我看不大高明。二阿姐，你晓不晓得她在兆富里有没有要好的小姐妹？”

怡情老二想了一下答说：“有的。她从前没有到我这里来之前，在心想红老六那里帮忙，跟同房间的阿金很谈得来。阿金我也认识的，现在就住在兆富里，养着个小白脸。”

“这个阿金，现在做啥？”

“现在也是铺房间。”

“我猜得恐怕不错。”七姑奶奶将阿巧姐瞒着人私访兆富里的经过，细细说了一遍，推断她是跟阿金在商量，也要走这条路。

“奇怪！她为什么不来跟我商量？”

“二阿姐，你问得对。不过，我倒要请问你，如果阿巧姐要走这条路，你赞成不赞成？”

“我怎么会赞成？这碗饭能不吃最好不吃！”

“那就对了。她晓得你不会热心，何必来跟你商量？”

“这话倒也是。”怡情老二仍然困惑，“我就不懂。她为啥还要回头来‘触祭’这碗断命饭？”

七姑奶奶认为要商量的正就是这一点。猜测阿巧姐预备重堕风尘的动机，不外三种：第一是为生计所逼；第二是报复胡雪岩；第三是借此为阅人之地，要好好觅个可靠的人，为一世的归宿。

“我在想，”七姑奶奶分析过后，谈她自己的意见，“第一，她不必愁日子不好过，她自己跟我说过，手里有两三万银子的私房，何况分手的时节，胡老爷总还要送她一笔钱。至于说到报复，到底没有深仇切恨，要出人家的丑，自己先糟蹋名声出了丑，她不是那种糊涂人。想来想去，只有这样子一个理由：想挑个好客人嫁！”

“为了要嫁人，先去落水？这种事从来没有听说过。”怡情老二大为摇头，“除非像阿金那样，挑个小白脸养在小房子里，要挑好客人是挑不到的。”

这话可以分两方面来听，一方面听怡情老二始终是不信阿巧姐会出此下策的语气，另一方面亦可以听出她不以阿巧姐此举为然。而无论从哪方面来听，都能使七姑奶奶感到欣慰的。

“二阿姐，我亦不相信阿巧姐会走上这条路。不过，打开天窗说亮话，我一面是帮我小爷叔的忙，一面也是为阿巧姐的好。二阿姐，这件事上头，你要看我五哥的分上，帮一帮我的忙！”

怡情老二有些不好意思地笑了，“七姑奶奶，说到这话，你该罚！你的吩咐，我还有个不听的？”她质问着，“为啥要搬出五少来？”

“是我的话说得不对，你不要动气。我们商量正经，我原有个主意——”

七姑奶奶是打算着一条移花接木之计，特地托号子里的秦先生，写信给宁波的张郎中，想撮合他与阿巧姐成就一头姻缘。这话说来又很长，怡情老二从头听起，得知张郎中如何与阿巧姐结识，以及后来落花有意，流水无情，怅然而返的经过，对此人倒深为同情。

“七姑奶奶，你这个主意，我赞成。不过，是不是能够成功，倒难说得很。男女之间，完全靠缘分，看样子，阿巧姐好像跟他无缘。”

“不是！当初是因为我小爷叔横在中间，这面一片心都在他身上，张郎中再好也不会中意。那面，看阿巧姐是有主儿的，知难而退。其实，照我看，阿巧姐既然不愿意做人家的偏房，嫁张郎中就再好不过。第一，张郎中的太太最近去世了，以他对阿巧姐那一片痴情来说，讨她回去做填房，也是肯的；第二，张郎中年纪也不大。”七姑奶奶问道，“阿巧姐今年多少？”

“她属羊的。今年——”怡情老二扳指头算了一下，失声惊呼，“今年整四十了！”

“她显得年轻，四十倒看不出。不过总是四十了！”七姑奶奶停了一下，歉然地说，“二阿姐，我说一句你不要生气，四十岁的人，又是这样子的出身，只怕要做人家的正室，不大容易！”

“岂止不大容易？打着灯笼去找都难。”怡情老二很郑重地问道，“七姑奶奶，张郎中那里，你有几分把握？”

“总有个六七分。”

“六七分是蛮有把握的了。我今天就去看阿巧姐，问她到底是啥意思。如果没有这样的打算，自然最好，倘使有的，我一定要拦住她。总而言之，不管她怎么样打算，我一定要做个媒。”

“你是女家的媒人，我是男家的。我们一定拿它做成功也是件好事。”

“当然是好事。不过，好像委屈了张郎中。”

提到这一层，七姑奶奶想起自己嫁古应春以前，由胡雪岩居间安排，拜王有龄的老太太做义女的往事，顿时又有了灵感。

“二阿姐，既然你这样说，我们倒商量商量看，怎么样把阿巧姐的身份抬一抬？”

七姑奶奶的安排是，请胡老太太收阿巧姐为义女，于是胡雪岩便是以“舅爷”的身份唱一出“嫁妹”了。这原是古人常有之事，在此时此地来说，特别显得情理周至，怡情老二自然赞成，也为阿巧姐高兴，认为这样子做，她倒是“修成正果”了。

七姑奶奶也很得意于自己的这个打算，性子本来急，也正兴头的时候，当时就要邀怡情老二一起去看阿巧姐，当面锣、对面鼓，彻底说个明白。倒还是怡情老二比较持重，认为应该先跟阿金碰个头，打听清楚了邀她一起去谈，更容易使阿巧姐受劝。

“那也好！”七姑奶奶问道，“我们就去看阿金。”

“这——”怡情老二知道阿金因为养着小白脸，忌讳生客上门，但这话不便明说，所以掉个枪花，“七姑奶奶，你的身份不便到她那里。我叫人去喊她来。”

于是她唤带来的小大姐，赶到兆富里去请阿金，特别叮嘱喊一乘“野鸡马车”，催阿金一起坐了来。

在这等候的当儿，少不得又聊家常。怡情老二的话中，颇有厌倦风尘之意，但也不曾表示要挑个什么样的人从良，七姑奶奶思路快，口也快，听出她的言外之意，忍不住要提出诤劝。

“二阿姐，你不要一门心思不转弯，那样也太痴了！你始终守着我五哥，守到头发白也不会成功。这里头的原因，五哥想必跟你说过。他领一帮，做事要叫人心服。弟兄穷得没饭吃，他还要多立一个门户，你想，这话怎么说得过去？二阿姐，你死了这条心吧！”

怡情老二无词以对，默然泫然，唯有背人拭泪。七姑奶奶也觉得心里酸酸的好不自在，倒有些懊悔，不该拿话说得这么直。

“说真的，”她没话找话，用以掩饰彼此都感到的不自然，“那位张郎中倒是好人，家道也过得去，我就怎么没有想到，早应该替你做这个媒。”

“多谢你，七姑奶奶！命生得不好，吃了这碗断命饭，连想做小都不能够，还说啥？”

话中依然是怨怼之意，使得一向擅于词令的七姑奶奶也无法往下接口了。

幸好，兆富里离此不远，一辆马车很快地去而复回，载来了阿金。她在路上便已听小大姐说过，所以一见七姑奶奶，不必怡情老二引见，很客气地问道："是尤家七姑奶奶？生得好体面！"

"不敢当！这位，"七姑奶奶问怡情老二，"想来就是阿金姐了？"

"是啊！"怡情老二做主人，先替阿金要了食物饮料，然后开门见山地说，"七姑奶奶为了关心阿巧姐，特意请你来，想问问你，这两天阿巧姐是不是到你那里去了？"

"她常到我那里来的。"

"阿金姐，"七姑奶奶说，"我们是初会，二阿姐知道我的，心直口快。我说话有不到的地方，请你不要见气。"

这是因为阿金跟怡情老二谈到阿巧姐时，一上来便有针锋相对之势，七姑奶奶深怕言语碰僵，不但于事无补，反倒伤了和气，所以特为先打招呼。

阿金也是久历风尘、熟透世故的人，自知一句"她常到我那里来的"答语，语气生硬，隐含敌意，成为失言，所以歉然答道："七姑奶奶你言重了！我的嘴笨。二阿姐又是好姐妹，说话不用客气。你可千万不能多我的心！"

既然彼此都谦抑为怀，就无须再多作解释，反倒像真的生了意见。不过，有些话，七姑奶奶因为彼此初交，到底不便深问，由怡情老二来说比较合适，因而报以一笑之外，向旁边抛了个眼色示意。

怡情老二点点头，接下来便用平静的语气向阿金说明原委："阿巧姐跟胡老爷生了意见。'清官难断家务事'，谁是谁非也不必去说它，总而言之，恐怕是要分手了。七姑奶奶跟阿巧姐的感情一向是好的，当初作成他们的姻缘，又是七姑奶奶出过力的，不管怎么说，阿巧姐的事，她不能不关心。刚刚特地寻了我来问，我实在不晓得。和阿巧姐好久没有碰过头了，听说这两天到你那里去过，想必总跟你谈了，她到底有什么打算？"

"喔，"阿金听完，不即回答，却转脸问七姑奶奶，"阿巧姐跟胡老爷的感情，到底怎么样？"

"不坏啊！"

"那就奇怪了！"阿金困惑地说，"她每次来，总怨自己命苦。我问她：胡老爷待你好不好？她总是摇头不肯说。看样子——”

下面那句话，她虽不说，但亦可以猜想得到。这一下，却是轮到七姑奶奶有所困惑了。“阿巧姐为啥有这样的表示？”她问，“他们要分手，也是最近的事，只为胡老爷的家眷要到上海来了，大太太不容老爷在外面另立门户，阿巧姐又不肯进他家的门，以至于弄成僵局。要说以前，看不出来他们有啥不和的地方。”

阿金点点头。“这也不去说它了。”她的脸色阴沉了，“也许要怪我不好。我有个堂房姑婆，现在是法华镇白衣庵的当家师太，一到上海，总要来看我。有时候她跟阿巧姐遇见，两个人谈得很起劲。我们那位老师太，说来说去无非‘前世不修今世苦’，劝她修修来世。这也不过出家人的老生常谈，哪知道阿巧姐倒有些入迷的样子。”

一口气说到这里，七姑奶奶才发觉自己的猜想完全错了！照这段话听来，阿巧姐去看阿金，或者与那位师太有关，不是为了想铺房间。因而她急急问道：“怎样子的入迷？”

“说起来真教人想不到。她那天来问我白衣庵的地址，我告诉了她，又问她打听地址何用。她先不肯说，后来被逼不过，才说实话：要到白衣庵去出家！”

七姑奶奶大惊失色：“做尼姑？”

“哪个晓得呢？”阿金忧郁地答道，“我劝了她一夜，她始终也没有一句确实的话，是不是回心转意了，哪个也猜不透。”

“我猜不会的。”怡情老二却有泰然的神情，“阿巧姐这许多年，吃惯用惯，从没有过过苦日子。尼姑庵里那种清苦，她一天也过不来。照我看——”她不肯再说下去，说下去话就刻薄了。

照七姑奶奶想，阿巧姐亦未必会走到这条路上去。自宽自慰之余，却又另外上了心事：她不愿重堕风尘，固然可以令人松一口气，但这种决绝的样子，实在也是抓住胡雪岩不放的表示。看起来麻烦还有的是。

“现在怎么办呢？”七姑奶奶叹口气说，“我都没有招数了。”

怡情老二跟她交往有年，从未见她有这样束手无策的神情。一半是为她，一半为阿巧姐，怡情老二自觉义不容辞地，在此时要出一番力。

“阿巧姐落发做尼姑是不会的，无非灰心而已！我们大家为她好，要替她想条路走！”怡情老二向阿金说，“她今年整四十岁了，这把年纪，还有啥世面好混？七姑奶奶预备替她做个媒——”

听她谈完张郎中，阿金亦颇为兴奋：“有这样的收缘结果，还做啥尼姑！”她说，“难得七姑奶奶热心，我们跟阿巧姐是小姐妹，更加应该着力。这头媒做成功，实在是你阴功积德的好事。我看我们在这里空谈无用，不如此刻就去看她，我不相信三张嘴说不过她一个。”

由于怡情老二与阿金很起劲，七姑奶奶的信心也恢复了，略想一想问道：“阿金姐，二阿姐，你们是不是决心要帮阿巧姐的忙？”

“自然。”怡情老二说，“只要帮得上。”

“好的！那么两位听我说一句。凡事事缓则圆，又道是只要功夫深，铁杵磨成针。从今天起，索性叫胡老爷不必再跟阿巧姐见面，我们先把她的心思引开来，让她忘记有姓胡的这个人。这当然不是三天两天的事，所以我要先问一问两位，真要帮她的忙，一定要花功夫下去。从今天起，我们三个缠住她，看戏听书吃大菜，坐马车兜风，看外国马戏，凡是好玩的地方，都陪她去。她不肯去，就说我们要玩。人总是重情面的，她决计不好意思推辞，也不好意思哭丧了脸扫大家的兴。到夜里我们分班陪着她住在一起，一面是看住她，一面是跟她谈天解闷。这样有半个月二十天下来，她的心境就不同了。到那时候再跟她提到张郎中，事情就容易成功！至于这些日子在外头玩儿的花费，我说句狂话，我还用得起，通通归我！”

“二阿姐！”阿金深深透口气，“七姑奶奶这样子的血性，话说到头了，我们只有依她。不过，也不好七姑奶奶一个人破费。”

“当然。”怡情老二向七姑奶奶说，“什么都依你，只有这上头，请你不要争，大家轮着做东。今天是我。我们走吧，邀她出来看‘杨猴子’。”

于是由怡情老二结了账，侍者将账单送了来，她在上面用笔画了一个只有她自己认得的花押。这原是西洋规矩，名为“签字”，表示承认有这笔账。本来要写名字，如果不识字的，随意涂一笔也可以，应到规矩就行了。

三个人都带着小大姐，挤上两辆“野鸡马车”，直放阿巧姐寓处。下车一看，便觉有异：大门开了一半，却无人应门。

七姑奶奶便提高了声音喊道：“阿祥、阿福！”

阿祥、阿福都不见，楼梯上匆匆奔下来一个人，晃荡着长辫子，满脸惊惶，是阿巧姐的丫头素香。

三个人面面相觑，都猜到了是怎么回事。七姑奶奶遇到这种情形，却很沉着，反安慰她说：“素香，你不要急！有话慢慢说。”

“奶奶不见了！”素香用带哭的声音说，“不晓得到哪里去了！”

叫她慢慢说，她说得还是没头没脑，七姑奶奶只好问道：“你怎么知道你奶奶不见了？她什么时候出的门？”

“老爷一走，没有多少时候，她叫我到香粉弄去买丝线，又差阿祥去叫米叫柴。等到我跟阿祥回来，她已经不知道什么时候出门了，连门上都不知道，再看后门，是半开在那里。一直到下半天三点钟都不见回来。我进房去一看，一只小首饰箱不见了，替换衣服也少了好些。这——这——”素香着急地，不知如何表达她的想法。

这不用说，自然是到老师太那里去了。七姑奶奶倒吸一口冷气，怔怔地望着同伴。怡情老二便问：“素香，你们老爷知道不知道？”

“不知道。”素香答说，“阿祥跟轿班去寻老爷去了。”

“你们老爷在钱庄里。”七姑奶奶说，“你看，轿班还有哪个在？赶快去通知，请你们老爷到这里来，我有要紧话说。”

就在这时候，胡雪岩已经赶到，同来的还有萧家骥。胡雪岩跟怡情老二熟识，与阿金却是初见，不过此时亦无暇细问，同时因为有生客在，要格外镇静，免得“家丑”外扬，所以只点点头，平静地问：“你们两位怎么也来了？”

“我们是碰上的。”七姑奶奶答说，“有话到里面去说。”

进入客厅，她方为胡雪岩引见阿金。话要说到紧要地方了，却不宜让素香与阿祥听到，所以她要求跟胡雪岩单独谈话。

“阿巧姐去的地方，我知道，在法华镇，一座尼姑庵里，事不宜迟，现在就要去寻她。我看，”七姑奶奶踌躇着说，“只好我跟阿金姐两个人去，你不宜跟她见面。”

胡雪岩大惑不解。“到底怎么回事？”他问，“何以你又知道她的行踪？那位阿金姐，又是怎么回事？”

“这时候没有办法细说。小爷叔，你只安排我们到法华好了。”

“法华一带都是安庆来的淮军。还不知道好走不好走呢！”

“不要紧！”萧家骥说，“我去一趟好了。”

“好极！你去最好。”七姑奶奶很高兴地说，因为萧家骥跟淮军将领很熟，此去必定有许多方便。

“七姐，我想我还是应该去。”胡雪岩说，“不见面不要紧，至少让她知道我不是不关心她。你看呢？”

“我是怕你们见了面吵起来，弄得局面很不好收场。既然小爷叔这么说，去了也不要紧。”

到得法华镇，已经黄昏。萧家骥去找淮军大将程家启部下的一个营官，姓朱，人很爽朗热心。他问明来意，请他们吃了一顿饭，然后命手下一个把总将地保老胡找了来，说知究竟。

“好的，好的！我来领路。”老胡说道，“请三位跟我来。”

于是他们迎着月色，往东而去。走不多远，折进一条巷子。巷底有处人家，一带粉墙，墙内花木繁盛，新月微光，影影绰绰，薰风过处，传来一阵浓郁的“夜来香”的香味。每个人都觉得精神一振，而一颗心却无缘无故地飘荡不定，有着一种说不出的怅惘的感觉。

这份感觉以萧家骥为尤甚，不由得便问：“这是什么地方？”

“这里？”地保答道，“就是白衣庵。晚上来，要走边门。”

边门是一道厚实的木板门，举手可及的上方，有个不为人所注意的扁圆形铁环。地保一伸手拉了两下，只听“哐啷、哐啷”的响声。不久，听得脚步声，然后门开一线，有人问道：“哪位？”

“小音，是我！”

“噢！”门内小音问道，“老胡，这辰光来做啥？”

“你有没有看见客人？”地保指着后面的人说，“你跟了尘师父去说，是我带来的人。”

门“呀”的一声开了。灯光照处，小音是个俗家打扮的垂发女郎。等客人都进了门，她将门关上，然后一言不发地往前走，穿过一条花径，越过两条走廊，到了一处禅房，看样子是待客之处。她停了下去，看着地保老胡。

老胡略有些踌躇。“总爷！”他哈腰问，“是不是我陪着你老在这里坐一坐？”

这何消说得？把总自然照办。于是老胡跟小音悄悄说了几句，然后示意胡雪岩跟着小音走。

穿过禅房，便是一个大院子，绕向西边的回廊，但见人影、花影一齐映在雪白的粉墙上，还有一头猫的影子，弓起了背，正在东面屋脊上“叫春”。萧家骥用手肘轻轻将胡雪岩撞了一下，同时口中在念：“曲径通幽处，禅房花木深！”

胡雪岩也看出这白衣庵大有蹊跷，但萧家骥的行径，近乎佻，不是礼佛之道，便咳嗽一声，示意他检点。

于是几人默默地随着小音进入另一座院落，一庭树木，三楹精舍，檀香花香，交杂飘送。萧家骥不由得失声赞道：“好雅致的地方！”

“请里面坐。”小音揭开门帘肃客，“我去请了尘师父来。”说完，她就管自己走了。

两个人进屋一看，屋中上首供着一座白瓷观音，东面是一排本色的桧木几椅，西面一张极大的木榻，上铺蜀锦棉垫。瓶花吐艳、炉香袅袅，配着一张古琴，布置得精雅非凡。但这一切，都不及悬在木榻上方的一张横披，更使得萧家骥注目。

“胡先生！”萧家骥显得有些兴奋，“你看！”

横披上是三首诗，胡雪岩总算念得断句：

闲叩禅关访素娥，醮坛药院覆松萝。
一庭桂子迎人落，满壁图书献佛多。
作赋我应惭宋玉，拈花卿合伴维摩。
尘心到此都消尽，细味前缘总是魔！

旧传奔月数嫦娥，今叩云房锁丝萝。
才调玄机应不让，风怀孙绰觉偏多。
谁参半分优婆塞？待悟三乘阿笈摩。
何日伊蒲同设馔，清凉世界遣诗魔。

群花榜上笑良多，梓里云房此日过。
君自怜才留好句，我曾击节听高歌，
清阴远托伽山竹，冶艳低牵茅屋萝。
点缀秋光篱下菊，尽将游思付禅魔。

胡雪岩在文墨这方面，还不及萧家骥，不知道宋玉、孙绰是何许人，也不知道玄机是指的唐朝女道士鱼玄机，佛经上的那些出典更是莫名其妙，但诗句中的语气不似对戒律森严的女僧，却是看得出来的。因而他愕然相问：“这是啥名堂？”

“你看着好了。”萧家骥轻声答道，“这位了尘师父，不是嘉兴人就是昆山人，不然就是震泽、盛泽人。”

昆山的尼姑有何异处，胡雪岩不知道，但嘉兴的尼庵是亲自领教过的。震泽和盛泽的风俗，他在吴江同里的时候，也听人说过，这两处地方，盛产丝绸，地方富庶，风俗奢靡。盛泽讲究在尼姑庵宴客，一桌素筵，比燕菜席还要贵。据说是用肥鸡与上好的火腿熬汁调味，所以鲜美绝伦。震泽尼姑庵的烹调，亦是有名的，荤素并行，不逊于无锡的船菜。当然，佳肴以外，还有可餐的秀色。

胡雪岩这样回忆着，再又从初见老胡，说夜访白衣庵“没有啥不便”想起，一直到眼前的情景，觉得无一处不是证实了萧家骥的看法，因而好奇大起，渴望着看一看了尘是什么样子。

萧家骥反显得比他沉着。“胡先生，”他说，“只怕弄错了！阿巧姐不会在这里。”

“何以见得？”

“这里，哪是祝发修行的地方？”

胡雪岩正待答话，一眼瞥见玻璃窗外，一盏白纱灯笼冉冉而来，便住口不言，同时起身等候。门帘启处，先见小音，次见了尘——若非预知，不会相信所见的是个出家人。

她当然也不是纯俗家打扮，不曾“三绺梳头，两截穿衣”，发长齐肩，穿的是一件圆领长袍。说它是僧袍固然可以，但僧袍不会用那种闪闪生光的玄色软缎来做，更不会窄腰小袖，裁剪得那么得体。

看到脸上，更不像出家人，虽未敷粉，却曾施朱。她的皮肤本来就白，亦无须敷粉。特别是那双眼睛，初看是剪水双瞳，再看才知别蕴春情。

是这样的人物，便不宜过于持重拘谨，胡雪岩笑嘻嘻地双掌合十，打个问讯：“可是了尘师太？”

“我是了尘。施主尊姓？”

“我姓胡。这位姓萧。”

于是了尘一一行礼，请“施主”落座，她自己盘腿坐在木榻上相陪，动问来意。

“原是来见当家老师太的，听地保老胡说，宝庵其实是由了尘师太当家。有点小事打听，请我这位萧老弟说吧！”

萧家骥点点头，不谈来意却先问道："听了尘师太的口音是震泽人？"

了尘脸上一红："是的。"

"这三首诗，"萧家骥向她上方一指，"好得很！"

"也是三位施主，一时雅兴，疯言疯语的，无奈他何！"说着，了尘微微笑了，"萧施主在震泽住过？"

"是的。住过一年多，那时还是小孩子，什么都不懂。"

"意思是现在都懂了？"

这样率直反问，有些咄咄逼人的意味。萧家骥自非弱者，不会艰于应付，从容自若地答道："也还不十分懂，改日再来领教。今天有件事，要请了尘师太务必帮个忙。"

"言重！请吩咐，只怕帮不了什么忙。"

"只要肯帮忙，只是一句话的事。"萧家骥问道，"白衣庵今天可有一位堂客，是来求当家老师太收容的？这位堂客是闹家务一时想不开，或许她跟当家师太说过，为她瞒一瞒行迹。倘或如此，她就害了白衣庵了！"

了尘颜色一变，是受惊的神气，望望这个，又望望那个，终于点点头说："有的。可就是这位胡施主的宝眷？"

果然在这里，两人一旦证实了全力所追求的消息，反倒不知所措。萧家骥与胡雪岩对望着，沉默着，交换的眼色中，提出了同样的疑问：阿巧姐投身在这白衣庵中，到底是为了什么？

若说为了修行，诚如萧家骥所说："这里，哪是祝发修行的地方？"倘使不是为了修行，那么非杨即墨，阿巧姐便是另一个了尘。这一层不先弄明白，不能有所决定；这一层若要弄明白，却又不知如何着手。

终于是胡雪岩作了一个决定。"了尘师太，我请这位萧老弟先跟敝眷见一面。不知道行不行？"

"有什么不行？这样最好。不过，我得先问一问她。"

由于了尘赞成萧家骥跟阿巧姐见面，因而可以猜想得到，所谓"问一问她"，其实是劝一劝她。反正只要了尘肯帮忙，一定能够见得着面，胡雪岩和萧家骥就都无话说，愿意静等。

等了尘一走，萧家骥问道：“胡先生，见了阿巧姐，我怎么说？”

“我只奇怪，”胡雪岩答非所问，“这里是怎样一处地方，莫非那个什么阿金一点都不晓得？”

“现在没有工夫去追究这个疑问。胡先生，你只说我见了阿巧姐该怎么样？”

“什么都不必说，只问问她，到底作何打算。问清楚了，回去跟你师娘商量。”

跟阿巧姐见面的地方，是当家老师太养静的那座院子。陈设比不上了尘的屋子，但亦比其他的尼姑庵来得精致。见得白衣庵相当富庶，如果不是有大笔不动产，可以按期坐收租息，便是有丰富的香金收入。

阿巧姐容颜憔悴，见了萧家骥眼圈都红了。招呼过后，萧家骥开门见山地问：“阿巧姐，你怎么想了想，跑到这地方来了？”

“我老早想来了。做人无味，修修来世。”

这是说，她的本意是要出家。萧家骥便问：“这里你以前来过没有？”

“没有。”

怕隔墙有耳，萧家骥话不能明说，想了一下，记起胡雪岩的疑问，随即问道：“阿金呢？她来过没有？”这意思是问，阿金如果来过，当然知道这里的情形，莫非不曾跟你说过？

阿巧姐摇摇头：“也没有。”

“那就难怪了！”

话只能说这一句，而阿巧姐似乎是了解的，幽幽地叹了口无声的气，仿佛也是有好些话无法畅所欲言似的。

“现在怎么样呢？”萧家骥问道，“你总有个打算。”

“我——”阿巧姐说，“我先住在这里。慢慢打算。”

“也好。”萧家骥说，“明天，我师娘会来看你。”

“不要！”阿巧姐断然决然地说，“请她不要来。”

这很奇怪！能见一个像自己这样渊源不深的男客，倒不愿见一向交好的七姑奶奶，而且语气决绝，其中必有缘故。

他的思路很快，想得既宽且深，所以在这些地方，格外谨慎，想了一下说：“阿巧姐，我晓得你跟我师娘，感情一向很好，你这话，我回去是不是照实说？”

“为什么不能照实说？”

“那么，我师娘问我：为啥她不要我去？我怎么答复她？”

问到这话，阿巧姐脸上出现了一种怨恨的表情。“我俗家的亲戚朋友都断了！”她说，“所以不要她来看我，来了我也不见。”

语气越发决绝，加上她那种脸色，竟似跟七姑奶奶有不解之仇。萧家骥大为惊骇，可是说话却更谨慎了。

“阿巧姐，”他旁敲侧击地探索真相，“我不也是俗家人吗？”

这一问算是捉住她话中一个无法辩解的漏洞。她脸上阴晴不定地好半天，终于有了答复：“萧少爷，说实话，我是怕你师娘。她手段厉害，我弄不过她。再说句实话，做人无味，教人灰心，也就是为了这一点，自以为是心换心的好朋友，哪知道两面三刀，帮着别人来算计我。真正心都凉透了！萧少爷，这话你一定奇怪，一定不相信。不过，你也要想想，我三十多岁的人，各种各样的世面也见识过，总还不至于连人好人坏都看不出，无缘无故冤枉你师娘。你师娘啊，真正是——”她摇摇头，不肯再说下去。

这番话，在萧家骥简直是震动了！他实在不明白，也不能接受她对七姑奶奶这样严酷的批评，愣了好一会儿才说：“阿巧姐到底为了啥？我实在想不通！请你说给我听听看。如果是师娘不对，我们做晚辈的，当然不敢说什么，不过肚子里的是非是有的。”

“如果，萧少爷，你肯当着菩萨起誓，什么话只摆在肚子里，我就说给你听。”

“你是说，你的话不能告诉我师父、师娘？”

“对了。”

“好！我起誓：如果阿巧姐对我说的话，我告诉了我师父师娘，叫我天打雷劈。”

阿巧姐点头表示满意，然后说道：“你师娘真叫‘又做师娘又做鬼’。”

用这句苛刻的批评开头，阿巧姐将七姑奶奶几次劝她的话“夹叙夹议”地从头细诉。照她的看法，完全是七姑奶奶有意要拆散她跟胡雪岩的姻缘，七姑奶奶劝她委屈，入门见礼正正式式做胡家的偏房，看似好意，其实是虚情，因为明知她决不愿这么做，就尽不妨这么说，好逼得不能不下堂求去。

对胡雪岩，七姑奶奶在她面前一再说他“滑头”“没常性，见一个爱一个”，听来是骂胡雪岩而其实是帮他。

“萧少爷你想，你这位师娘开口‘小爷叔’，闭口“小爷叔”，敬得他来像菩萨。就算他真的‘滑头’‘没常性’，又怎好去说他？”阿巧姐说到这里很激动了，“我先倒也当她生来爽直，真的是为我抱不平，所以有啥说啥。后来越想越不对，前前后后，想了又想，才晓得她的意思，无非说胡某人怎么样不是人，犯不着再跟他而已！”

听她对七姑奶奶的指责，实在不无道理。但越觉得她有道理，越觉得心里难过，因为萧家骥对他的这位师娘，有如幼弟之于长姐，既敬且爱。多少年来存在心目中的一个豪爽、正直、热心、慷慨的完美印象，此时似乎发现了裂痕，怎不叫人痛心？

因此，他竟没有一句话说。这一方面是为阿巧姐感到安慰，为七姑奶奶辩护不甚合适，另一方面也实在是沮丧得什么话都懒得说了。

一见萧家骥的脸色，胡雪岩吓一大跳，他倒像害了一场病似的。何以跟阿巧姐见了一次面，有这样的似乎受了极大刺激的神情？令人惊疑莫释，而又苦于不便深问，他只问得一句：“见过面了？”

“见过了。我们谢过了尘师太，告辞吧！”

了尘又变得很沉着了，她也不提阿巧姐，只殷勤地请胡雪岩与萧家骥再来“随喜”。尼姑庵中何以请男施主来随喜？这话听来便令人有异样之感，只是无暇去分辨她的言外之意。不过，胡雪岩对人情应酬上的过节，一向不会忽略，想到有件事该做，随即说了出来：“请问，缘簿在哪里？”

“不必客气了！”

胡雪岩已经发现，黄色封面的缘簿，就挂在墙壁上，便随手摘下，交给萧家骥说：“请你写一写，写一百两银子。”

“太多了！”了尘接口说道，“如果说是为了宝眷住在我们这里，要写这么多，那也用不着！出家人受十方供养，也供养十方，不必胡施主费心。”

“那是两回事。”萧家骥越出他的范围，代为回答，“各人尽各人的心意。”

接着，萧家骥便用现成的笔砚，写了缘簿，胡雪岩取一张一百两的银票，夹在缘簿中一起放在桌上，随即告辞出庵。

回营谢过朱管带，仍旧由原来护送的人送回上海。一路奔驰，无暇交谈，到了闹区，萧家骥才勒住马说道：“胡先生，到你府上去细谈。”

于是遣走了那名马弁，一起到胡雪岩与阿巧姐双栖之处。粉奁犹香，明镜如昨，但却别有一股凄凉的意味。胡雪岩换了一个地方，在他书房中闭门深谈。

听萧家骥转述了阿巧姐的愤慨之词，胡雪岩才知道他为何有那样的痛苦的神态。当然，在胡雪岩也很难过。自他认识七姑奶奶以来，从未听见有人对她有这样严苛的批评，如今为了自己，使她在阿巧姐口中落了个阴险小人的名声，想想实在对不起七姑奶奶。

“胡先生，”萧家骥将一路上不断在想的一句话，问了出来，“我师娘是不是真的像阿巧姐所说的那样，是有意要手段？”

“是的。”胡雪岩点点头，“这是她过于热心之故。阿巧姐的话，大致都对，只有一点她弄错了。你师娘这样做，实实在在是为她打算。”

接着胡雪岩便为七姑奶奶解释，她是真正替阿巧姐的终身打算，既然不愿做偏房，不如分手，择人而事。他虽不知道七姑奶奶有意为阿巧姐与张郎中撮合，但他相信，以七姑奶奶的热心待人，一定会替阿巧姐觅个妥当的归宿。

这番解释，萧家骥完全能够接受，甚至可以说，他所希望的，就是这样一番能为七姑奶奶洗刷恶名的解释。因此他神态顿时不同，轻快欣慰，仿佛卸下了肩上的重担似的。

"原说呢，我师娘怎么会做这种事？她如果听说阿巧姐是这样深的误会，不知道要气成什么样子？"

"对了！"胡雪岩矍然惊觉，"阿巧姐的话，绝对不能跟她说。"

"不说又怎么交代？"

于是两个人商量如何搪塞七姑奶奶。说没有找到，她会再托阿金去找；说是已经祝发，决不肯再回家，她一定亦不会死心，自己找到白衣庵去碰钉子。想来想去没有妥当的办法。

丢下这层不谈，萧家骥问道："胡先生，那么你对阿巧姐，究竟作何打算呢？"

这话也使得胡雪岩很难回答，心里转了好半天的念头，付之一叹："我只有挨骂了！"

"这是说，决定割舍？"

"不割舍又如何？"

"那就这样，索性置之不理。"萧家骥说，"心肠要硬就硬到底！"

"是我自己良心上的事。"胡雪岩说，"置之不理，似乎也不是办法。"

"怎么才是办法？"萧家骥说，"要阿巧姐心甘情愿地分手，是办不到的事。"

"不求她心甘情愿，只望她咽得下那口气。"胡雪岩作了决定，"我想这样子办——"

他的办法是一方面用缓兵之计，稳住七姑奶奶，只说阿巧姐由白衣庵的当家师太介绍，已远赴他乡，目前正派人追下去劝驾了，一方面要拜托怡情老二转托阿金：第一，帮着瞒谎，不能在七姑奶奶面前道破真相；第二，请她跟阿巧姐去见一面，转达一句话，不管阿巧姐要干什么，祝发也好，从良也好，乃至于步了尘的后尘也好，胡雪岩都不会干预，而且预备送她一大笔钱。

说完了他的打算，胡雪岩自己亦有如释重负之感，因为牵缠多日，终于有了快刀斩乱麻的处置。而在萧家骥，虽并不以为这是一个好办法，只是除此以外，别无善策，而况毕竟事不干己，要想使劲出力也用不上，只有点点头表示赞成。

“事不宜迟，你师娘还在等回音，该干什么干什么，今天晚上还要辛苦你。”

“胡先生的事就等于我师父的事，”萧家骥想了一下说，“我们先去看怡情老二。”

到了怡情老二那里，灯红酒绿，夜正未央。不过她是“本家”，另有自己的“小房子”。好在相去不远，“相帮”领着，片刻就到。入门之时，正听得客厅里的自鸣钟打十二下，怡情老二虽不曾睡，却已上楼回卧室了。

听得小大姐一报，她请客人上楼。端午将近的天气，相当闷热。她穿一件家常绸夹袄对客，袖管很大也很短，露出两弯雪白的膀子，一只手膀上戴一支金镯，一只手腕上戴一支翠镯，丰容盛鬋，一副福相。这使得萧家骥又生感触，相形之下，越觉得阿巧姐憔悴可怜。

由于胡、萧二人是初次光临，怡情老二少不得有一番周旋，倒茶摆果碟子，还要“开灯”请客人“躺一息”。主人殷勤，客人当然也要故作闲豫，先说些不相干的话，然后谈入正题。

萧家骥刚说得一句“阿巧姐果然在白衣庵”，小大姐端着托盘进房，于是小酌消夜，一面细谈此行经过。萧家骥话完，胡雪岩接着开口，拜托怡情老二从中斡旋。

一直静听不语的怡情老二，不即置答。事情太离奇了，她竟一时摸不清头绪，眨着眼想了好一会儿才摇摇头说："胡老爷，我看事情不是这么做法。这件事少不得七姑奶奶！"

接着，她谈到张郎中，认为七姑奶奶的做法是正办。至于阿巧姐有所误会，无论如何是解释得清楚的。为今之计，只有设法将阿巧姐劝了回来，化解误会，消除怨恨，归嫁张宅，这一切只要大家同心协力花功夫下去，一定可以有圆满的结局。

"阿金不必让她插手了，决绝的话，更不可以说。现在阿巧姐的心思想偏了，要耐心拿它慢慢扭过来。七姑奶奶脾气虽毛糙，倒是最肯体恤人、最肯顾大局，阿巧姐的误会，她肯原谅的，也肯委屈的。不过话可以跟她说明白，犯不着让她到白衣庵去碰钉子。我看，胡老爷——"

她有意不再说下去，是希望胡雪岩有所意会，自动作一个表示。而胡雪岩的心思很乱，不耐细想，率直问道："二阿姐，你要说啥？"

"我说，胡老爷，你委屈一点，明天再亲自到白衣庵去一趟，赔个笑脸，说两句好话，拿阿巧姐先劝了回来再说。"

这个要求，胡雪岩答应不下。三番两次，牵缠不清，以致搁下好多正事不能办，他心里实在也厌倦了。如今好不容易有了个快刀斩乱麻的措施，却又不能实行，反倒要跟阿巧姐去赔笑脸，说好话，不但有些于心不甘，也怕她以为自己回心转意，觉得少不得她，越发牵缠得紧，岂不是更招麻烦？

看他面有难色，怡情老二颇为着急。"胡老爷，"她说，"别样见识，我万万不及你们做官的老爷们，只有这件事上，我有把握。为啥呢？女人的心思，只有女人晓得。再说，阿巧姐跟我相处也不止一年，她的性情，我当然摸得透。胡老爷，我说的是好话，你不听会懊悔！"

胡雪岩本对怡情老二有些成见，觉得她未免有所袒护，再听她这番话，成见自然加深，所以一时并无表示，只作个沉吟的样子，当作不以为然的答复。

萧家骥旁观者清，一方面觉得怡情老二的话虽说得率直了些，而做法是高明的。另一方面又知道胡雪岩的心境，这时不便固劝，越劝越坏。好在阿巧姐的下落明了，在白衣庵多住些日子亦不要紧。为了避免造成僵局，只有照“事缓则圆”这句话去做。

“胡先生也有胡先生的难处，不过你的宗旨是对的！”他加重了语气，同时对怡情老二使个眼色，“慢慢来，迟早要拿事情办通的。”

“也好。请萧少爷劝劝胡老爷！”

“我知道，我知道。”萧家骥连声答应，“明天我给你回话。今天不早了，走吧！”

辞别出门，胡雪岩步履蹒跚，真有心力交瘁之感。萧家骥当然亦不便多说，只问一句：“胡先生，你今天歇在哪里？我送你去。”

“我到钱庄里去睡。”胡雪岩说道，“你今天还要不要去见你师娘？”

“今天就不必去了。这么晚！”

“好的。”胡雪岩沉吟了一会儿，皱眉摇头，显得不胜其烦似的，“等一两天再说吧！我真的脑筋都笨了，从来没有见过这种拉拉扯扯、弄不清爽的麻烦！”

“那么，”萧家骥低声下气地，倒像自己惹上了麻烦，向人求教那样，“明天见了我师娘，我应当怎么说？”

这一次胡雪岩答得非常爽脆：“只要不伤你师娘的心，怎么说都可以。”

回到钱庄，只为心里懊恼，胡雪岩在床上辗转反侧，直到市声渐起，方始蒙眬睡去。

正好梦方酣之时，突然被人推醒，睁开涩重的睡眼，只见萧家骥笑嘻嘻地站在床前。“胡先生，”他说，“宝眷都到了！”

胡雪岩睡意全消，一骨碌地翻身而起，一面掀被，一面问道：“在哪里？”

“先到我师娘那里，一翻皇历，恰好是宜于进屋的好日子，决定此刻就回新居。师娘着我来通知胡先生。”

于是胡家母子夫妇父女相聚，恍如隔世，全家大小，呜咽不止，还有七姑奶奶在一旁陪着掉泪。好不容易一个个止住了哭声，细叙别后光景，谈到悲痛之处，少不得又淌眼泪。就这样谈了哭、哭了谈，一直到第三天上，胡老太太与胡雪岩的情绪才算稳定下来。

这三天之中，最忙的自然是七姑奶奶。胡家初到上海，一切陌生，处处要她指点照料。但是只要稍微静了下来，她就会想到阿巧姐——中年弃妇，栖身尼寺，设身处地为她想一想，不知生趣何在。

因此，她不时会自惊：不要阿巧姐寻了短见了？这种不安，与日俱增，不能不找刘不才去商量了。

“不要紧！”刘不才答说，“我跟萧家骥去一趟，看情形再说。”

于是刘不才找到萧家骥。萧家骥轻车熟路，到了白衣庵，一叩禅关，来应门的仍旧是小音。

“喔，萧施主，”小音还认得他，“阿巧姐到了宁波去了！”

这个消息太突兀了。“她到宁波去做什么？”萧家骥问。

“我师父会告诉你。”小音答说，“我师父说过，萧施主一定还会来，果然不错。请进，请进。”

于是两人被延入萧家骥上次到过的那座精舍中。坐不到一盏茶的工夫，了尘飘然出现，刘不才眼睛一亮，不由得含笑起立。

“了尘师太，”萧家骥为刘不才介绍，“这位姓刘，是胡家的长亲。”

“喔，请坐！”了尘开门见山地说，“两位想必是来劝阿巧姐回去的。”

“是的。听小师太说，她到宁波去了？可有这话？”

“前天走的。去觅归宿去了。”

萧家骥大为惊喜。“了尘师太，”他问，“关于阿巧姐的身世，想来完全知道？”

“不错！就因为知道了她的身世，我才劝她到宁波去的。”

“原来是了尘师太的法力无边，劝得她回了头！”刘不才合十在胸，闭着眼喃喃说道，“大功德，大功德！”

模样有点滑稽，了尘不由得抿嘴一笑，对刘不才仿佛很感兴味似的。

“的确是一场大功德！”萧家骥问道，“了尘师太开示她的话，能不能告诉我们听听？”

“无非拿‘因缘’二字来打动她。我劝她，跟胡施主的缘分尽了，不必强求。当初种那个因，如今结这个果，是一定的。至于张郎中那面，种了新因，依旧会结果，此生不结，来世再结。尘世轮回，就是这样一番不断的因果，倒不如今世了掉这番因缘，来世没有宿业，就不会受苦，才是大彻大悟的大智慧人。”了尘接着又说，“在我养静的地方，对榻而谈，整整劝了她三天，毕竟把她劝醒了！”

“了不起！了不起！苦海无边，回头是岸！”刘不才说，“不是大智慧人遇着大智慧人，不会有这场圆满的功德。”

“刘施主倒真是辩才无碍。”了尘微笑着说，眼睛一瞟，低头无缘无故地微微笑着。

“了尘师太太夸奖我了。不过，佛经我亦稍稍涉猎过，几时得求了尘师太好好开示。”

“刘施主果真向善心虔，随时请过来。”

“一定要来，一定要来！”刘不才张目四顾，不胜欣赏地，“这样的洞天福地，得与师太对榻参禅，这份清福真不知几时修到。”

了尘仍是报以矜持的微笑，萧家骥怕刘不才还要啰唆，赶紧抢着开口：“请问了尘师父，阿巧姐去了还回不回来？”

“不回来了！”

“那么她的行李呢？也都带到了宁波？”

“不，她一个人先去。张郎中随后会派人来取。”

“张郎中派的人来了，能不能请了尘师太带句话给他，务必到阜康钱庄来一趟。”

“不必了！”了尘答说，“一了百了，请萧施主回去，也转告胡施主，缘分已尽，不必再自寻烦恼了。”

“善哉！善哉！”刘不才高声念道，“欲除烦恼须无我，各有因缘莫羡人！”

见此光景，萧家骥心里不免来气，刘不才简直是在开搅。一赌气之下，别的话也不问了，他起身说道：“多谢了尘师父，我们告辞了。”

刘不才犹有恋恋不舍之意，萧家骥不由分说，拉了他就走。

一回到家，细说经过，古应春夫妇喜出望外，不过七姑奶奶犹有怏怏不乐之意。“你还应该问详细点！”她略有怨言。

这一下正好触动萧家骥的怨气。“师娘，”他指着刘不才说，“刘三爷跟了尘眉来眼去吊膀子，哪里有我开口的份？”接着将刘不才的语言动作，描画了一遍。

古应春夫妇大笑，七姑奶奶更是连眼泪都笑了出来。刘不才等他们笑停了说：“现在该我说话了吧？”

“说，说！”七姑奶奶笑着答应，“刘三叔，你说。”

“家骥沉不住气，这有啥好急的？明天我要跟了尘去‘参禅’，有多少话不好问她？”

“对啊！刘三叔，请你问问她，越详细越好。”

古应春当时不曾开口，过后对刘不才说：“你的话不错，‘欲除烦恼须无我，各有因缘莫羡人’。小爷叔跟阿巧姐这段孽缘，能够有这样一个结果，真正好极！不必再多事了。刘三叔，我还劝你一句，不要去参什么禅！”

“我原是说说好玩的。”

第六章

左宗棠从安徽进入浙江，也是稳扎稳打，先求不败，所以第一步肃清衢州，作为他浙江巡抚在本省境内发号施令之地。这是同治元年六月初的事。

在衢州定了脚跟，左宗棠进一步规取龙游、兰溪、寿昌、淳安等地，将新安江以南、信安江以西地区的长毛都撵走了。然后在十一月下旬，攻克了新安、信安两江交汇的严州。由此越过山高水长的严子陵钓台，沿七里泷溯江北上，第二年二月间进围杭州南面的富阳，距省城不足百里了。

钱塘江南面，洋将德克碑的常捷军、丢乐德克的常安军在不久以前攻克绍兴。接着，太平军又退出萧山，整个浙江的东西南三面都已肃清。然而膏腴之地的浙西，也就是杭州以北、太湖以南，包括海宁、嘉兴、湖州在内的这一片沃土，仍旧在太平军手里。

这时，左宗棠升任闽浙总督。浙江巡抚由曾国荃补授，但他人在金陵城外，无法接事，仍由左宗棠兼署。为了报答朝廷，左宗棠全力反攻。谁都看得出来，杭州克复是迟早间事。

那时攻富阳、窥杭州的主将是浙江藩司蒋益澧，左宗棠本人仍旧驻节衢州，设厂督造战船。富阳之战，颇得舟师之力，但太平军在富阳的守将，是有名骁勇的汪海洋，因而相持五月，蒋益澧仍无进展。左宗棠迫不得已，只好借重洋将，札调常捷军二千五百人，由德克碑率领，自萧绍渡江，会攻富阳，八月初八终于克复。其时也正是李鸿章、刘铭传、郭松林合力攻克江阴，李秀成与李世贤自天京经溧阳到苏州，想方设法解围的时候。

浙江方面，蒋益澧与德克碑由富阳北上，进窥杭州，同时分兵攻杭州西面的余杭。太平军由“朝将”汪海洋、“归王”邓光明、“听王”陈炳文连番抵御，却是杀一阵败一阵。到十一月初，左宗棠亲临余杭督师，但杭州却仍在太平军苦守之中。

其时李鸿章已下苏州、无锡。按照他预定的步骤，不愿往东去占唾手可得的常州，免得“挤”了曾国荃，却往浙北去“挤”左宗棠。李鸿章一面派翰林院侍讲而奏调到营的刘秉璋，由金山卫沿海而下，收复了浙北的平湖、乍浦、海盐，一面派程学启由吴江经平望，南攻嘉兴。收复了浙西各地，当然可以接收太平军的辎重，征粮收税。李鸿章仿照当年湖北巡抚胡林翼收复安徽边境的先例，以为左宗棠远在杭州以南，道路隔阻，鞭长莫及，自己应该权宜代行职权，派员署理浙西收复各县的州县官。

这一下气得左宗棠暴跳如雷。李鸿章不但占地盘，而且江苏巡抚这个官做到浙江来了，未免欺人太甚！但左宗棠一时无奈其何，只好先全力收复了杭州再说。

于是，胡雪岩开始计划重回杭州，由刘不才打先锋。此去是要收服一个张秀才，化敌为友，做个内应。

这个张秀才本是“破靴党”，自以为衣冠中人，可以走动官府，平日包揽讼事，说合是非，欺软怕硬，十分无赖。王有龄当杭州知府时，深恶其人，久已想行文学官，革他的功名，只是一时不得其便，隐忍在心。

这张秀才与各衙门的差役都有勾结。杭州各衙门的差役，有一项陋规收入，凡是有人开设商铺，照例要向该管地方衙门的差役缴纳规费，看店铺大小，定数目高下，缴清规费，方得开张，其名叫作“吃盐水”。王有龄锐于任事，贴出告示，永远禁止，钱塘、仁和两县的差役心存顾忌，一时敛迹，而巡抚、藩司两衙门，自觉靠山很硬，不买知府的账，照收不误。不过他们自己不便出面，指使张秀才去“吃盐水”，讲明三七分账。

谁知运气不好，张秀才正在盐桥大街向一家刚要开张的估衣店讲斤头讲不下来的时候，遇到王有龄坐轿路过，发现其事，停轿询问。估衣店的老板照实陈述，王有龄大怒，决定拿张秀才“开刀”，立个榜样。

当时传张秀才到轿前，先申斥了一顿，疾言厉色警告，一定要革他的功名。这一下张秀才慌了手脚，一革秀才，便成白丁，不但见了地方官要磕头，而且可以拖翻在地打屁股，锁在衙门照墙边“枷号示众”。

张秀才想来想去只有去托王有龄言听计从的胡雪岩，带了老婆儿女到阜康钱庄，见了胡雪岩便跪倒在地，苦苦哀求。胡雪岩一时大意，只当小事一件，王有龄必肯依从，因而满口答应，包他无事。

哪知王有龄执意不从，说这件事与他的威信有关。他新兼署了督粮道，又奉命办理团练，筹兵筹饷，号令极其重要，倘或这件为民除害的陋习不革，号令不行，何以服众?

说之再三，王有龄算是让了一步。本来预备革掉张秀才的功名，打他两百小板子，枷号三月，现在看胡雪岩的分上，免掉他的皮肉受苦，出乖露丑，秀才却非革不可。

说实在的，胡雪岩已经帮了他的大忙，而他只当胡雪岩不肯尽力，搪塞敷衍，从此怀恨在心，处处为难。到现在还不肯放过胡雪岩。

幸好一物降一物，“恶人自有恶人磨”，张秀才什么人不怕，除了官就只怕他儿子。小张是个纨绔，嫖赌吃喝，一应俱全。张秀才弄来的几个造孽钱，都供养了宝贝儿子。刘不才也是纨绔出身，论资格比小张深得多，所以胡雪岩想了一套办法，用刘不才从小张身上下手。收服了小张，不怕张秀才不就范。

到杭州的第二天，刘不才就进城去访小张。杭州的市面还萧条得很，十室九空，只有上城清和坊、中城荐桥和下城盐桥大街比较像个样子。但是店家未到黄昏，就都上了排门，入夜一片沉寂，除掉巡逻的长毛，几乎看不见一个百姓。

但是，有几条巷子里，却是别有天地。其中有一条在荐桥，因为中城的善后局设在这里。一班地痞流氓，在张秀才指使之下，假维持地方供应长毛为名，派捐征税，俨然官府。日常聚会之处，少不得有烟有赌有土娼。刘不才心里在想，小张既是那样一个角色，当然倚仗他老子的势力在这种场合中当“大少爷”，这便一定可以找到机会跟他接近。

去的时候是天刚断黑，只见门口两盏大灯笼，一群挺胸凸肚的闲汉在大声说笑。刘不才踱了过去朝里一望，大门洞开，直到二厅，院子里是各种卖零食的担子，厅上灯火闪耀照出黑压压的一群人，一望而知是个赌局。

是公开的赌局，就谁都可以进去。刘不才提脚跨上门槛，有个人喝一声：“喂！”

刘不才站住脚，赔个不亢不卑的笑。“老兄叫我？”他问。

“你来做啥？”

“我来看小张。”

“小张！哪个小张？”

“张秀才的大少爷。”刘不才不慌不忙地答道，“我跟他是老朋友。”

这下还真冒充得对了。因为张秀才得势的缘故，他儿子大为神气，除非老朋友，没有人敢叫他小张。那个人听他言语合拢，挥挥手放他进门。

进门到二厅，两桌赌摆在那里，一桌牌九一桌宝。牌九大概是霉庄，所以场面比那桌宝热闹得多。刘不才知道赌场中最犯忌在人丛中乱钻，只悄悄站在人背后，踮起脚看。

推庄的是个中年汉子，满脸横肉，油光闪亮，身上穿一件缎面大毛袍子，袖口又宽又大，显然的这件贵重衣服不是他本人所有。人多大概又输得急了，但见他解开大襟衣纽，一大块毛茸茸的白狐皮翻了开来，斜挂在胸前，还不住喊热，扭回头去向身后的人瞪眼，是怪他们不该围得这么密不通风，害他热得透不过气来的神情。

“吴大炮！”上门一个少年说，“我看你可以歇歇了。宁与爷争，莫与牌争！”

输了钱的人，最听不得这种话，然而那吴大炮似乎敢怒而不敢言，紧闭着嘴，将两个腮帮子鼓得老高，那副生闷气的神情，叫人好笑。

“好话不听，没有法子。”那少年问庄家，“你说推长庄，总也有个歇手的时候，莫非一个人推到天亮？”

“是不是你要推庄？”吴大炮有些沉不住气了，从身上摸出一沓银票，“这里二百两只多不少，输光了拉倒。”

“银票！”少年顾左右而言，“这个时候用银票？哪家钱庄开门，好去兑银子？”

“一大半是阜康的票子。”吴大炮说，“阜康上海有分号，为啥不好兑？”

“你倒蛮相信阜康的！不过要问问大家相信不相信。”少年扬脸回顾，“怎么说？”

“银票不用，原是说明了的。”有人这样说，“不管阜康啥康，统统一样。要赌就是现银子。”

“听见没有？”少年对吴大炮说，“你现银子只有二三十两了，我在上门打一记，赢了你再推下去，输了让位。好不好？”

吴大炮想了一下，咬一咬牙说：“好！”

开门掷骰，是个“五在首”，吴大炮抓起牌来就往桌上一翻，是个天杠，顿时面有得色。那少年却慢条斯理地先翻一张，是张三六，另外一张牌还在摸。吴大炮却沉不住气了，哗啦一声，将所有的牌都翻了开来，一面检视，一面说：“小牌九没有‘天九王’，你拿了天牌也没用。”

刘不才在牌上的眼光最锐利，一目了然，失声说道：“上门赢了，是张红九。”

那少年看了他一眼，拿手一摸，喜孜孜地说：“真叫得着！”

翻开来看，果然是张红九，凑成一对。吴大炮气得连银子带牌往前一推，起身就走。

“吴大炮。”那少年喊道，“我推庄，你怎么走了？”

“没有钱赌什么？”

“你的银票不是钱？别家的我不要，阜康的票子，我不怕胡雪岩少！拿来，我换给你。”

吴大炮听得这一说，却不过意似的，在原位上坐了下来。等那少年洗牌时，便有人问道：“小张大爷，你推大的还是推小的？”

这小张大爷的称呼很特别，刘不才却是一喜，原来他就是张秀才的“宝贝儿子”——市井中畏惧张秀才，都称他张大爷，如今小张必是子以父贵，所以被称为小张大爷。这样想着，他便整顿全神，专注在小张身上。

小张倒不愧纨绔，做庄家从容得很，砌好牌才回答那个人的问话：“大牌九‘和气’的时候多，经玩些。”

于是他文文静静地赌大牌九。刘不才要找机会搭讪，便也下注，但志不在赌，输赢不大，所以只是就近押在上门。

这个庄推得很久，赌下风的去了来，来了去，长江后浪推前浪似的，将刘不才从后面推到前面，由站着变为坐下。这一来，他越发只守着本门下注了。

慢慢地，小张的庄变成霉庄，吴大炮扬眉吐气，大翻其本——下门一直是“活门”，到后来打成“一条边”，唯一的例外，是刘不才的那一注，十两银子孤零零摆在上门，格外显眼。

这有点独唱反调的意味，下风都颇讨厌，而庄家却有亲切之感，小张深深看了他一眼，眼中不自觉地流露出感动的神色。

刘不才心里在说：有点意思了！但却更为沉着，静观不语。

“上门那一注归下门看！”吴大炮吼着。

“对不起！”小张答道，“讲明在先的，大家不动注码。”

吴大炮无奈，只好跟刘不才打交道：“喂！喂！上门这位老兄的注码，自己摆过来好不好？赔了我再贴你一半，十两赢十五两。”

刘不才冷冷问道：“输了呢？”

“呸！”吴大炮狠狠向地下吐了口唾沫，“活见鬼。”

刘不才不作声，小张却为他不平。“吴大炮！”他沉下脸来说，“赌有赌品，你赌不起不要来，人家高兴赌人家的上门，关你鸟事！你这样子算啥一出？”

“好了，好了！”有人打岔解劝，“都离手！庄家要下骰子了。”

骰子一下，吴大炮一把抓住，放在他那毛茸茸的手中，眯着眼掀了几掀，很快地分成两副，一前一后摆得整整齐齐。有人想看一下，手刚伸到牌上，“吧嗒”一声，挨了吴大炮一下。不问可知是副好牌，翻开来一比，天门最大，其次下门，再次庄家，上门最小。照牌路来说，下门真是“活门”。

赔完了下门，庄家才吃刘不才的十两银子，有些不胜歉疚地说：“我倒情愿赔你。”

“是啊！”刘不才平静地答道，“我也还望着‘三十年风水轮流转’，上门会转运。现在——”他踌躇了一会儿，摸出金表来，解下表坠子问道，“拿这个当押头，借五十两银子，可以不可以？”

这表坠子是一块碧绿的翡翠，琢成古钱的式样，市价起码值二百两银子，但小张却不是因为它值钱才肯借。

“有啥不可以？我借五十两银子给你，要啥押头？”

“不！庄家手气有关系。”刘不才固执地，“如果不要押头，我就不必借了。”

其实他身上有小张所信任的阜康的银票，有意如此做作，是要铺个进身之阶。等小张歇手，他五十两银子也输得差不多了，站起身来请教住处，说第二天拿银子来赎。

“你贵姓？”小张问。

“敝姓刘。”

"那我就叫你老刘。"小张说，"我倒喜欢你这个朋友，东西你拿回去，好在总有见面的时候，你随便哪一天带钱来还我就是。"说着又将那块翡翠递了过来。

"你这样子说，我更不好收了。府上在哪里？我明天取了银子来赎。"

"说什么赎不赎？"小张有些踌躇。他一年三百六十五天，倒有三百天不在家，姓刘的"上门不见土地"，有何用处？如果为了等他，特意回家，却又怕自己把握不住自己的行踪。

刘不才很机警，虽不知他心里怎么在想，反正他不愿客人上门的意思，却很明显。自己有意将表坠子留在他那里，原是要安排个单独相处的机会，这不必一定到他家，还有更好的地方。

"小张大爷，"他想定了就说，"你如果不嫌弃，我们明天约个地方见面，好不好？"

"好啊！你说。"

"花牌楼的阿狗嫂，你总知道？"

小张怎么不知道？阿狗嫂是有名的一个老鸨，主持一家极大的"私门头"，凡是富春江上"江山船"中投怀送抱的船娘，一上了岸都以阿狗嫂为居停。小张跟她，亦很相熟，只是杭州被围，花事阑珊，乱后却还不曾见过。

因而小张又惊又喜地问："阿狗嫂倒不曾饿杀！"

"她那里又热闹了。不过我住在她后面，很清静。"

"好！明天下午我一定来。"

刘不才的住处是阿狗嫂特地替他预备的，就在后面，单成院落，有一道腰门，闩上了便与前面隔绝，另有出入的门户。

"张兄，"刘不才改了称呼，"阜康的票子你要不要？"

"喔，我倒忘记了。"小张从身上掏出一个棉纸小包，递了过去，"东西在这里，你看一看！"

“不必看。”刘不才交了五十两一张庄票，银货两讫以后，拉开橱门说道，“张兄，我有几样小意思送你。我们交个朋友。”

那些“小意思”长短大小不一，长的是一支“司的克”[①]，小的是一只金表，大的是一盒吕宋烟，还有短不及五寸、方楞折角的一包东西，就看不出来了——样子像书，小张却不相信他会送自己一部书。而且给好赌的人送书，也嫌“触霉头”。

“你看这支‘司的克’，防身的好东西。”刘不才举起来喝一声，“当心！”接着便当头砸了下来。

小张当然拿手一格，捏住了尾端。也不知刘不才怎么一下，那支“司的克”分成两截，握在刘不才手里的，是一支雪亮的短剑。

“怎么搞的？”小张大感兴趣，“我看看，我看看。”

看那短剑，形制与中国的剑完全不同，三角形，尖端如针，剑身三面血槽，确是可以致人于死的利器。

“你看，这中间有机关。”

原来“司的克”中间有榫头，做得严丝合缝，极其精细，遇到有人袭击，拿“司的克”砸过去，对方不抓不过挨一下打，若是想夺它就上当了，正好借势一扭，抽出短剑刺过去，出其不意，必定得手。

了解了妙用，小张越发喜爱。防身固然得力，无事拿来献献宝，夸耀于人，更是一乐，所以他笑得嘴都合不拢了。

“这里是几本洋书。”

果然是书！这就送得不对路了，小张拱拱手道：“老刘！好朋友说实话，中国书我都不大看得懂，洋书更加‘赵大人看榜’，莫名其妙。”

“你看得懂的。”刘不才将书交到他手里，“带回去一个人慢慢看。”

这句话中，奥妙无穷，小张就非当时拆开来看不可了。他打开来一翻，顿觉血脉贲张——是一部“洋春宫”。

---

① 手杖。英语手杖的音译。

这一下他就目不旁视了。刘不才悄悄端了张椅子扶他坐下，自己远远坐在一边冷眼旁观，看他眼珠凸出，不断咽口水的穷形极相，心里越发泰然。

好不容易，小张才看完。“过瘾！”他略带些窘地笑道，“老刘，你哪里觅来的？”

“自然是上海夷场上。”

“去过上海的也很多，从没有看着他们带过这些东西回来。”小张不胜钦服地说，“老刘，你真有办法！”

“我也没办法。这些东西，我也不知道哪里去觅，是一个亲戚那里顺手牵来的。这话回头再说，你先看看这两样东西。”

这就是一大一小两个盒子，小张倒都仔细看了。他一面看，一面想，凭空受人家这份礼，实在不好意思，不受呢，那支“司的克”和那部“洋书”真有些舍不得放手。

想了半天，委决不下，他只有说老实话：“老刘，我们初交，你这样够朋友，我也不晓得怎么说才好。不过，我真的不大好意思。”

“这你就见外了。老弟台，朋友不是交一天，要这样分彼此，以后我就不敢高攀了。”

“我不分，我不分。”小张极力辩白，“不过，你总也要让我尽点心意才好。”

看样子是收服了，那就不必多费工夫，打铁趁热。“我也说老实话，这些东西，不是我的，是我一个亲戚托我带来的。”刘不才接着又说，“你家老太爷，对我这个亲戚有点误会。不但误会，简直有点冤枉。”

“喔，”小张问道，“令亲是哪一个？”

“阜康钱庄的胡雪岩。”

小张失声说道：“是他啊！”

“是他。怎么说你家老太爷对他的误会是冤枉的呢？话不说不明，我倒晓得一点。”

小张很注意地在等他说下去，而刘不才却迟疑着不大愿意开口的样子，这就令人奇怪了。“老刘！”小张问道，“你不是说晓得其中的内情吗？”

“是的，我完全晓得。王抚台由湖州府调杭州府的时候，我是从湖州跟了他来的，在他衙门里办庶务，所以十分清楚。不过，这件事谈起来若论是非，你家老太爷也是我长辈，我不便说他。”

“那有什么关系？自己人讲讲不要紧。我们家‘老的’名气大得很，不晓得多少人说过他，我也听得多了，又何在乎你批评他？”

“我倒不是批评他老人家，是怪他太大意、太心急了。‘新官上任三把火’，该当避他一避，偏偏‘吃盐水’让他撞见。告示就贴在那里，糨糊都还没有干，就有人拿他的话不当话，好比一巴掌打在他脸上——人家到底是杭州一府之首，管着好几县上百万的老百姓，这一来他那个印把子怎么捏得牢？老弟，‘前半夜想想人家，后半夜想想自己’。换了你是王抚台，要不要光火？”

小张默默。倒不仅因为刘不才的话说得透彻，主要的还是因为有交情在那里，就什么话都容易听得进去了。

“不错，雪岩当时没有能保得住你家老太爷的秀才。不过，外头只知其一，不知其二。王抚台动公事给学里老师，革掉了秀才还要办人出气。这个上头，雪岩一定不答应，先软后硬，王抚台才算勉强卖了个面子。”

“喔，”小张乱眨着眼说，“这我倒不晓。怎么叫‘先软后硬’？”

“软是下跪，硬是吵架。雪岩为了你家老太爷，要跟王抚台绝交，以后倒反说他不够朋友不帮忙，你说冤枉不冤枉？”

“照你这么说，倒真的是冤枉了他？”小张紧接着说，“那么，他又为啥要送我这些东西？好人好到这样子，也就出奇了。”

“一点不奇。他自然有事要拜托你。”

“可以！”小张慨然答道，“胡老板我不熟，不过你够朋友。只要我做得到，你说了我一定帮忙。”

“说起来，不是我捧自己亲戚，胡雪岩实在是够朋友的，你家老太爷对他虽有误会，他倒替你家老太爷伸好后脚，留好余地在那里了。”

这两句话没头没脑，小张不明所以，但话是好话，却总听得出来。“这倒要谢谢他了。”他问，“不知道伸好一只什么后脚？”

“我先给你看样东西。”

刘不才从床底下拖出皮箱来，开了锁，取出一本“护书”，抽出一通公文，送到小张手里。

小张肚子里的墨水有限，不过江苏巡抚部堂的紫泥大印，是看得懂的，他父亲的名字也是认识的，此外由于公文套子转来转去，一时就弄不明白是说些什么了。

“这件公事，千万不能说出去。一说出去，让长毛知道了不得了。”刘不才故作郑重地嘱咐，然后换了副轻快的神情说，“你带回去，请老太爷秘密收藏，有一天官军克复杭州，拿出公文来看，不但没有助逆反叛之罪，还有维持地方之功。你说，胡雪岩帮你家老太爷这个忙，帮得大不大？”

这一说，小张方始有点明白，不解的是：“那么眼前呢？眼前做点啥？”

“眼前，当然该做啥就做啥。不是维持地方吗？照常维持好了。”

“喔，喔！”小张终于恍然大悟，“这就是脚踏两头船。”

“对！脚踏两头船。不过，现在所踏的这只船，迟早要翻身的，还是那只船要紧。”

“我懂。我懂。”

“你们老太爷呢？”

“我去跟他说，他一定很高兴。”小张答说，“明天就有回话。时候不早，我也要去了。”

第二天一早，小张上门，邀刘不才到家。张秀才早就煮酒在等了。

为了套交情，刘不才不但口称“老伯”，而且行了大礼，将张秀才喜得有些受宠若惊的模样。

“不敢当，不敢当！刘三哥，”他指着小张说，“我这个畜生从来不交正经朋友，想不到交上了你刘三哥，真正我家门之幸。”

“老伯说得我不曾吃酒，脸就要红了。”

“对了，吃酒，吃酒！朋友交情，吃酒越吃越厚，赌钱越赌越薄。”他又骂儿子，“这个畜生，就是喜欢赌，我到赌场里去，十次倒有九次遇见他。”

“你也不要说人家。”小张反唇相稽，“你去十次，九次遇见我，总还比你少一次！”

“你看看，你看看！”张秀才气得两撇黄胡子乱动，“这个畜生说的话，强词夺理。”

刘不才看他们父不父、子不子的，实在好笑。“老伯膝下，大概就是我这位老弟一个。”他说，“从小宠惯了！”

“都是他娘宠的。家门不幸，叫你刘三哥见笑。”

“说哪里话！我倒看我这位老弟，着实能干、漂亮。绝好的外场人物。”

一句话说到张秀才得意的地方，敛容答道：“刘三哥，玉不琢，不成器，我这个畜生，鬼聪明是有的，不过要好好跟人去磨练。回头我们细谈，先吃酒。”

于是宾主三人，围炉小饮，少不得先有些不着边际的闲话。

谈到差不多，张秀才向他儿子努一努嘴，小张便起身出堂屋，四面看了一下，大声吩咐他家的男仆：“贵生，你去告诉门上，老爷今天身子不舒服，不见客。问到我，说不在家。如果有公事，下午到局子里去说。”

这便是摒绝闲杂，倾心谈秘密的先声，刘不才心里就有了预备，只待张秀才发话。

“刘三哥，你跟雪岩至亲？”

话是泛泛之词，称呼却颇具意味。不叫“胡道台”而直呼其号，这就是表示：一则很熟，二则是平起平坐的朋友。刘不才再往深处细想一想，这张秀才仿佛在暗示：他不念前嫌，有紧要话，尽说不妨。

如果自己猜得不错，那就是好征兆，不过知人知面不知心，又想起胡雪岩的叮嘱“逢人只说三分话”，所以刘不才很谨慎地答道：“是的，我们是亲戚。”

“怎么称呼？”

“雪岩算是比我晚一辈。”

“啊呀呀，你是雪岩的长亲，我该称你老世叔才是。”张秀才说，“你又跟小儿叙朋友，这样算起来，辈分排不清楚了。刘三哥，我们大家平叙最好！”

“不敢！不敢！我叫张大爷吧。”刘不才不愿在礼节上头多费工夫，急转直下地说，“雪岩也跟我提过，说有张大爷这么一位患难之交，嘱咐我这趟回杭州，一定要来看看张大爷，替他说声好。”

“说患难之交，倒是一点不错。当初雪岩不曾得发的时候，我们在茶店里是每天见面的。后来他有跟王抚台这番遇合，平步青云，眼孔就高了。一班穷朋友不大在他眼里，我们也高攀不上。患难之交，变成了‘点头朋友’。”

这是一番牢骚，刘不才静静听他发完，自然要作解释：“雪岩后来忙了，礼节疏漏的地方难免。不过说到待朋友，我不是回护亲戚，雪岩无论如何，‘不伤道’这三个字，总还做到了的。”

“是啊！他外场是漂亮的。”张秀才说，“承蒙他不弃，时世又是这个样子，过去有啥难过，也该一笔勾销，大家重新做个朋友。”

“是！”刘不才答说，“雪岩也是这个意思。说来说去，大家都是本乡本土的人，叶落归根，将来总要在一起。雪岩现在就是处处在留相见的余地。”

这番话说得很动听，是劝张秀才留个相见的余地，却一点不着痕迹，使得内心原为帮长毛做事而惶惑不安的张秀才，越发觉得该跟胡雪岩“重新做个朋友”了。

“我也是这么想，年纪也都差不多了，时世又是如此。说真的，现在大家都是再世做人，想想过去，看看将来，不能再糊涂了。我有几句话！”张秀才毅然说了出来，“要跟刘三哥请教。”

听这一说，刘不才将自己的椅子拉一拉，凑近了张秀才，两眼紧紧望着，是极其郑重、也极其诚恳的倾听之态。

“明人不说暗话，雪岩的靠山是王抚台，如今已不在人世。另外一座靠山是何制军，但听说他‘泥菩萨过江，自身难保’。既然这样子，我倒要请教刘三哥，雪岩还凭啥来混？”

这话问在要害上，刘不才不敢随便，心里第一个念头是：宁慢勿错。所以他一面点头，一面细想。如果随意编上一段关系，说胡雪岩跟京里某大佬如何如何，跟某省督抚又如何如何，谎话也可以编得很圆，无奈张秀才决不会相信，所以这是个很笨的法子。

刘不才认为话说得超脱些，反而动听，因而这样答道：“靠山都是假的，本事跟朋友才是真的。有本事、有朋友，自然寻得着靠山。”他又补上一句，“张大爷，我这两句话说得很狂。你老不要见气。”

“好！”张秀才倒是颇为倾心，“刘三哥，听你这两句话，也是好角色！”

“不敢，我乱说。”

“刘三哥，我再请教你，”张秀才将声音放得极低，“你看大局怎么样？”

这话就不好轻易回答了，刘不才拿眼看一看小张——小张会意，重重点头，表示但说不妨。

“我从前也跟张大爷一样，人好像闷在坛子里，黑漆一团，这趟在上海住了几天，夷场上五方杂处，消息灵通。稍为听到些，大家都在说‘这个’不长的！”

一面说，一面做了个手势，指一指头发，意示“这个”是指长毛。张秀才听罢不响，拿起水烟袋，“噗噜噜、噗噜噜”抽了好一会儿方始开口。

“你倒说说看，为啥不长？”

“这不是三言两语说得尽的——”

刘不才的口才很好，何况官军又实在打得很好，两好并一好，刘不才分析局势，将张秀才说得死心塌地。他也知道他们父子的名声不好，必得做一件惊世骇俗、大有功于乡邦的奇行伟举，才能遮掩得许多劣迹，令人刮目相看。现在有胡雪岩这条路子，岂可轻易放过？

“刘三哥，我想明白了，拜托你回复雪岩，等官军一到，撵走长毛，光复杭州，我做内应。到那时候，雪岩要帮我洗刷。”

“岂止于洗刷！”刘不才答说，“那时朝廷褒奖，授官补缺，这个从军功上得来的官，比捐班还漂亮些！”

* * *

果然，等杭州克复，张秀才父子因为开城迎接藩司蒋益澧之功，使小张获得了一张七品奖札，并被派为善后局委员。张秀才趁机进言，杭州的善后，非把胡雪岩请回来主持不可。

蒋益澧深以为然，于是专程迎接胡雪岩的差使，便落到了小张身上。

小张到得上海，先在“仕宦行台”的长发客栈安顿下来，随即找出刘不才留给他的地址，请客栈里派个小伙计去把刘不才请来。

“我算到你也该来了，果不其然。”刘不才再无闲话，开口就碰到小张的心坎上，“我先带你去看舍亲，有啥话交代清楚，接下来就尽你玩了。”

“老刘，”小张答说，“我现在是浙江善后局的委员，七品官儿。这趟奉蒋藩台委派，特地来请胡大人回杭州，要说的就是这句话。”

“好！我晓得了。我们马上就走。”

于是小张将七品官服取出来，当着客人的面更衣。他换好了不免面有窘色，自觉有些沐猴而冠的味道。

刘不才倒没有笑他，只说：“请贵管家把衣包带去，省得再回来换便衣了。”

小张带的一个长随张升，倒是一向“跟官”的，名帖、衣包，早就预备好了，三个人一辆马车，径自来到阜康钱庄。

胡雪岩跟一班米商在谈生意，正到紧要关头，因为小张远道而来，又是穿官服来拜访，只得告个罪，抛下前客，来迎后客。

小张是见过胡雪岩的，所以一等他踏进小客厅，不必刘不才引见，便即喊一声：“胡老伯！”恭恭敬敬地磕下头去。

“不敢当，不敢当！世兄忒多礼了。”胡雪岩赶紧亦跪了下去。

对磕过头，相扶而起，二人少不得还有几句寒暄，然后转入正题。等小张道明来意，胡雪岩答说：“这是我义不容辞的事，已经在预备了。世兄在上海玩几天，我们一起走。”

“是！”

“好了！”刘不才插进来对小张说，“话交代清楚了，你换一换衣服，我们好走了。”

于是刘不才带着小张观光五光十色的夷场，到晚来吃大菜、看京戏。小张大开眼界，夜深人倦，兴犹未央，刘不才陪他住在长发客栈，临床夜语，直到曙色将动，方始睡去。

这时的胡雪岩却还未睡，因为他要运一万石米到杭州，接头了几个米商，说得好好的，到头来却又变了卦，迫不得已只好去找尤五，半夜里方始寻着，直截了当地提出要求。

尤五对米生意本是内行，但松江漕帮公设的米行，早已歇业，隔膜已久，而且数量甚巨，并非叱嗟可办。他这几年韬光养晦，谨言慎行，做事越发仔细，没把握的事，一时不敢答应。

“小爷叔，你的吩咐，我当然不敢说个‘不’字。不过，我的情形你也晓得的，现在要办米，我还要现去找人。‘班底’不凑手，日子上就捏不住了。从前你运米到杭州进不了城，改运宁波，不是他们答应过你的，一旦要用，照数补米的吗？”

这是当初杨坊为了接济他家乡，与胡雪岩有过这样的约定。只是杨坊今非昔比，因为白齐文劫饷殴官一案受累，在李鸿章那里栽了大跟头，现在撤职查办的处分未消，哪里有实践诺言的心情和力量？胡雪岩不肯乘人于危，决定自己想办法。

听完他所讲的这番缘由，尤五赞叹着说："小爷叔，你真够朋友，不过人家姓杨的不像你。他靠常胜军，着实发了一笔财，李抚台饶不过他，亦是如此。如今米虽不要他补，米款应当还你，当初二两多银子一石，现在涨到快六两了，还不容易采办。莫非你仍旧照当初的价钱跟他结算？"

"那当然办不到的。要请他照市价结给我。不然我跟他动公事，看他吃得消吃不消！"

"钱是不愁了，"尤五点点头，"不过，小爷叔，你想办一万石米，实在不容易。这两年江苏本来缺粮，靠湖广、江西贩来，去年李抚台办米运进京，还采办了洋米，三万石办了两个月才凑齐，你此刻一个月当中要办一万石，只怕办不到。"

"不是一个月。一个月包括运到杭州的日子在内，最多二十天就要办齐。"

"那更难了。只怕官府都办不到。"

"官府办不到，我们办得到，才算本事。"

这句话等于在掂尤五的斤两。说了两次难，不能再说第三次了，尤五不作声，思前想后打算了好久，还是叹口气说："只好大家来想办法。"

分头奔走，结果是七姑奶奶出马，找到大丰米行的老板娘"粉面虎"，将应交的京米以及存在怡和洋行的两千石洋米，都凑了给胡雪岩。一共是八千五百石，余数由尤五设法，很快地凑足了万石之数。

米款跟杨坊办交涉，收回五万两银子，不足之数由胡雪岩在要凑还王有龄遗族的十二万两银子中暂时挪用。一切顺利，只十三天的工夫，沙船已经扬帆出海，照第一次的行程，由海宁经钱塘江到杭州望江门外。

小张打前站，先回杭州。他照胡雪岩的主意，只说有几百石米要捐献官府，再用一笔重礼，结交了守望江门的营官张千总，讲好接应的办法，然后坐小船迎了上来复命。他细谈了杭州的情形，实在不大高明，胡雪岩听完，抑郁地久久不语。

既是至亲，而且也算长辈，刘不才说话比较可以没有顾忌，他很坦率地问道：“雪岩，你是不是在担心有人在暗算你？”

“你是指有人在左制军那里告我？那没有什么，他们暗算不到我的。”

“那么，你是担啥心事呢？”

“怎么不要担心事？来日大难，眼前可忧！”

这八个字说得很雅驯，不像胡雪岩平时的口吻，因而越使得刘不才和小张奇怪。当然，刘不才对胡雪岩要比小张了解得多，“来日大难”这句话他懂，因为平时听胡雪岩谈过，光复以后，恤死救生，振兴市面善后之事，头绪万端。可是，眼前又有何可忧呢？

“我没有想到，官军的纪律亦不比长毛好多少！”胡雪岩说，“刚才听小张说起城里的情形，着实要担一番心事。白天总还好，只怕一到了夜里，放枪放火，奸淫掳掠都来了！”

怪不得他这样子忧心忡忡，不管他是不是过甚其词，总不可不作预防。小张家在城里，格外关切，失声问道：“胡先生！那，怎么办呢？”

“办法是有一个。不过要见着‘当家人’才有用处。”

整个杭州城现在是蒋益澧当家，小张想了一下问道：“胡先生，我请你老人家的示，进了城是先跟家父见见面呢？还是直接去看杭州的‘当家人’？”

“当然先看‘当家人’。”

“好的！”小张也很有决断，“老刘，我们分头办事。等到了岸上，卸米的事，请你帮帮张千总的忙。现在秩序很乱，所谓帮忙，无非指挥指挥工人，别的，请你不必插手。”

刘不才懂得他的言外之意，不须负保管粮食之责，如果有散兵游勇，强索软要，听凭张千总去处理，大可袖手旁观。

“我知道了。我们约定事后见面的地方好了。”

“在我舍间。”小张答说，“回头我会拜托张千总，派人护送你去。”

于是，胡雪岩打开小箱子，里面是一套半新旧的三品顶戴官服，等他换穿停当，船也就到岸了。

虽说到岸，其实还有一段距离，但因为沙船装米，吃水很深，而望江门外的码头失修，近岸淤浅，如果沙船靠得太近，会有搁浅之虞。

好在重赏之下，自有勇夫，张千总颇为尽心，不但已找好一所荒废的大房子，派兵打扫看守，备作仓库之用，而且也扣着小船，预备接驳。此时相度情势，又改了主意，下令士兵在浅河滩上涉水负载，更为简捷。小船只用了一只，将胡雪岩、小张、刘不才和胡雪岩的跟班长贵送到岸上，交代明白，胡、张二人就由挟着拜匣的长贵陪着，先进城了。

望见城头上飘拂的旗帜，胡雪岩感从中来，流涕不止。他是在想王有龄，如果今天凯旋入城的主帅，不是蒋益澧而是王有龄，那有多好！今日之下，自然是以成败论英雄，但打了胜仗的人不知可会想到，王有龄当年苦守危城，岂仅心力交瘁，简直是血与泪俱！他所吃的苦、所用的力，远比打胜仗的人要多得多！

这样想着，胡雪岩恨不得一进城先到王有龄殉节之处，放声痛哭一场。无奈百姓还在水深火热之中，实在没有工夫让他去泄痛愤。只好拭拭眼泪，挺起胸膛往里走。

守城的已经换了班，是个四品都司，一见胡雪岩的服色，三品文官，与蒋益澧相同，不敢怠慢，亲自迎上来行了礼问道：“大人的官衔是？”

“是胡大人。”小张代为解说，“从上海赶来的，有紧要公事跟蒋藩台接头。”

这时长贵已经从拜匣里取出一张名帖递了过去。那都司不识字，接过名帖，倒着看了一下，装模作样地说道：“原来胡大人要见蒋大人！请问，要不要护送？”

“能护送再好不过！”小张说道，“顶要紧的是，能不能弄两匹马来？”

“马可没有。不过，胡大人可以坐轿子。”

城门旁边，就是一家轿行，居然还有两乘空轿子在。轿夫自然不会有，但那都司倒很热心，表示可以抓些百姓来抬轿。可是胡雪岩坚决辞谢——这时候还要坐轿子，简直是毫无心肝了。

没有马，又不肯坐轿，自然还借重自家的一双腿。都司派兵护送，一路通行无阻，胡雪岩很顺利地又到了三元坊孙宅——蒋益澧的公馆。投帖进去，中门大开，蒋益澧的中军来肃客入内。走近大厅，但见滴水檐前站着一个穿了黄马褂的将官，料知便是蒋益澧，胡雪岩兜头长揖："恭喜，恭喜！"

这是贺他得胜，蒋益澧拱手还礼，连声答道："彼此，彼此！"

于是小张抢上一步，为双方正式引见。进入大厅，宾主东西平坐，少不得先有一番寒暄。

胡雪岩先以浙江士绅的身份，向蒋益澧道谢，然后谈到东南兵燹，杭州受祸最深。接下来便是为蒋益澧打算，而由恭维开始。

蒋益澧字芗泉，所以胡雪岩称之为"芗翁"，他说："芗翁立这样一场大功，将来更上层楼，巡抚两浙，是指日可待的事。"

"不见得，我亦不敢存这个妄想。"蒋益澧说，"曾九帅有个好哥哥，等金陵一下，走马上任，我还是要拿'手本'见他。"

浙江巡抚是曾国荃，一直未曾到任，现在是由左宗棠兼署。蒋益澧倒有自知之明，不管从勋名、关系来说，要想取曾国荃而代之，是件不容易的事。

但是胡雪岩另有看法："曾九帅是大将，金陵攻了下来，朝廷自然另有重用之处。至于浙江巡抚一席，看亦止于目前遥领，将来不会到任的。芗翁，你不要泄气！"

"噢？"蒋益澧不自觉地将身子往前俯了一下，"倒要请教，何以见得曾九帅将来不会到任？"

"这道理容易明白。第一，曾九帅跟浙江素无渊源，人地生疏，不大相宜；第二，曾大帅为人谦虚，也最肯替人设想，浙江的局面是左大人定下来的，他决不肯让他老弟来分左大人的地盘。”

“啊，啊！”蒋益澧精神一振，“雪翁见得很透彻。”

“照我看，将来浙江全省，特别是省城里的善后事宜，要靠芗翁一手主持。”胡雪岩停了一下，看蒋益澧是聚精会神在倾听的神态，知道进言的时机已到，便用手势加强了语气，很恳切地说，“杭州百姓的祸福，都在芗翁手里，目前多保存一分元气，将来就省一分气力！”

“说的是，说的是！”蒋益澧搓着手，微显焦灼地说，“请雪翁指教，只要能保存元气，我无有不尽力的！”

“芗翁有这样的话，真正是杭州百姓的救星。”胡雪岩站起来就请了个安，“我替杭州百姓给芗翁道谢！”

“真不敢当！”蒋益澧急忙回礼，同时拍着胸说，“雪翁，你请说，保存劫后元气，应该从哪里着手？”

“请恕我直言，芗翁只怕未必知道，各营弟兄，还难免有骚扰百姓的情形。”

“这——”

胡雪岩知道他有些为难。官军打仗，为求克敌制胜，少不得想到“重赏之下，必有勇夫”这句老古话，预先许下赏赐。但筹饷筹粮，尚且困难，哪里还筹得出一笔巨款可作犒赏之用？

这就不免慷他人之慨了。或者暗示，或者默许，只要攻下一座城池，三日之内，可以不守两条军法：抢劫与奸淫。蒋益澧可能亦曾有过这样的许诺，这时候要他出告示禁止，变成主将食言，将来就难带兵了。

因此，胡雪岩抢着打断了他的话：“芗翁，我还有下情上禀。”

“言重，言重！”蒋益澧怕他还有不中听的话说出来，搞得彼此尴尬，所以招呼打在先，“雪翁的责备，自是义正词严，我唯有惭愧而已。”

不说整饬军纪，只道惭愧，这话表面客气，暗中却已表示不受责备。胡雪岩听他的语气，越觉得自己的打算是比较聪明的做法，而且话也不妨说得率直些。

“芗翁知道的，我是商人。在商言商，讲究公平交易，俗语说的礼尚往来，也无非讲究一个公平。弟兄们拼性命救杭州的百姓，劳苦功高，朝廷虽有奖赏，地方上没有点意思表示，也就太不公平，太对不起弟兄了。”

蒋益澧听他这段话，颇为困扰。前面的话，说得很俗气，而后面又说得很客气，到底主旨何在？要细细一想，才好答话。他心里在想，此人很漂亮，但也很厉害，应付不得法，朋友变成冤家，其中的出入很大，不可不慎。

于是他细想了一下，终于弄明白了胡雪岩的意思，谦虚地答道：“雪翁太夸奖了。为民除寇，分所当为，哪里有什么功劳可言？”

“芗翁这话才真是太客气了。彼此一见如故，我就直言了。”胡雪岩从从容容地说，“敝处是出了名的所谓‘杭铁头’，最知道好歹，官军有功，理当犒劳。不过眼前十室九空，这两年也让长毛搜刮净了，实在没有啥好劳军的。好在杭州士绅逃难在外的，还有些人，我也大多可以联络得到。如今我斗胆做个主，决定凑十万两银子，送到芗翁这里来，请代为谢谢弟兄们。”

这话让蒋益澧很难回答，颇有却之不恭、受之不可之感。因为胡雪岩的意思是很显然的，十万两银子买个“秋毫无犯”，这就是他所说“公平交易”“礼尚往来”。只是十万两银子听上去是个巨数，几万人一分，所得有限，能不能“摆得平”，大成疑问。

见他踌躇的神气，胡雪岩自能猜知他的心事，若问一句“莫非嫌少？”未免太不客气，如果自动增加，又显得讨价还价的小器相。考虑下来，只有侧面再许他一点好处。

“至于对芗翁的敬意，自然另有筹划……”

“不，不！”蒋益澧打断他的话，“不要把我算在里头。等局势稍为平定了，贵省士绅写京信的时候，能够说一句我蒋某人对得起浙江，就承情不尽了。”

“那何消说的？芗翁，你对得起浙江，浙江也一定对得起你！”

“好，这话痛快！”蒋益澧毅然决然地说，“雪翁的厚爱，我就代弟兄们一并致谢了。”接着便喊一声，“来啊！请刘大老爷！”

“刘大老爷”举人出身，捐的州县班子，蒋益澧倚为智囊，也当他是文案委员。请了他来，是要商议出告示，整饬军纪，严禁骚扰。

这是蒋益澧的事，胡雪岩可以不管，他现在要动脑筋的是，如何实践自己的诺言，有十万两白花花的银子解交藩库，供蒋益澧分赏弟兄？

一想到藩库，胡雪岩心中灵光一闪，仿佛暗夜迷路而发现了灯光一样，虽然一闪即灭，但他确信不是自己看花了眼而生的错觉，一定能够找出一条路来。

果然，他息心静虑想了一会儿，大致有了成算，便等蒋益澧与他的智囊谈得告一段落时，开口问道：“芗翁的粮台在哪里？”

“浙江的总粮台，跟着左大帅在余杭，我有个小粮台在瓶窑。喏，”蒋益澧指着小张说，“他也是管粮台的委员。”

“那么，藩库呢？”

“藩库？”蒋益澧笑道，“藩司衙门都还不知道在不在，哪里谈得到藩库？”

“藩库掌一省的收支，顶顶要紧，要尽快恢复起来。藩库的牌子一挂出去，自有解款的人上门。不然，就好像俗语说‘提着猪头，寻不着庙门’，岂不耽误库收？”

蒋益澧也不知道这时候会有什么人来解款，只觉得胡雪岩的忠告极有道理，藩库应该赶快恢复。可是该如何恢复，应派什么人管库办事，他却是茫无所知。

于是胡雪岩为他讲解钱庄代理公库的例规与好处。阜康从前代理浙江藩库，如今仍愿效力，不过以前人欠欠人犹待清理，为了划清界限起见，他想另立一爿钱庄，叫作“阜丰”。

“阜丰就是阜康，不过多挂一块招牌。外面有区分，内部是一样的，叫阜丰、叫阜康都可以。芗翁！”胡雪岩说，“我这样做法，完全是为了公家，阜康收进旧欠，解交阜丰，也就是解交芗翁。至于以前藩库欠人家的，看情形该付的付，该缓的缓，急公缓私，岂非大有伸缩的余地？”

“好，好！准定委托雪翁。”蒋益澧大为欣喜，“阜丰也好，阜康也好，我只认雪翁。”

“既蒙委任，我一定尽心尽力。”胡雪岩略停一下又说，“应该解缴的十万银子，我去筹划，看目前在杭州能凑多少现银，不足之数归我垫。为了省事，我想划一笔账，这一来粮台、藩库彼此方便。”

“这，这笔账怎么划法？”

“是这样，譬如说现在能凑出一半现银，我就先解了上来，另外一半，我打一张票子交到粮台，随时可以在我上海的阜康兑现。倘或交通不便，一时不能去提现，那也不要紧，阜丰代理藩库，一切代垫，就等于缴了现银，藩库跟粮台划一笔账就可以了。垫多少扣多少，按月结账。”

听他说得头头是道，蒋益澧只觉得振振有词，但到底这笔账怎么算，还得要仔细想一想，才能明白。

想是想明白了，他却有疑问：“藩库的收入呢？是不是先还你的垫款？”

“这，怎么可以？”胡雪岩的身子蓦然往后一仰，靠在椅背上，不断摇头，似乎觉得他所问的这句话，太出乎常情似的。

光是这一个动作，就使得蒋益澧死心塌地了。他觉得胡雪岩不但诚实，而且心好，真能拿别人的利害当自己的祸福。不过太好了反不易使人相信，他深怕是自己有所误会，还是问清楚的好。

“雪翁，”他很谨慎地措词，“你的意思是，在你开给粮台的银票数目之内，你替藩库代垫，就算是你陆续兑现。至于藩库的收入，你还是照缴。是不是这话？”

“是！就是这话。”胡雪岩紧接着说，“哪怕划账已经清楚了，阜丰既然代理浙江藩库，当然要顾浙江藩司的面子，还是照垫不误。”

这一下，蒋益澧不但倾倒，简直有些感激了，拱拱手说：“一切仰仗雪翁，就请宝号代理藩库，要不要备公事给老兄？”

“芗翁是朝廷的监司大员，说出一句话，自然算数，有没有公事，在我都是无所谓的。不过为了取信于人，阜丰代理藩库，要请一张告示。”

“那方便得很！我马上叫他们办。”

“我也马上叫他们连夜预备，明天就拿告示贴出去。不过，”胡雪岩略略放低了声音，“什么款该付，什么款不该付，实在不该付，阜丰听命而行。请芗翁给个暗号，以便遵循。”

“给个暗号？”蒋益澧搔搔头，显得很为难似的。

这倒是小张比他内行了。“大人！”他是“做此官，行此礼”，将“大人”二字叫得非常亲切自然，等蒋益澧转脸相看时，他才又往下说，“做当家人很难，有时候要粮与饷，明知道不能给，却又不便驳，只好批示照发，粮台上也当然遵办。但实在无银无饷，就只好婉言相商。胡观察的意思，就是怕大人为难，先约定暗号，知道了大人的意思，就好想办法敷衍了。”

“啊，啊！”蒋益澧恍然大悟，“我懂了。我一直就为这件事伤脑筋。都是出生入死的老弟兄，何况是欠了他们的饷。你说，拿了‘印领’来叫我批，我好不批照发吗？批归批，粮台上受得了受不了，又是另外一回事。结果呢，往往该给的没有给，不该给的，倒领了去了。粮台不知有多少回跟我诉苦，甚至跳脚，我亦无可奈何。现在有这样一个好人我做、坏人别人去做的办法，那是太好了。该用什么暗号，请雪翁吩咐。”

“不敢当！”胡雪岩答道，“暗号要常常变换，才不会让人识透。现在我先定个简单的办法，芗翁具衔只批一个‘澧’字，阜丰全数照付；写台甫‘益澧’二字，付一半；若是尊姓大名一起写在上头，就是‘不准’的意思，阜丰自会想办法搪塞。”

“那太好了！”蒋益澧拍着手说，“‘听君一席话，胜做十年官。’”

宾主相视大笑，真有莫逆于心之感。交情到此，胡雪岩觉得有些事，大可不必保留了，因而向小张使个眼色，只轻轻说了一个：“米！”然后微一努嘴。

小张也是玲珑剔透的一颗心，察言辨色，完全领会，斜欠着身子，当即开口向蒋益澧说道："有件事要跟大人回禀，那几百石米，已经请张千总跟胡观察的令亲在起卸了。暂时存仓，听候支用。这几百石米，我先前未说来源，如今应该说明了，就是胡观察运来的。数目远不止这些。"

"喔，有多少？"蒋益澧异常关切地说。

"总有上万石。"胡雪岩说道，"米，我是专为接济官军与杭州百姓的。照道理说，应该解缴芗翁，才是正办。不过，我也有些苦衷，好不好请芗翁赏我一个面子，这批米算是暂时责成我保管，等我见了左制军，横竖还是要交给芗翁来作主分派的。只不过日子晚一两天而已。"

蒋益澧大出意外。军兴以来，特别是浙江，饿死人不足为奇，如今忽有一万石米出现，真如从天而降，怎不令人惊喜交集。

"雪翁你这一万石米，岂止雪中送炭，简直是大旱甘霖！这样，我一面派兵保护，就请张委员从中联络襄助，一面我派妥当的人，送老兄到余杭去见左大帅。不过，我希望老兄速去速回，这里还有多少大事，要请老兄帮忙。"

"是！我尽快赶回来。"

"那么，老兄预备什么时候动身？今天晚上总来不及了吧？"

"是的！明天一早动身。"

蒋益澧点点头，随即又找中军又找文案，将该为胡雪岩做的事，一一分派停当。护送他到余杭的军官，派的是一名都司，姓何，是蒋益澧的表侄，也是他的心腹。

于是胡雪岩殷殷向何都司道谢，很敷衍了一番，约定第二天一早在小张家相会，陪同出发。

到了张家，张秀才对胡雪岩自然有一番尽释前嫌、推心置腹的话说。只是奉如上宾，只有在礼貌上尽心，没有什么酒食款待。而胡雪岩亦根本无心饮食，草草果腹以后，趁这一夜工夫，还有许多大事要交代，苦恨人手不足，只好拿小张也当作心腹了。

胡雪岩没有工夫跟他们从容研商，只是直截了当地提出要求。

“第一件大事，请小张费心跟你老太爷商量，能找到几位地方上提得起的人物，大家谈一谈，想法子凑现银给蒋方伯送了去，作为我阜丰暂借。要请大家明白，这是救地方，也是救自己，十万银子的责任都在我一个人身上，将来大家肯分担最好，不然，也就是我一个人认了。不过，此刻没有办法从上海调款子过来，要请大家帮我的忙。”

“好的。”小张连连点头，“这件事交给我们父子好了。胡先生仁至义尽，大家感激得很，只要有现银，一定肯借出来的。”

“其次，阜康马上要复业，阜丰的牌子要挂出去。这件事我想请三爷主内，小张主外。”胡雪岩看着刘不才说，“先说内部，第一看看阜康原来的房子怎么样，如果能用，马上找人收拾，再写两张梅红笺，一张是‘阜康不日复业’，一张是‘阜丰代理藩库’，立刻贴了出去。”

“藩司衙门的告示呢？”

“到复业那天再贴。”胡雪岩又说，“第二，准备一两千现银，顶要紧的是，弄几十袋米摆在那里。然后贴出一张红纸：‘阜康旧友，即请回店。’来了以后，每人先发十两银子五斗米。我们这台戏，就可以唱起来了。”

“那么，”小张抢着说道，“胡先生，我有句话声明在先，您老看得起我，我汤里来、火里去，唯命是从。不过，我也要估计估计我自己的力量。钱庄我是外行，工夫又怕抽不出来，不要误了胡先生的大事。那时候胡先生不肯责备我，我自己也交代不过去。”

“不要紧。我晓得你很忙，只请你量力而为。”胡雪岩放低了声音说，“我为什么要代理藩库？为的是要做牌子。阜康是金字招牌，固然不错，可是只有老杭州才晓得。现在我要吸收一批新的存户，非要另外想个号召的办法不可。代理藩库，就是最好的号召，浙江全省的公款，都信托得过我，还有啥靠不住的？只要那批新存户有这样一个想法，阜丰的存款就会源源不绝而来，应该解蒋方伯的犒赏和代理藩库要垫的款子，就都有了。”

看着事情都交代妥当了，刘不才有句话要跟胡雪岩私下谈，使个眼色，将他拉到一边，低声说道：“你跟蒋芗泉搞得很好，没有用，我今听到一个消息，颇为可靠，左制军要跟你算账，已经发话下来了，弄得不好，会指名严参。”

“你不要担心！”胡雪岩夷然不以为意，“我亦没有啥算不清的账。外面的话听不得。”

刘不才见他是极有把握的样子，也就放心了。小张却还有话问。

“胡先生的算计真好。不过，说了半天，到底是怎么样的新存户呢？”

“长毛！”胡雪岩说，“长毛投降了，这两年搜刮的银子带不走，非要找个地方去存不可！”

胡雪岩所要吸收的新存户，竟是长毛！小张和刘不才都觉得是做梦亦想不到的事，同时亦都觉得他的想法超人，但麻烦亦可能很多。

那种目瞪口呆的带些困惑的表情，是说明了他们内心有些什么疑问。胡雪岩完全了解，但是，这时候不是从容辩理的时候，所以他只能用比较武断的态度说：“事情绝不会错！你们两位尽管照我的话去动脑筋。动啥脑筋，就是怎么样让他们死心塌地拿私蓄存到阜丰来。两位明白了吧？”

“我明白。不过——”刘不才没有再说下去。

“我也明白。杭州的情形我比较熟，找几个人去拉这些存户，一定不会空手而回。不过，在拉这些客户以前，人家一定要问，钱存到阜丰会不会泡汤？这话我该怎么说？”小张这样问说。

“你告诉他：绝不会泡汤。不过朝廷的王法，也是要紧的，如果他自己觉得这笔存款可能有一天会让官方查扣，那就请他自己考虑。”胡雪岩停一下又说，“总而言之一句话：通融方便可以，违犯法条不可以。户头我们不必强求，我们要做气派，做信用。信用有了，哪怕连存折不给人家，只凭一句话，照样会有人上门。”

刘不才和小张都觉得他的话一时还想不透，好像有点前后不符。不过此刻无法细问，而且也不是很急的事，无须在这时候追根究底去辨清楚。因此，两人对看了一眼，取得默契，决定稍后再谈。

“做事容易做人难！”胡雪岩在片刻沉默以后，突如其来地以这么一句牢骚之语发端，作了很重要的一个提示，也是一个警告，“从今天起，我们有许多很辛苦，不过也很划算的事要做，做起来顺利不顺利，全看我们做人怎么样。小张，你倒说说看，现在做人要怎么样做？”

小张想了一会儿，微微笑道：“做人无非讲个信义。现在既然是帮左制军，就要咬定牙关帮到底。”

“我们现在帮左制军，既然打算帮忙到底，就要堂堂正正站出来。不过这一下得罪的人会很多。”刘不才说。

“面面讨好，面面不讨好！唯有摸摸胸口，如果觉得对得起朝廷，对得起百姓，问心无愧，那就什么都不必怕。时候不早了，上床吧！”

这一夜大家都睡不着，因为可想的事太多。除此以外，更多的是情绪上的激动。上海、杭州都已拿下来，金陵之围的收缘结果，也就不远了。那时是怎样的一种局面？散兵游勇该怎么料理，遣散还是留用，在这都是疑问，实在令人困惑之至！

忽然，胡雪岩发觉墙外有人在敲锣打梆子，这是在打更。久困之城，刚刚光复，一切还都是兵荒马乱的景象，居然还有巡夜的更夫。听着那自远而近“笃、笃、镗，笃、笃、镗”的梆锣之声，胡雪岩有着空谷足音的喜悦和感激。而他的心境也就变过了，眼前的一切都抛在九霄云外，回忆着少年时候，寒夜拥衾，遥听由西北风中传来的“寒冬腊月，火烛小心”的吆喝，真有无比恬适之感。

那是太平时世的声音。如今又听到了！胡雪岩陡觉精神一振，再也无法留在床上。三个人是睡一房，他怕惊扰了刘不才和小张，悄悄下地。可是小张已经发觉了。

“胡先生，你要做啥？”

“你没有睡着？”

“没有。”小张问道，“胡先生呢？”

“我也没有。”

“彼此一样。”刘不才在帐子中接口，“我一直在听，外面倒还安静。蒋藩司言而有信，约束部下，已经有效验了。”

“这是胡先生积的阴德。”小张也突然受了鼓舞，一跃下床，“这两天的事情做不完，哪里有睡觉的工夫？”

等他们一起床，张家的厨房里也就有灯光了。洗完脸，先喝茶，小张以为胡雪岩会谈未曾谈完的正事，而他却好整以暇地问道：“刚才你们听到打更的梆子没有？”

“听到。”小张答道，“杭州城什么都变过了，只有这个更夫老周没有变，每夜打更，从没有断过一天。”

胡雪岩肃然动容。“难得！真难得！”他问，“这老周多大年纪？”

“六十多岁了。身子倒还健旺，不过，现在不晓得怎么样了。”

“他没有饿死，而且每天能打更，看来这个人的禀赋，倒是得天独厚。可惜，”刘不才说，“只是打更！”

“三爷，话不是这么说。世界上有许多事，本来是用不着才干的，人人能做，只看你是不是肯做，是不是一本正经去做。能够这样，就是个了不起的人。”胡雪岩说，“小张，我托你，问问那老周看，愿意不愿意改行？”

“改行？”小张问道，“胡先生，你是不是要提拔他？”

“是啊！我要提拔他，也可以说是借重他。现在我们人手不够，像这种尽忠职守的人，不可以放过。我打算邀他来帮忙。”

“我想他一定肯的。就怕他做不来啥。”

“我派他管仓库。他做不来，再派人帮他的忙，只要他像打更那样，到时候去巡查就是。”

说到这里，张家的男佣来摆桌子开早饭。只不过拿剩下的饭煮一锅饭泡粥，佐粥的只有一样盐菜，可是“饥者易为食”，尤其是在半夜休息以后，胃口大开，吃得格外香甜。

“我多少天没有吃过这样好吃的东西了！”胡雪岩很满意地说，“刘三爷说得不错，‘用得着就好’！泡饭盐菜，今日之下比山珍海味还要贵重。”

这使得小张又深有领悟：用人之道，不拘一格，能因时因地制宜，就是用人的诀窍。他深深点头，知道从什么地方去为胡雪岩物色人才了。

＊　＊　＊

何都司是天亮来到张家的，带来两个马弁，另外带了一匹马来。提起此马来头大，这是蒙古亲王僧格林沁所送，蒋益澧派人细心喂养，专为左宗棠预备的坐骑，现在特借给胡雪岩乘用。

何都司同时也带来了一个消息。余杭城内的长毛亦在昨天弃城向湖州一带逃去，左宗棠亲自领兵追剿，如今是在瓶窑以北的安溪关前驻扎。要去看他，得冒锋镝之危，何都司问胡雪岩的意思如何。

“死生有命，左大帅能去，我当然也能去。用不着怕！”

“不过，路很远，一天赶不到，中途没有住宿的地方，也很麻烦。”

“尽力赶！赶不到也没有办法，好在有你老兄在，我放心得很。”

这本是随口一句对答之词，而在何都司听来，是极其恳切的信任。因而他很用心地为胡雪岩筹划，好一会儿方始问道：“胡大人，你能不能骑快马？”

“勉强可以。”

“贵管家呢？”

“他恐怕不行。”

“那就不必带贵管家一起走了。现成四个弟兄在这里，有什么差遣，尽管让他们去做。”何都司又说，“我们可以用驿递的办法，换马走，反而来得快。”

紧急驿递的办法是到一站换一匹马，由于一匹马只走一站路，不妨尽全力驰驱，因而比一匹马到底要快得多。僧王的这匹名驹虽好，但也只得走一站，换马时如果错失了找不回来，反是个麻烦。因此胡雪岩表示另外找一匹马。

“这容易，我们先到马号去换就是。”

于是胡雪岩辞别张家，临走时交代，第三天早晨一定赶回来。然后他与何都司同行，先到藩司行台的马号里换了马。出武林门，疾驰到拱宸桥，何都司找着相熟的军营，换了好马，再往西北方向行进。

一路当然有盘查、有阻碍，也有惊险，但都安然而返。下午三点钟到了瓶窑，方始打尖休息，同时探听到左宗棠的行踪：左宗棠在往北十八里外的安溪关。

“这是条山路，很不好走。”何都司恳切相劝，“胡大人，我说实话，你老是南边人，‘南人行船，北人骑马’，你的马骑得不怎么好，为求稳当，还是歇一夜再走。你看怎么样？”

胡雪岩心想，人地生疏，勉强不得，就算赶到安溪，当夜也无法谒见左宗棠，因而点头同意，不过提出要求：“明天天一亮就要走。”

“当然。不会耽误你老的工夫。”

既然如此，不妨从容休息。瓶窑由于久为官军驻扎，市面相当兴盛，饭摊子更多。胡雪岩向来不摆官架子，亲邀四名马弁，一起喝酒。而那四名弟兄却深感局促，最后还是让他们另桌而坐。胡雪岩自己便跟何都司对酌，听他谈左宗棠的一切。

“我们这位大帅，什么都好，就是脾气不好。不过，他发脾气的时候，你不能怕，越怕越糟糕。”

“这是吃硬不吃软的脾气。”胡雪岩说，“这样的人，反而好相处。”

“是的。可也不能硬过他头！最好是不理他，听他骂完、说完，再讲自己的道理，他就另眼相看了。”

胡雪岩觉得这两句话，令他受益不浅，便举杯相敬，同时问说：“老兄，你跟蒋方伯多少年了？”

“我们至亲，我一直跟他。”

"我有句冒昧的话要请教，左大帅对蒋方伯怎么样？是不是当他是自己的替手？"

"不见得！"何都司答说，"左大帅是何等样人？当自己诸葛亮，哪个能替代他？"

这两句闲谈，在旁人听来，不关紧要，而在胡雪岩却由此而作成了一个很重要的决定。他对于自己今后的出处，以及重整旗鼓、再创事业的倚傍奥援，一直萦回脑际。他本来觉得蒋益澧为人倒还憨厚，如果结交得深了，便是第二个王有龄，将来言听计从，亲如手足，那就比伺候脾气大出名的左宗棠，痛快得多了。

但现在听何都司一说，憬然有悟，左宗棠之对蒋益澧，不可能像何桂清之对王有龄那样，提携唯恐不力。一省的巡抚毕竟是个非同小可的职位，除非曾国荃另有适当的安排，蒋益澧本身够格，而左宗棠又肯格外力保，看来浙江巡抚的大印，不会落在蒋益澧手里。

既然如此，唯有死心塌地，专走左宗棠这条路子了。

半夜起身，黎明上路。十八里山道，走了三个钟头才到。

左宗棠的行辕，设在一座关帝庙里。虽是戎马倥偬之际，但他的总督派头，还是不小。庙前摆着一顶绿呢大轿，照墙下有好几块朱红"高脚牌"，泥金仿宋体写着官衔荣典。一块是"钦命督办浙江军务"，一块是"头品顶戴兵部尚书兼都察院右都御史闽浙总督部堂"，一块是"兼署浙江巡抚"，一块是"赏戴花翎"，再一块就不大光彩——也是左宗棠平生的恨事，科名只是"道光十二年壬辰科湖南乡试中式"，不过一名举人。

再往庙里看，两行带刀的亲兵，从大门口一直站到大殿关平、周仓的神像前，蓝顶子的武官亦有好几个。胡雪岩见此光景，不肯冒犯左宗棠的威风，牵马在旁，取出"手本"，拜托何都司代为递了进去。

隔了好久，才看见出来一个"武巡捕"，手里拿着胡雪岩的手本，明明已经看到本人，依然拉起官腔问道："哪位是杭州来的胡道台？"

胡雪岩点点头，也摆出官派，踱着四方步子，上前答道："我就是。"

"大帅传见。"

"是的。请引路。"

进门不进殿，由西边角门中进去，有个小小的院落，也是站满了亲兵，另外有个穿灰布袍的听差，倒还客气，揭开门帘，示意胡雪岩入内。

胡雪岩进门一看，一个矮胖老头，左手捏一管旱烟袋，右手提着笔，在窗前一张方桌上挥毫如飞。他听得脚步声，浑似不觉，胡雪岩只好等着，等他放下笔，方捞起衣襟请安，同时报名。

"浙江候补道胡光墉，参见大人。"

"喔，你就是胡光墉！"左宗棠那双眼睛颇具威严，光芒四射似的，将他从头望到底，"我闻名已久了。"

这不是一句好话，胡雪岩觉得无须谦虚，只说："大人建了不世之功，特为来给大人道喜！"

"喔，你倒是得风气之先！怪不得王中丞在世之日，你有能员之名。"

话中带着讥讽，胡雪岩自然听得出来，一时也不必细辩，眼前第一件事是要能坐了下来——左宗棠不会不懂官场规矩，文官见督抚，品秩再低，也得有个座位，此刻故意不说"请坐"，是有意给人难堪，先得想个办法应付。

念头转到，办法便即有了，他捞起衣襟，又请一个安，同时说道："不光是为大人道喜，还要跟大人道谢。两浙生灵倒悬，多亏大人解救。"

都说左宗棠是"湖南骡子"的脾气，而连番多礼，到底将他的骡脾气拧过来了。"不敢当！"他的语声虽还是淡淡的，有那不受奉承的意味，但亦终于以礼相待了，"贵道请坐！"

听差是早捧着茶盘等在那里的，只为客人不曾落座，不好奉茶，此时便将一碗盖碗茶摆在他身旁的茶几上。胡雪岩欠一欠身，舒一口气，心里在想：只要面子上不难看，话就好说了。

"这两年我在浙江，很听人谈起贵道。"左宗棠面无笑容地说，"听说你很阔啊！”

“不敢！”胡雪岩欠身问道，“请大人明示所谓‘阔’是指什么？”

“说你起居享用，俨如王侯。这也许是过甚之词，然而也可以想象得知了。”

“是！我不瞒大人，比起清苦的候补人员来，我算是很舒服的。”

胡雪岩坦然承认，而不说舒服的原因，反倒像塞住了左宗棠的口。停了一下，左宗棠直截了当地说：“我也接到好些禀帖，说你如何如何。人言未必尽属子虚，我要查办。若果真属实，为了整饬吏治，我不能不指名严参！”

“是！如果光墉有什么不法之事，大人指名严参，光墉亦甘愿领罪。不过，自问还不敢为非作歹，亦不敢营私舞弊。只为受王中丞知遇之德，誓共生死，当时处事不避劳怨，得罪了人亦是有的。”

“是不是为非作歹、营私舞弊，犹待考查。至于你说与王中丞誓共生死，这话就令人难信了。王中丞已经殉难，你现在不还是好好的吗？”

“如果大人责光墉不能追随王中丞于地下，我没有话说，倘或以为殉忠、殉节都有名目，而殉友死得轻如鸿毛，为君子所不取，那么，光墉倒有几句话辩白。”

“你说。”

“大人的意思是，光墉跟王中丞在危城之中共患难，紧要关头，我一个人走了，所谓‘誓共生死’，成了骗人的话？”

“是啊！”左宗棠逼视着问，“足下何词以解？倒要请教！”

“我先请教大人，当时杭州被围，王中丞苦苦撑持，眼睛里所流的不是泪水，而是血，盼的是什么？”

“自然是援军。”

“是！”胡雪岩用低沉的声音说，“当时有李元度一军在衢州，千方百计想催他来，始终不到。这一来，就不能不作坚守的打算，请问大人，危城坚守靠什么？”

“自然是靠粮食。‘民以食为天’。”

“‘民以食为天’固然不错，如果罗掘俱穷，亦无非易子而食。但是，士兵没有粮食，会出什么乱子？不必我说，大人比我清楚得多。当时王中丞跟我商量，要我到上海去办米。”胡雪岩突然提高了声音说，“王中丞虽是捐班出身，也读过书的，他跟我讲《史记》上赵氏孤儿的故事。他说，守城守不住，不过一死而已，容易，到上海办米就跟‘立孤’一样比较难。他要我做保全赵氏孤儿的程婴。这当然是他看得起我的话，不过，大人请想，他是巡抚，守土有责，即使他有办法办得到米，也不能离开杭州。所以，到上海办米这件事，只有我能做，不容我不做。”

“嗯，嗯！”左宗棠问道，“后来呢？你米办到了没有？”

“当然办到。可是——”胡雪岩黯然低语，“无济于事！”

接着，他说起了如何办米来到了杭州城外的钱塘江中，如何想尽办法却不能打通粮道，又如何望城一拜、痛哭而回，又如何将那批米接济了宁波。只是不说在宁波生一场大病，几乎送命，因为那近乎表功的味道，说来反成蛇足了。

左宗棠听得很仔细，仰脸想了半天，突然冒出一句话来，却是胡雪岩再也想不到的。

“你也很读了些书啊！”

胡雪岩一愣，随即想到了，这半天与左宗棠对答，话好像显得很文雅，又谈到《史记》上的故事，左宗棠必是以为他预先请教过高人，想好了一套话来的。

这多少也是实情，见了左宗棠该如何说法，他曾一再打过腹稿。但如说是有意说好听的假话，他却不能承认，所以这样答道：“哪里敢说读过书？光墉只不过还知道敬重读书人而已！”

“这也难得了。”左宗棠说，“人家告你的那些话，我要查一查。果真像你所说的那样子，自然另当别论。”

“不然。领了公款，自然公事上要有交代。公款虽不是从大人手上领的，可是大人现任本省长官，光墉的公事，就只有向大人交代。”

“喔，你来交代公事。是那笔公款吗？”左宗棠问，“当时领了多少？”

“领了两万两银子。如今面缴大人。”说着，从身上掏出一个红封袋来，当面奉上。

左宗棠不肯接红封袋。“这是公款，不便私相授受。”他说，“请你跟粮台打交道。”

当时便唤了粮台上管出纳的委员前来，收取了胡雪岩的银票，开收据，盖上大印。看来是了却了一件公事，却不道胡雪岩还有话说。

“大人，我还要交代。当初奉令采办的是米，不能拿米办到，就不能算交差。”

“这——”左宗棠相当困扰，对他的话，颇有不知所云之感，因而也就无法作何表示。

“说实话，这一批米不能办到，我就是对不起王中丞的在天之灵。现在，总算可以真正有交代了！”胡雪岩平静地说，“我有一万石米，就在杭州城外江面上，请大人派员验收。”

此言一出，左宗棠越发困惑。“你说的什么？”他问，“有一万石米在？”

“是！”

“就在杭州城外江面上？”

“是！”胡雪岩答说，“已有几百石，先拨了给蒋方伯，充作军粮了。”

左宗棠听得这话便向左右问道：“护送胡大人来的是谁？”

“是何都司。”

于是找了何都司来，左宗棠第一句话便是：“你知道不知道，有几百石军粮从钱塘江上运到城里？”

“回大帅的话，有的。”何都司手一指，“是胡大人从上海运来的。”

“好！你先下去吧。”左宗棠向听差吩咐，“请胡大人升炕！”

礼数顿时不同了！由不令落座到升炕，片刻之间，荣枯大不相同，胡雪岩既感慨，又得意，当然对应付左宗棠也更有把握了。

等听差将盖碗茶移到炕几上，胡雪岩道谢坐下，左宗棠徐徐说道：“有这一万石米，不但杭州的百姓得救，肃清浙江全境，我也有把握了。老兄此举，出人意表，功德无量。感激的，不止我左某一个人。”

“大人言重了。”

“这是实话。不过我也要说实话。”左宗棠说，“一万石米，时价要值五六万银子，粮台上一时还付不起那么多。因为刚打了一个大胜仗，犒赏弟兄是现银子。我想，你先把你缴来的那笔款子领了回去，余数我们倒商量一下，怎么样个付法。”

“大人不必操心了。这一万石米，完全由光墉报效。”

“报效？”左宗棠怕自己是听错了。

“是！光墉报效。”

“这，未免太破费了。”左宗棠问道，“老兄有什么企图，不妨实说。”

“毫无企图。第一，为了王中丞；第二，为了杭州百姓；第三，为了大人。”

“承情之至！”左宗棠拱拱手说，“我马上出奏，请朝廷褒奖。”

“大人栽培，光墉自然感激，不过，有句不识抬举的话，好比骨鲠在喉，吐出来请大人不要动气。”

“言重，言重！”左宗棠一迭连声地说，“尽管请说。”

“我报效这批米，绝不是为朝廷褒奖。光墉是生意人，只会做事，不会做官。”

“好一个只会做事，不会做官！”这一句话碰到左宗棠的心坎上，他拍着炕几，大声地说，赞赏之意，真个溢于言表了。

“我在想，大人也是只晓得做事，从不把功名富贵放在心上的人。”胡雪岩说，“照我看，跟现在有一位大人物，性情正好相反。”

前半段话，恭维得恰到好处，对于后面一句话，左宗棠自然特感关切，探身说道：“请教！”

“大人跟江苏李中丞正好相反。李中丞会做官，大人会做事。”胡雪岩又说，“大人也不是不会做官，只不过不屑于做官而已。”

“啊，痛快，痛快！”左宗棠仰着脸，摇着头说，是一副遇见了知音的神情。

胡雪岩见好即收，不再奉上高帽子，反而谦虚一句：“我是信口胡说，在大人面前放肆。”

“老兄，”左宗棠正色说道，“你不要妄自菲薄，在我看来，满朝朱紫贵，及得上老兄识见的，实在不多。你大号是哪两个字？”

“草字雪岩，风雪的雪，岩壑的岩。”

“雪岩兄，”左宗棠说，“你这几年想必一直在上海，李少荃的作为，必然深知，你倒拿我跟他比一比看。”

“这，”胡雪岩问道，“比哪一方面？”

“比比我们的成就。”

“是！”胡雪岩想了一下答道，“李中丞克复苏州，当然是一大功，不过，因人成事，比不上大人孤军奋战，来得难能可贵。”

“这，总算是一句公道话。”左宗棠说，“我吃亏的有两种，第一是地方不如他好；第二，是人才不如他多。”

“是的。”胡雪岩深深点头，“李中丞也算会用人的。”

“那么，我有句很冒昧的话请教，以你的大才，以你在王中丞那里的业绩，他倒没有起延揽之意？”

“有过的。我不能去！”

“为什么？”

“第一，李中丞对王公有成见，我还为他所用，也太没有志气了。”

“好！”左宗棠接着问，“第二呢？”

“第二，我是浙江人，我要为浙江出力，何况我还有王中丞委托我未了的公事，就是这笔买米的款子，总要有个交代。”

“难得，难得，雪岩兄，你真有信用。”左宗棠说到这里，喊一声，“来呀！留胡大人吃便饭。”

照官场中的规矩，长官对属下有这样的表示，听差便得做两件事，第一件是请客人更换便衣；第二件是准备将客人移到花厅甚至“上房”中去。

在正常的情况之下，胡雪岩去拜客，自然带着跟班，跟班手中捧着衣包，视需要随时伺候主人更换。但此时只有胡雪岩一个人，当然亦不会有便衣，左宗棠便吩咐听差，取他自己的薄棉袍来为“胡大人”更换。左宗棠矮胖，胡雪岩瘦长，这件棉袍穿上身，大袖郎当，下摆吊起一大截，露出一大截沾满了黄泥的靴帮子，形容不但不雅，而且有些可笑。但这份情意是可感的，所以胡雪岩觉得穿在身上很舒服。

至于移向花厅，当然也办不到了。一座小关帝庙里，哪里来的空闲房屋？闽浙总督的官厅、签押房与卧室，都在那里了。不过，庙后倒有一座土山，山上有座茅亭，亦算可供登临眺望的一景。左宗棠为了避免将领请谒的纷扰，吩咐就在茅亭中置酒。

酒当然是好酒。绍兴早经克复，供应一省长官的，自然是历经兵燹而无恙的窖藏陈酿。菜是湖南口味，虽只两个人对酌，但依然大盘长筷，最后厨子戴着红缨帽，亲自来上菜。打开食盒，只是一小盘湖南腊肉。不知何以郑重如此？

“这是内子亲手调制的，间关万里，从湖南送到这里，已经不中吃了。只不过我自己提醒我，不要忘记内子当年委曲绸缪的一番苦心而已。”

胡雪岩也听说过，左宗棠的周夫人是富室之女，初嫔左家时，夫婿还是个寒士。但是周夫人却深知“身无半亩，心忧天下”的左宗棠，才气纵横，虽然会试屡屡落第，但终有破壁飞去的一日，所以鼓励慰藉，无所不至。以后左宗棠移居岳家，而周家大族，不会看得起这个脾气大的穷姑爷。周夫人一方面怕夫婿一怒而去，一方面又要为夫家做面子，左右调停，心力交瘁，如今到底也有扬眉吐气的一天了。

这对胡雪岩又是一种启示。左宗棠如今尊重周夫人，报恩的成分，多于一切，足见得是不会负人、不肯负人而深具性情者。比起李鸿章以利禄权术驾驭部下来，胡雪岩宁愿倾心结交此人。

因此，当左宗棠有所询问时，他越发不作保留，从杭州的善后谈到筹饷，他都有一套办法拿出来，滔滔不绝，言无不尽。宾主之间，很快地已接近脱略形迹，无所不谈的境地了。

一顿酒喝了两个时辰方罢。左宗棠忽然叹口气说："雪岩兄，我倒有些发愁了，不知应该借重你在哪方面给我帮忙。当务之急是地方善后，可是每个月二十五六万的饷银，尚无的款，又必得仰仗大力，只恨足下分身无术！雪岩兄，请你自己说一说，愿意做些什么？"

"筹饷是件大事，不过只要有办法，凡是操守靠得住的人，都可以干得。"胡雪岩歉然地说，"光墉稍为存一点私心，想为本乡本土尽几分力。"

"这哪里是私心！正见得你一副侠义心肠。军兴以来，杭州被祸最惨，善后事宜，经纬万端，我兼摄抚篆，责无旁贷，有你老兄这样大才槃槃，而且肯任劳任怨，又是为桑梓效力的人帮我的忙，实在太好了。"左宗棠说到这里，问道，"跟蒋芗泉想来见过面了？"

"是！"

"你觉得他为人如何？"

"很直爽的人。我们谈得很投机。"

"好极，好极！"左宗棠欣然问道，"地方上的一切善后，总也谈过了？"

"还不曾深谈。不过承蒋方伯看得起，委托我的一个小小钱庄，为他代理藩库，眼前急需的支出，我总尽力维持。"

"那更好了。万事莫如赈济急，如今有一万石米在，军需民食，能维持一两个月，后援就接得上了。再有宝号代为支应藩库的一切开销，扶伤恤死，亦不愁无款可垫。然则杭州的赈济事宜，应当马上动手。我想，设一个善后局，雪岩兄，请你当总办，如何？”

“是！”胡雪岩肃然答说，“于公于私，义不容辞。”

“我就代杭州百姓致谢了。”左宗棠拱拱手说，“公事我马上叫他们预备，交蒋芗泉转送。”

这样处置，正符合胡雪岩的希望。因为他为人处世，一向奉“不招忌”三字为座右铭，自己的身份与蒋益澧差不多，但在左宗棠手下到底只算一个客卿，如果形迹太密，甚至越过蒋益澧这一关，直接听命于左宗棠，设身处地为人想一想，心里也会不舒服。现在当着本人在此，而委任的札子却要交由蒋益澧转发，便是尊重藩司的职权，也是无形中为他拉拢蒋益澧。只不过公事上小小的一道手续，便有许多讲究，足见得做官用人，不是件容易的事。

这样想着，他对左宗棠又加了几分钦佩之心，因而愿意替他多做一点事，至少也得为他多策划几个好主意。心念刚动，左宗棠正好又谈起筹饷，他决定献上一条妙计。

这一计，他筹之已熟，本来的打算是“货卖识家”，不妨“待价而沽”。这也就是说，如果没有相当的酬庸，他是不肯轻易吐露的，但此刻对左宗棠，多少有知遇之感，因而就倾囊而出了。

“筹饷之道多端，大致不外两途，第一是办厘金，这要靠市面兴旺，无法强求；第二是劝捐，这几年捐得起的都捐过了，‘劝’起来也很吃力。如今我想到有一路人，他们捐得起，而且一定肯捐，不妨在这一路人头上，打个主意。”

“捐得起，又肯捐，那不太妙了吗？”左宗棠急急问道，“是哪一路人？”

“是长毛！”胡雪岩说，“长毛盘踞东南十几年，搜刮得很不少，现在要他们捐几文，不是天经地义？”

这一说，左宗棠恍然大悟，连连点头：“对，对，请你再说下去。”

于是胡雪岩为他指出，这十几年中，颇有些见机而作的长毛，发了财退藏于密。洪、杨一旦平定，从逆的当然要依国法治罪。可是叛逆虽罪在不赦，而被裹胁从逆的人很多，办不胜办。若株连过众，扰攘不安，亦非大乱之后的休养生息之道，所以最好的处置办法是，网开一面，予人自新之路。

只是一概既往不咎，亦未免太便宜了此辈，应该略施薄惩，但愿打愿罚，各听其便。

“大人晓得的，人之常情，总是愿罚不愿打，除非罚不起。”胡雪岩说，“据我知道，罚得起的人很多。他们大都躲在夷场上，倚仗洋人的势力，官府一时无奈其何，可是终究是个出不了头的‘黑人’。如果动以利害，晓以大义，反正手头也是不义之财，舍了一笔，换个重新做人的机会，何乐不为？”

“说得是。”左宗棠笑道，“此辈不甘寂寞，不但要爬起来做人，只怕还要站出来做官。”

“正是这话。”胡雪岩撮起两指一伸，“像这种人，要捐他两笔。”

“怎么呢？”

“一笔是做人，另外一笔是做官。做官不要捐吗？”

左宗棠失笑了，“我倒弄糊涂了！”他说，“照此看来，我得赶快向部里领几千张空白捐照来。”

“是！大人尽管动公事去领。”

“领是领了。雪岩兄，”左宗棠故意问道，“交给谁去用呢？”

胡雪岩不作声，停了一会儿方说：“容我慢慢物色好了，向大人保荐。”

“我看你也不用物色了，就是你自己勉为其难吧！”

“这怕——”

“不，不！”左宗棠挥手打断了他的话，“你不必推辞了！雪岩兄，你遇见我，就容不得你再作主张。这话好像蛮不讲理，但不是的！足下才大如海，我已深知。不要说就这两件事，再多兼几个差使，你也能够应付裕如。

我想，你手下总有一班得力的人，你尽管开单子来，我关照蒋芗泉，一律照委，你往来沪杭两地，出出主意就行了。”

如此看重，不由得使胡雪岩想起王有龄在围城中常说的两句话：“鞠躬尽瘁，死而后已。”便慨然答道：“既然大人认为我干得了，我就试一试看。”

“不用试，包你成功！”左宗棠说，“我希望你两件事兼筹并顾。浙江的军务，正在紧要关头上，千万不能有‘闹饷’的活把戏弄出来。”

“是。我尽力而为。”胡雪岩说，“如今要请示的是，这个捐的名目。我想叫‘罚捐’。”

“罚捐倒也名副其实。不过——”他沉吟着，好久未说下去。

这当然是有顾忌，胡雪岩也可以想象得到，开办“罚捐”可能会惹起浮议，指作“包庇逆党”。这是很重的一个罪名。然而是否“包庇”，要看情节而定，与予人自新之路，是似是而非的两回事。

他心里这样在想，口头却保持沉默，而且很注意左宗棠的表情，要看他是不是有担当。

左宗棠自然是有担当的，而且这正也是他平时自负之处。他所考虑的是改换名目，想了好一会儿，竟找不出适当的字眼，便决定暂时先用了再说。

接着，又有疑问。“这个罚捐，要不要出奏？”他问，“你意下如何？”

“出奏呢，怕有人反对，办不成功；不出奏呢，又怕将来部里打官腔，或者‘都老爷’参上一本。”胡雪岩说，“利弊参见，全在大人作主。”

“办是一定要办，不过我虽不怕事，却犯不上无缘无故背个黑锅，你倒再想想，有什么既不怕他人掣肘，又能为自己留下退步的办法？”

“凡事只要秉公办理，就一定会有退步。我想，开办之先，不必出奏，办得有了成效，再奏明收捐的数目，以后直接咨部备案，作为将来报销的根据。”

“好！准定这样办。”左宗棠大为赞赏，“‘凡事只要秉公办理，就必有退步。’这话说得太好了。不过，你所说的‘成效’也很要紧，国家原有上千万的银子，经常封存内库，就为的是供大征伐之用。这笔巨款，为赛尚阿之流的那班旗下大爷挥霍一空，所以‘皇帝不差饿兵’那句俗语不适用了！如今朝廷不但差的是饿兵，要各省自己筹饷，而且还要协解‘京饷’。如果说，我们办得有成效的税捐，不准再办，那好，请朝廷照数指拨一笔款好了。”

这番话说到尽头了，胡雪岩对左宗棠的处境、想法、因应之道亦由这番话中有了更深的了解。只要不是伤天害理，任何筹饷的办法，都可以得到他的同意。

胡雪岩在左宗棠行辕中盘桓了两天，才回杭州。归来的这番风光，与去时大不相同，左宗棠派亲兵小队护送，自不在话下，但最使他惊异的是，到了武林门外，发现有一班很体面的人在迎接。这一大半是杭州的绅士，包括张秀才在内，其余的都穿了官服，胡雪岩却一个都不认识。此外，还有一顶绿呢大轿，放在城门洞里，更不知作何用处。

胡雪岩颇为困惑。“是接我的吗？”他问何都司。

不用何都司回答，看到刘不才和小张，胡雪岩知道接自己是不错了。果然，小张笑容满面地奔了上来，一把拉住马头上的嚼环，高声说道：“这里前天晚上就得消息了！盼望大驾，真如大旱之望云霓！”

是何消息，盼望他回来又为何如此殷切？胡雪岩正待动问，却不待他开口，首先是一名武巡捕在马前打躬，同时说道：“请胡大人下马，换大轿吧！”

“是这样的，”小张赶紧代为解释，“这是蒋方伯派来的差官，绿呢大轿是蒋方伯自己用的，特为来伺候。”

“是！”那名武巡捕打开拜匣，将蒋益澧的一份名帖与一份请柬递了上来，“敝上派我来伺候胡大人，特为交代，本来要亲自来迎接，只为有几件紧要公事，立等结果，分不开身。敝上又说，请胡大人一到就会个面，有好些事等着商量。”

这一说胡雪岩明白了，小张所说的“消息”，是指他奉委为善后局总办一事。大家如此殷切盼望，以及蒋益澧立等会面，当然是因为“万事莫如赈济急”，一切善后事宜，都待他来作了决定，方能动手兴办。

领会及此，他觉得不宜先跟蒋益澧见面。但此刻的蒋益澧等于一省长官，这样殷勤相待，自己如果不领他的情，是件很失礼的事，必得找一个很好的借口才能敷衍得过去。

胡雪岩的心思很快，下马之顷，已想好了一套说辞。“拜烦回复贵上，”他说，“我也急于要进见，有好些公事请示。不过，这几天来回奔波，身上脏得不成样子，这样子去见长官，太不恭敬。等我稍为抹一抹身子，换一套干净衣服，马上就去。贵上的绿呢大轿，不是我该坐的，不过却之不恭，请你关照轿班，空轿子跟着我去好了。”

于是胡雪岩先到张家暂息，将善后应办的大事以及要求蒋益澧支持的事项，写了个大概，方始应约赴宴。

相见欢然，蒋益澧当面递了委札，胡雪岩便从身上掏出一张纸来，递了过去，上面写的是“善后急要事项”，一共七条：

第一，掩埋尸体，限半个月完竣。大兵之后大疫，此不仅为安亡魂，亦防疫疠。

第二，办理施粥，以半年为期。公家拨给米粮，交地方公正绅士监督办理。

第三，凡粮食、衣着、砖瓦、木料等民生必需品类，招商贩运，免除厘税，以广招徕。

第四，访查殉难忠烈，采访事迹，奏请建立昭忠祠。

第五，贼营拔出妇女，访查其家，派妥人送回。

第六，春耕关乎今年秋冬生计，应尽全力筹办。

第七，恢复书院，优待士子。

“应该，应该！”蒋益澧说，“我无不同意。至于要人，或者要下委札、动公事，请雪翁告诉我，只要力之所及，一定如命。”

“多谢芗翁成全浙江百姓。不过眼前有件事，无论如何要请芗翁格外支持。”胡雪岩率直说道，“弟兄们的纪律一定要维持。”

蒋益澧脸一红，他也知道他部下的纪律不好，不过，他亦有所辩解：“说实话，弟兄们亦是饿得久了——”

“芗翁，”胡雪岩打断他的话说，“饷，我负责。军纪，请芗翁负责。”

蒋益澧心想，胡雪岩现在直接可以见左宗棠，而且据说左宗棠对他言听计从，倘或他拿此事跟上面一说，再交下来，面子就不好看了。既然如此，不如自己下决心来办。

于是他决定了两个办法：一是出告示重申军纪，违者就地正法；二是他从第二天开始，整天坐镇杭州城中心的官巷口，亲自执行军法。

这一来，纪律果然好得多了，善后事宜，亦就比较容易着手。只是苦了胡雪岩，一天睡不到三个时辰，身上掉了好几斤的肉，不过始终精神奕奕，毫无倦容。

左宗棠是三月初二到省城的，一下了轿，约见的第一个人就是胡雪岩。

“惨得很！”左宗棠脸上很少有那样沮丧的颜色，“军兴以来，我也到过好些地方，从没有见过杭州这样子遭劫的！以前杭州有多少人？”

“八十一万。”胡雪岩答说。

“现在呢？”

“七万多。”

“七万多？”左宗棠嗟叹着，忽然抬眼问道，“雪翁，不说八万，不说六万，独说七万多，请问何所据而云然？”

“这是大概的估计。不过，亦不是空口瞎说。”胡雪岩答道，“是从各处施粥厂、平粜处发出的‘筹子’算出来的。”

“好极！”左宗棠极为嘉许，“雪翁真正才大心细。照你看，现在办善后，当务之急是哪几样？”

“当务之急，自然是振兴市面。市面要兴旺，全靠有人肯来做生意，做生意的人胆子小，如果大人有办法让他们放心大胆地到杭州来，市面就会兴旺，百姓有了生路，公家的厘金税收，亦会增加。于公于私，都有莫大的好处。”

“这无非在‘整饬纪律’四个字，格外下功夫。你叫商人不要怕，尽管到杭州来做生意。如果吃了亏，准他们直接到我衙门来投诉，我一定严办。”

“有大人这句话，他们就敢来了。”胡雪岩又问，“善后事宜，千头万绪，包罗太广，目前以赈抚为主，善后局是否可以改为赈抚局？”

“不错！这个意见很好。”左宗棠随即下条子照办，一切如旧，只是换了个名字。

赈抚局的公事，麻烦而琐碎，占去了胡雪岩许多的工夫，以致想见一次左宗棠，一直找不到适当的时间。

这样迁延了半个月，专折奏报克复杭州的折差已由京里回到杭州，为左宗棠个人带来一个好消息：“内阁奉口谕，闽浙总督左宗棠自督办浙江军务以来，连克各府州县城池，兹复将杭州省城、余杭县城攻拔，实属调度有方，着加恩赏太子少保衔，并赏穿黄马褂。”此外，蒋益澧亦赏穿黄马褂，“所有在事出力将士，着左宗棠查明，择优保举。”

消息一传，全城文武官员，够得上资格见总督的无不肃具衣冠，到总督行辕去叩贺。左宗棠穿上簇新的黄马褂，分班接见，慰勉有加，在看到胡雪岩随着候补道员同班磕头，特为嘱咐戈什哈等在二堂门口，将他留了下来。

等宾僚散尽，左宗棠在花厅与胡雪岩以便服相见。一见少不得再次致贺，左宗棠自道受恩深重，对朝廷益难报称，紧接着又向胡雪岩致歉，说克复杭州有功人员报奖，奏稿已经办好，即将拜发，但其中并无胡雪岩的名字，因为第一次保案，只限于破城将士，以后奏保办理地方善后人员，一定将他列为首位。

胡雪岩自然要道谢，同时简单扼要地报告办理善后的进展，奉“以工代赈，振兴市面”八个字为宗旨，这样一方面办了赈济，一方面做了复旧的工作。左宗棠不断点头，表示满意，然后问起胡雪岩有何困难。

“困难当然很多，言不胜言，但也不敢麻烦大人，只要力所能及，我自会料理，请大人放心。不过，人无远虑，必有近忧，如今已经三月下旬了，转眼‘五荒六月’，家家要应付眼前。青黄不接的当口，能够过得去，都因为有个指望，指望秋天的收成，还了债好过年。大人，今年只怕难了！”

一句话提醒了左宗棠，他悚然而惊，搓着手说：“是啊！秋收全靠春耕。目前正是插秧的时候，如果耽误了，可是件不得了的事！”

“大人说这话，两浙的百姓有救了。”

“你不要看得太容易，这件事着实要好好商量。雪翁，你看，劝农这件事，该怎么样做法？”

“大人古书读得多，列朝列代都有大乱，大乱之后，怎么帮乡下人下田生产，想来总记得明明白白？”

“啊，啊，言之有理。”左宗棠说，“我看，这方面是汉初办得好，薄太后的黄老之学，清静无为，才真是与民休息。就不知道当今两宫太后，能否像薄太后那样？”

胡雪岩不懂黄老之学用于政务，便是无为而治，也不知道薄太后就是汉文帝的生母，不过清静无为、与民休息这两句成语是听得懂，便紧接着他的话说：“真正再明白不过是大人！要荒了的田地有生气，办法也很简单。三个字：不骚扰！大人威望如山，令出必行，只要下一道命令，百姓受惠无穷。”

“当然，这道命令是一定要下的。雪翁，你且说一说，命令中要禁止些什么？”

“是！”胡雪岩想了一下答说，“第一，军饷的来源是厘金、是殷实大户的捐献，与种田的老百姓无干。今年的钱粮，想来大人总要奏请豁免的，但就怕各县的‘户书’假名追征旧欠。那一来，老百姓就吓得不敢下田了！”

“那怎么行？”左宗棠神色凛然地，“若有此事，简直毫无心肝了，杀无赦！”

“第二，怕弟兄们抓差拉夫。”

“这也不会。我早就下令严禁，征差要给价。如今我可以重申前令，农忙季节，一律不准骚扰，而且还要保护。”左宗棠问道，“还有呢？”

“还有就是怕弟兄们杀耕牛！”

“那也不会，谁杀耕牛，我就杀他。”

“大人肯这样卫护百姓，今年秋收有望了。至于种籽、农具，我去备办，将来是由公家贷放，还是平价现卖，请大人定章程。好在不管怎么样，东西早预备在那里，总是不错的！”

“不错，不错。请你去预备，也要请你垫款。”左宗棠说道，“除了钱以外，我这里什么都好商量。”

“是！”胡雪岩答道，“我是除了钱以外，什么事都要跟大人商量，请大人做我的靠山。”

“那还用说，要人要公事，你尽管开口。”

“有件事要跟大人商量。湖州府属的丝，是浙西的命脉，养蚕又是件极麻烦的事，以蚕叫‘蚕宝宝’，娇嫩得很，家家关门闭户，轮流守夜，按时喂食，生客上门都不接待的。如今蒋方伯正带兵攻打湖州，大军到处，可能连茶水饭食都不预备，可是这一来，蚕就不能养了。还有，养蚕全靠桑叶，倘或弟兄们砍了桑树当柴烧，蚕宝宝岂不是要活活饿死？”

“噢，”左宗棠很注意地，“我平日对经济实用之学，亦颇肯留意，倒不知道养蚕有这么多讲究。照你所说，关系极重，我得赶紧通知蒋芗泉，格外保护。除了不准弟兄骚扰以外，最要防备湖州城里的长毛突围乱窜，扰害养蚕人家。”

“大人这么下令，事情就不要紧了！”胡雪岩欣慰地说，“江南的四月里是最吃重的一个月。用唱山歌的话‘做天难做四月天’，因为插秧、养蚕都在四月里，一个要雨，一个要晴。托朝廷的洪福、大人的威望，下个月风调雨顺、军务顺手，让这一个月平平安安过去，浙江就可以苦出头了！”

“我知道了，总想法子如大家的愿就是。”说到这里，左宗棠眉心打了个结，“倒是有件事，雪翁，我要跟你商量。看看你有没有高招，治那一班蠹吏！”

“蠹吏”二字，胡雪岩没有听懂，瞠然不知所答。及至左宗棠作了进一步的解释，他才知道指的是京里户部与兵部的书办。

“户部与兵部的书办，盼望肃清长毛之心，比谁都殷切。在他们看，平了洪、杨，就是他们发财的机会到了。正月二十一，曾老九克了天保城，金陵合围，洪秀全已如釜底游魂。李少荃的淮军，攻克常州，亦是指顾间事。常州一下，淮军长驱西进，会合苦守镇江的冯子材，经丹阳驰援曾九，看起来可以在江宁吃粽子了。”

“没有那么快！”胡雪岩接口便答。

这一答，使得左宗棠错愕而不悦。“何以见得？”他问。

胡雪岩知道自己答得太率直了。左宗棠有句没有说出来的话：“莫非论兵我还不如你？”因而胡雪岩很见机地改口：“大人用兵，妙算如神，我何敢瞎议论。不过，我在上海那两年，听到看到，对于李中丞的性情，自以为摸得很透。常州如果攻了下来，他未必肯带兵西进。因为，他不会那么傻，去分曾九帅一心想独得的大功。”

“啊！”左宗棠重重一掌，拍在自己大腿上，“你也是这么想？”

“只怕我想得不对。”

“不会错！”左宗棠叹口气，“我一直也是这么在想，不过不肯承认我自己的想法。我总觉得李少荃总算也是个翰林，肚子里的货色，虽只不过温熟了一部《诗经》，但忠君爱国的道理总也懂的，而况受恩深重，又何忍辜负君父灭此大盗，以安四海的至意？如今你跟我的看法不约而同，就见得彼此的想法都不错。论少荃的为人，倒还不致巴结曾九，只为他老师节制五省军务，帘眷正隆，不免功名心热，屈己从人。至于他对曾九，虽不便明助，暗底下却要帮忙，助饷助械，尽力而为。所以金陵克复的日子，仍旧不会远。”

“是的，这是明摆在那里的事。江宁合围，外援断绝，城里的存粮一完，长毛也就完了。照我看，总在夏秋之交，一定可以成功。”

“那时候就有麻烦了。你先看这个。”

说着左宗棠从怀中掏出一封信来，厚甸甸的，总有十来张信笺。他检视了一下，抽出其中的两张，递了给胡雪岩。

这两张信笺中，谈的是一件事，也就是报告一个消息。信笺说兵部与户部的书办，眼看洪、杨肃清在即，军务告竣，要办军费报销，无不额手相庆。但以湘淮两军，起自田间，将领不谙规制，必不知军费应如何报销，因而有人出头，邀约户兵两部的书办，商定了包揽的办法：多雇书手备办笔墨纸张，专程南下，就地为湘淮两军代办报销，一切不用费心，只照例奉送“部费”即可。在他们看，这是利人利己的两全之计，必为湘淮两军乐于接纳，所以不但已有成议，而且已经筹集了两万银子，作为“本钱”。这光是办购置造报销的连史纸，就将琉璃厂几家纸店的存货都搜空了。

“这个花样倒不错！”胡雪岩有意出以轻松的姿态，“不过这笔‘部费’可观。我替殉节的王中丞经手过，至少要百分之二。”

“就是这话啰！”左宗棠说，“我要跟你商量的就是这件事。我前后用过上千万的银子，如果照例致送，就得二十万银子。哪里来这笔闲钱且不去说它，就有这笔闲钱，我也不愿意塞狗洞。你倒想个法子看，怎么样打消了它！”

“打消是容易，放句话出去挡驾就是。可是以后呢？恐怕不胜其烦了！军费报销是最啰唆的事，一案核销，有几年不结的。大人倒仔细想一想，宝贵的精神，犯得着犯不着花在跟这些人打交道上头？”

“不！”左宗棠大不以为然，“我的意思是，根本不要办报销。军费报销，在乾隆年间最认真，部里书办的花样也最多。不过此一时，彼一时。那时是‘在人檐下过，不敢不低头’，如今我又何必低头？户部也没有资格跟我要账！”

这话说得太霸道了些。诚然，湘军和淮军的军费，都是在地方自筹，户部并没有支付过。但在地方自筹，不管是厘金、捐募，总是公款，何至于户部连要个账都没有资格？胡雪岩不以左宗棠的话为然，因而沉默未答。

“雪翁，”左宗棠催问着，“有何高见，请指教！”

这就不能不回答了，胡雪岩想了一下答道：“那不是大人一个人的事。”

“是啊！不过事情来了，我可是脱不了麻烦。”

“就有麻烦，也不至于比两江来得大。”

这一说，左宗棠明白了。“你的意思是，策动曾相去顶？”他问。

这是指曾国藩，他协办大学士兼领两江总督，也算入阁拜相，所以称之为“曾相”。胡雪岩正是此意，点点头答说：“似乎以曾相出面去争，比较容易见效。”

“我也想到过，没有用。曾相忧谗畏讥，胆小如鼠，最近还有密折，请朝廷另拣亲信大臣，分任重责。你想，他怎么肯不避嫌疑，奏请免办报销？何况时机亦还未到可以上折的时候。”

“难处就在这里。”胡雪岩说，“军务究竟尚未告竣，贸贸然奏请免办报销，反会节外生枝，惹起无谓的麻烦。”

“可是消弭隐患，此刻就得着手。倘或部里书办勾结司员，然后说动堂官，再进而由军机奏闻两宫，一经定案，要打消就难了。”

胡雪岩觉得这番顾虑，决不能说是多余，而且由左宗棠的“书办勾结司员”这句话，他触机而有灵感，不假思索地答说：“既然如此，不妨在第一关上就拿书办挡了回去。”

“嗯，嗯！”左宗棠一面想，一面说，“你这话很有意味。然而，是如何个挡法呢？”

“这等大事，书办不能作主，就如大人所说的，得要勾结司官。司官给他们来盆冷水，迎头一浇，或者表面上敷衍，到紧要关头，挺身出来讲话，只要有理，户部堂官亦不能不听。”

“话是有理。难在哪里去找这么一位明大体、有胆识的户部司官？”

“不一定要明大体、有胆识。”胡雪岩答说，“只要这位司官，觉得这么做于他有利，自然就会挺身而出。”

“着！”左宗棠又是猛拍自己的大腿，“雪翁，你的看法，确是高人一等，足以破惑。”略停一下，他又说道，“听你的口气，似乎胸有成竹，已经想到有这么一个人了。”

“是的。就是杭州人。”

“杭州人，”左宗棠偏着头想，“在户部当司官的是谁？我倒想不起来了。”

“这个人是咸丰二年的进士，分发户部，由主事做起，现在是掌印郎中了。他叫王文韶，大人听说过此人没有？”

左宗棠凝神了一会儿，想起来了：“似乎听人提起过。”他问，“他的号，是叫夔石吗？”

“正是。王夔石。”

“此人怎么样？很能干吧？”

“很能干，也很圆滑，人缘不错。加以户部左侍郎沈桂芬是他乡试的座师，很照应这个门生，所以王夔石在户部很红。”

“既然人很圆滑，只怕不肯出头去争！”左宗棠说，“这种事，只有性情比较耿直的人才肯做。”

“大人见得是。不过，我的意思不是鼓动王夔石出头去力争，是托他暗底下疏通。我想，为了他自己的前程，他是肯效劳的。”

“何以见得？雪翁，请道其详。”

照胡雪岩的看法，做京官若说不靠关系靠自己，所可凭借者，不是学问，便是才干。当翰林靠学问，当司官就要靠才干。这才干是干济之才，不在乎腹有经纶，而是在政务上遇到难题，能有切切实实的办法拿出来，至少也要能搪塞得过去。王文韶之所长，正就是在此。

可是，做京官凭才干，实在不如凭学问。因为凭学问做京官，循资推转，处处得以显其所长，翰林做到兼日讲起注官，进而“开坊”升任京堂，都可以专折言事，更是卖弄学问的时候。也许一道奏疏，上结天知，就此飞黄腾达，三数年间便能戴上红帽子。而凭才干做官，就没有这样便宜了！

“为啥呢？因为英雄要有用武之地。做部里司官，每天公事经手，该准该驳，权柄很大，准有准的道理，驳有驳的缘故，只要说得对，自然显他的才干。可是司官不能做一辈子。像王夔石，郎中做了好多年了，如果升做四品京堂，那些鸿胪寺、通政司，都是‘聋子的耳朵’，没有它不像样子，有了它毫无用处。王夔石就有天大的本事，无奈冷衙门无事可做，也是枉然。”胡雪岩略停一下又说，“司官推转，还有一条出路就是考御史。当御史更是只要做文章的差使，但王夔石搞不来，而且他也不是什么铁面无情的人，平时唯恐跟人结怨，哪里好当什么都老爷？”

“我懂了！”左宗棠说，“王夔石是不愿做京官，只想外放？”

“是的。外放做知府，做得好，三两年就可以升道员。”胡雪岩笑笑说道，“做外官，就要靠督抚了！”这一下，左宗棠心领神会，彻底明了。因为做外官靠督抚，没有比他更清楚的。清朝的督抚权重，京官外转府道，督抚如果不喜此人，从前可以“才不胜任”的理由，奏请“调京任用”，等于推翻朝旨。乾隆初年，虽曾下诏切责，不准再有这样的事例，可是督抚仍旧有办法可以不使此人到任，或者奏请调职。至于未经指明缺分，只分省候补任用的，补缺的迟早，缺分的优瘠，其权更操之督抚。

因此可以想象得到，王文韶如果志在外官，就必得与督抚结缘，而能够设法搞成免办平洪、杨的军费报销，正是可遇而不可求的良机。因为这一来，湘淮将领，无不感戴。而天下督抚，就眼前来说，两江曾国藩、闽浙左宗棠、江苏李鸿章、直隶刘长佑、四川骆秉章、湖广官文、河南张之万、江西沈葆桢、湖北严树森、广东郭嵩焘，哪一个都花过大把银子的军费，能够免办报销个个要见王文韶的情，等他分发到省，岂有不格外照应之理？

想到这里，左宗棠心头的一个疙瘩便消减了一半。“王夔石果然是能干的，就得好好抓住这个机会，普结天下督抚之缘。”他又回想了一下胡雪岩的话，发现有件事令人惊异，便即问道，“雪翁，你到京里去过没有？”

“还不曾去过。”

“那就怪了！你没有上过京，又是半官半商，何以倒对京官的推迁升转如此熟悉？”

“我本来也不懂。前年跟王夔石在上海见面，长谈了好几夜，都是听他说的。”

“原来如此！不过能说得清源流，也很难得的了。”左宗棠又问，“你跟王夔石很熟？”

“是的。”胡雪岩又说，“不过并无深交。”

“看你们谈得倒很深。”

“有利害关系，谈得就深了，交情又另是一回事。王夔石没有什么才气，也没有什么大志，做人太圆滑，未免欠诚恳。我不喜欢这个人。”

左宗棠觉得胡雪岩这几句话，颇对自己的胃口，同时对他的本性，也更为了解他确是个可以论大事、共患难的人，因而不断点头，表示心许。

“大人的意思是，”胡雪岩问道，“让我写封信给王夔石，请他从中尽力？”

“是的，我有这个意思。不过，我怕他一个人的力量不够，四处去瞎撞木钟，搞得满城风雨，无益有害。”

“他一个人的力量，诚然不够，不过事情的轻重，他是识得的。他的本性也是谨慎小心一路，绝不至于飞扬浮躁，到处瞎说。大人这样说，我信上格外关照，叫他秘密就是。”

“能这样最好。”说到这里，左宗棠向左右吩咐，“拿‘缙绅’来！”

缙绅是京师书坊刻的一部职官录，全名叫作“大清缙绅全书”，由“宗人府”开始，一直到各省的佐杂官儿，从亲王到未入流，凡是有职衔的，无不有简历记载。左宗棠索取缙绅，是要查户部的职官。

翻到“户部衙门”这一栏，头一行是“文渊阁大学士管理户部事务倭仁”。左宗棠顿时喜孜孜地说：“行了！此事可望有成。”

“喔，”胡雪岩问道，“大人参透了什么消息？”

“这倭相国是蒙古人。他家一直驻防开封，所以跟河南人没有什么两样。河南是讲理学的地方，这倭相国规行矩步，虽然有点迂，倒是不折不扣的道学先生，先帝对此人颇为看重，所以两宫太后亦很尊敬他。若能得此老出头说话，事无不成之理。”

“那么，”胡雪岩问道，“这话可以不可以跟王夔石说？”

“这些情形，王夔石比我们清楚得多。说亦可，不说亦可。”左宗棠又说，“这倭相国与曾相会试同榜，想来他亦肯帮帮老同年的忙的。”

“既然如此，何不由大人写封信给曾相，结结实实托一托倭中堂？”

“这也是一法。我怕曾相亦有道学气，未见得肯写这样的信。”

“是！”胡雪岩口里答应着，心中却另有盘算。兹事体大，而又不与自己相干，甚至左宗棠亦不必太关切。天塌下来有长人顶，曾氏弟兄所支销的军费，比左宗棠所经手的，多过好几倍，要办军费报销，曾氏弟兄，首当其冲，自然会设法疏通化解。如今自己替左宗棠出主意，不须太起劲，不求有功，先求无过，最为上策。

他这样一转念，步子便踏得更稳了。“为求妥当，我看莫如这么办。先写信透露给王夔石，问问他的意思，看看能不能做得到。要做，如何着手，请他写个节略来！”

“这样做再好都没有。可是，”左宗棠怀疑地问，“他肯吗？”

“一定肯！我有交情放给他。”

“你不是说，你们没有深交吗？”

“放交情”是句江湖上的话，与深交有别。左宗棠不懂这句话，胡雪岩便只好解释：“我是说，王夔石欠下我一个情在那里，所以我托他点事，他一定不会怕麻烦。”

“那就是了。此事能办成功，于你也有好处，曾相、李少荃都要见你的情。”说罢，左宗棠哈哈一笑。

这一笑便有些莫测高深了。胡雪岩心想，大家都说此公好作英雄欺人之谈，当然也喜欢用权术。他说这话，又打这么一个莫名其妙的哈哈，莫非有什么试探之意在内？

继而转念：不管他是不是试探，自己正不妨借此机会，表明心迹。因而胡雪岩正色说道：“大人！我跟王夔石不同，王夔石是想做官上头飞黄腾达，我是想做大生意。因为自己照照镜子，不像做官的材料。所以曾相跟李中丞见不见我的情，我毫不在乎，他们见我的情，我亦不会去巴结他们的。如今，我倒是只巴结一个人！”说到这里，他有意停了下来，要看左宗棠是何反应。

左宗棠当然要问，而且是很关切地问：“巴结谁？”

“还有谁？自然是大人。”胡雪岩说，“我巴结大人，不是想做官，是报答。第一，大人是我们浙江的救星，尤其是克复了杭州，饮水思源，想到我今天能回家乡，王雪公地下有知，可以瞑目，不能不感激大人；第二，承蒙大人看得起我，一见就赏识，所谓‘士为知己者死’，不巴结大人巴结谁？”

“言重，言重！你老哥太捧我了。”左宗棠笑容满面地回答。

“这是我的真心话。大人想来看得出来。”胡雪岩又说，“除此以外，当然也有我的打算。我很想做一番事业。一个人如果要想有所成就，一半靠本事，一半靠机会。遇见大人就是我的一个机会，当然不肯轻易放过。”

“你的话很老实，我就是觉得像你这路性情最投缘。你倒说与我听听，你想做的是什么事业？”

这一问，很容易回答，容易得使人会觉得这一问根本多余。但若照实而言，质直无味，胡雪岩虽不善于词令，却以交了嵇鹤龄这个朋友，学到了一种迂回的说法，有时便觉俗中带雅。好在他的心思快，敏捷可济腹笥的不足，此时想到了一个掌故，大可借来一用。

“大人总晓得乾隆皇帝南巡，在镇江金山寺的一个故事？”

左宗棠笑了。这笑的原因很复杂，笑的意味，自己亦不甚分明。不称“高宗”或者“纯庙”，而说“乾隆皇帝”是一可笑；乾隆六次南巡，在左宗棠的记忆中，每次都驻驾金山寺，故事不少，却不知指的是哪一个，是二可笑；“铜钱眼里翻跟斗”的胡雪岩，居然要跟他谈南巡故事，那就是三可笑了。

可笑虽可笑，不过左宗棠仍持着宽容的心情，好比听稚龄童子说出一句老气横秋的“大人话”那样，除笑以外，就只有“姑妄听之”了。

“你说！”他用一种鼓励的眼色，表示不妨“姑妄言之”。

胡雪岩当然不会假充内行，老老实实答道：“我也不晓得是哪一年乾隆皇帝南巡的事，我是听我的一个老把兄谈过，觉得很有意思，所以记住了。据说——”

据说，有一次乾隆与金山寺的方丈，在寺前闲眺，遥望长江风帆点点。乾隆问方丈：江中有船几许？方丈答说：只有两艘，一艘为名，一艘为利。

这是扬州的盐商深知乾隆的性情，特意延聘善于斗机锋的和尚，承应皇差的佳话。只是传说既久，变成既俗且滥的一个故事，胡雪岩引此以喻，左宗棠当然知道他的用意，是说他的事业，只是“做大生意”图利而已。

然而，他没有想到，胡雪岩居然另有新义。“照我说，那位老和尚的话，也不见得对。”胡雪岩很起劲地举手遥指，“长江上的船，实在只有一艘，既为名，亦为利！”

“噢！”左宗棠刮目相看了，“何以见得？”

“名利原是一样东西。”胡雪岩略有些不安地，“大人，我是瞎说。”

这比“既为名，亦为利”企求兼得的说法，又深一层了。左宗棠越感兴味，正待往下追问时，但见听差悄悄掩到他身边，低声问道：“是不是留胡老爷便饭？”

“当然。”左宗棠问道，“什么时候了？”

“未正！”

未正就是午后两点，左宗棠讶然。“一谈谈得忘了时候了。”他歉然地问，“雪翁，早饿了吧？”

“大人不提起，倒不觉得饿。”

“是啊！我亦是谈得投机，竟尔忘食。来吧，我们一面吃，一面谈。”

于是午饭就开在花厅里。左宗棠虽健于饮啖，但肴馔量多而质不精。一半是因为大劫以后，百物皆缺，亦无法讲求口腹之欲，席中盛馔，不过是一大盘红辣椒炒仔鸡，再有一小碟腊肉。胡雪岩知道这是左宗棠的周夫人远自湖南寄来的，客人非吃不可，而且非盛赞不可，所以下箸便先夹腊肉。

腊肉进口，左宗棠顾不得听他夸赞周夫人的贤德，急于想重拾中断的话题。“雪翁，”他说，“你说名利原是一样东西，这话倒似乎没有听人说过，你总有一番言之成理的说法吧？”

“我原是瞎说。”胡雪岩从容答道，“我常在想，人生在世应该先求名，还是先求利？有一天跟朋友谈到这个疑问，他说：别的我不知道，做生意是要先求名，不然怎么叫‘金字招牌’呢？这话大有道理，创出金字招牌，自然生意兴隆通四海，名归实至。岂非名利就是一样东西？”

“你把实至名归这句话，颠倒来说，倒也有趣。”左宗棠又问，“除了做买卖呢？别处地方可也能用得上你这个说法不能？”

“也有用得上的。譬如读书人，名气大了，京里的大佬都想收这个门生，还不曾会试，好像就注定了一定会点翰林似的。”

说到这里，胡雪岩记起左宗棠数上春官，铩羽而归，至今还是一个举人，所以听见人谈中进士、点翰林，心里便酸溜溜的不好受，自己举这个例，实在不合时宜。好在他的机变快，就地风光，恰有一个极好的例可举。

“再譬如大人。”他说，“当年我们远在浙江，就听说湖南有位‘左师爷’，真正了不起！大人名满天下，连皇上都知道，跟贵省的一位翰林说：叫左某人出来给我办事。果不其然，不做官则已，一做便是抚台。从来初入仕途，没有一下子就当巡抚的。大人的恩遇，空前绝后，这也就是名归实至的道理。”

这顶高帽子套在左宗棠头上，顿时使他起了与天相接之感，仿佛在云端里似的，飘飘然好不轻快！他不自觉地拈着花白短髭，引杯笑道：“虽蒙过奖，倒也是实情。一介举人而入仕便是封疆大吏，这个异数，老夫独叨，足令天下寒儒吐气！雪翁，来，来，我敬你一杯！”

就这杯酒交欢之间，左宗棠与胡雪岩的情谊又加深了，深到几乎可以推心置腹的地步，因而说话亦越发无所隐讳顾忌。谈到咸丰曾向湖南一位翰林表示“叫左某人出来给我办事”时，胡雪岩问说，这位翰林可是现任广东巡抚郭嵩焘？

“正是他！”左宗棠的声音不自觉地高了，似乎有些激动似的。

这使得胡雪岩不免困惑。因为他曾听说过，郭嵩焘救过左宗棠，对于己有恩的故交，出之以这种的异样口吻，听来真有些刺耳。

左宗棠也是善于察言观色的人，而且心里也有牢骚要吐，所以很快地接下来问：“他跟我的渊源，想来你总知道？”

“知道得不多。”

“那么，我来说给你听。是咸丰八年的事——”

咸丰八年春天，湖南永州镇总兵樊燮，贪纵不法，又得罪了势焰熏天的“左师爷”，因而为左宗棠主稿上奏，严劾樊燮。拜折之时，照例发炮，骆秉章坐在签押房里听见声音，觉得奇怪。看时候不是午炮，然则所为何来？

听差的告诉他说：“左师爷发军报折。”

左宗棠在骆秉章幕府中，一向这样独断独行，因而又有个外号叫“左都御史”。巡抚照例挂两个衔：一个是兵部右侍郎，便于管辖武官，一个是右副都御史，便于整饬吏治，参劾官吏。而“左师爷”的威权高过骆秉章，称他“左都御史”是表示右副都御史得要听他的。这一次参劾樊燮，骆秉章事前亦无所闻，此时才要了奏折来看。措词极其严厉，但也不是无的放矢，譬如说樊燮“目不识丁”，便是实情。既已拜折，没有追回来的道理，也就算了。

其时朝廷正倚任各省带兵的督抚，凡有参劾，几乎无一不准，樊燮就此革了职。只以左宗棠挟有私怨，大为不服，便向湖广总督衙门告了一状，又派人进京向都察院呈控，告的是左宗棠，牵连到骆秉章，说湖南巡抚衙门是“一官两印”。

这是大案，当然要查办。查办大员一个是湖广总督官文，另外一个是湖北乡试的主考官钱宝青。官文左右已经受了樊燮的贿，形势对左宗棠相当不利。幸亏湖北巡抚胡林翼，与官文结上一层特殊的关系——官文的宠妾是胡老太太的义女，所以连官文都称胡林翼为“胡大哥”。这位胡老太太的义女，常对官文说：“你什么都不懂！只安安分分做你的官，享你的福，什么事都托付给胡大哥，包你不错。”官文亦真听她的话，所以胡林翼得以从中斡旋，极力排解，帮了左宗棠很大的一个忙。

“总而言之，郭筠仙平地青云，两年之间，因缘时会，得任封疆，其兴也暴，应该虚心克己，以期名实相称。不然，必成笑柄，甚至身败名裂！我甚为筠仙危。”说到这里，左宗棠忽然忍俊不禁了，“曾相道貌俨然，出语亦有很冷隽的时候。前几天有人到营里来谈起，说郭筠仙责备‘曾涤生平生保人甚多，可惜错保了一个毛寄云。’这话传到曾相耳里，你道他如何？”

“以曾相的涵养，自然付之一笑？”

“不然，曾相对人说：‘毛寄云平生保人亦不少，可惜错保一个郭筠仙！’针锋相对，妙不可言。”

左宗棠说完大笑。胡雪岩亦不由得笑了，一面笑一面心里在想，郭嵩焘做这个巡抚，可说四面受敌，亏他还能撑得下去！看起来是一条硬汉，有机会倒要好好结识。

左宗棠却不知怎么，笑容尽敛，忧形于色。“雪翁，”他说，“我有时想想很害怕！因为孤掌难鸣。论天下之富，苏、广并称，都以海关擅华洋之利。如今江苏跟上海有曾、李，广东又为曾氏兄弟饷源。郭筠仙虽然官声不佳，但如金陵一下，曾老九自然要得意，饮水思源，以筹饷之功，极力维持郭筠仙，亦是意中之事。照此形势，我的处境就太局促了！雪翁，你何以教我？”

这番话，左宗棠说得很郑重、很深，胡雪岩亦听得很用心，很细。话外有话、意中有意，是有关左宗棠的前程，也可能有关自己利害的一件大事，不宜也不必遽尔回答，胡雪岩便以同样严肃的神色答道：“大人看得很远，要让我好好想一想，才能奉答。”

“好！请你好好替我想一想。”左宗棠又说，“不足为外人道。”

“当然！”胡雪岩神色凛然，“我不能连这个道理都不懂。”

“是，是，”左宗棠歉疚地，“我失言了。”

“大人言重。”胡雪岩欠一欠身子，“等着见大人的，只怕还很多，我先告辞。”

“也好！”左宗棠说，“以后你来，不必拘定时刻，也不一定要穿公服。还有，刚才我跟你谈的那件事，不必急，且看看局势再说。”

第七章

局势的发展，许多方面都出人意表。第一，常州在李鸿章部下郭松林、刘铭传、周盛波、张树声及常胜军戈登合力猛攻之下，于四月初六克复，接着久守镇江的冯子材进克丹阳。大家都以为这两支军队会师以后，一定乘胜西趋，直扑金陵，为曾国荃助攻。哪知李鸿章尽管朝旨催促，却以“伤亡过重，亟须整补”为名，按兵不动。这是为左宗棠、胡雪岩所预料到的，李鸿章不愿分曾国荃一心想独得的大功，有意作态。

第二，是“天王”洪秀全忽然下了一道有如梦呓的“诏令”，说“即上天堂，向天父天兄，领到天兵，保固天京”。过了两天，“天王”服毒自尽，实现了他“上天堂”的诺言。接位的是洪秀全的十六岁儿子，名叫“洪天贵福”，称号唤作“幼天王”。

消息外传，都知道曾国荃成大功在即，颇有人高吟杜少陵的“青春作伴好还乡”，作乱后重整家园之计。而京里重臣、京外督抚，有良心、肯做事的，亦都在默默打算：曾国荃一下金陵，太平天国十余年的积聚，尽萃于“天王府”，足可用来裁遣将士，恢复地方；固然，金陵所得，必是用于江南及湘军，但应解的协饷，可以不解，就等于增加了本地的收入。

像左宗棠就是打着一把如意算盘，认为曾国荃一克金陵，广东便将复成浙江的饷源。他曾跟胡雪岩谈过，到那时候，要专折奏，派他到广东去会办厘捐。胡雪岩口头一诺无辞，其实不当它一回事，在他看来，此事渺茫得很，只是不便扫左宗棠的兴，所以只是唯唯敷衍而已。

在李鸿章所拨借的炮队协攻之下，曾国荃所部在五月底攻占了“龙膊子”。其地在江宁城外东北的钟山之巅，居高临下，俯瞰全城。此地一失，“忠王”李秀成束手无策了。

曾国荃用兵，独得一“韧”字，苦苦围困到这般地步，要韧出头了，更不肯丝毫怠慢，下令各营，由四面收束，直往里逼，逼近城下，昼夜猛攻。而真正的作用是，借无时或已的炮声，遮掩他挖掘地道的声响。

金陵围了两年，曾国荃从朝阳门至钟阜门，挖过三十多处地道。有时是“落磐”，挖地道的士兵随死随埋，丛葬其中；有时是为长毛所发觉，烟熏水浇，死者论百计；有一次快成功了，地道内的士兵，忽然发现一枝长矛刺了下来——其实是长毛行军休息，随意将矛一插，而官军轻躁没脑筋，使劲将那枝矛往下拉，长毛始而大骇，继而大喜，掘地痛击。功败垂成，死了四百人之多，都是朱洪章的部下。

朱洪章是贵州人，也是曾国荃部下高级将领中唯一的非湖南人。因为孤立其间，不能不格外卖力，免得遭受排挤。曾国荃亦很看重他，一直保到提督衔记名总兵，派他经理营务处。此时再挖地道，由他与记名提督河南归德镇总兵李臣典共同负责。

从六月初八开始，日夜不停，挖了七天才挖成，填塞炸药，可以作最后的攻击了。曾国荃问部下诸将，哪一营“头敌”，哪一营“二敌”？

诸将默无一言，便按官职大小，个别征询。官阶最高的是萧孚泗，已经补上福建陆路提督，他依旧沉默，便只好问李臣典了。

李臣典倒愿打头阵，但要朱洪章拨一两千精兵给他。朱洪章表示：“既然如此，不如我来当头。”事情便这样定局，还立了军令状，畏缩不前者斩！

六月十六日正午，由朱洪章下令施放炸药。地道中的炸药有三万斤之多，进口之处用巨石封固，另外以极粗的毛竹伸入地道，内用粗布包炸药填塞，作为引线，引线点燃以后，但闻地底隐隐如雷声，却不爆发。天空中的骄阳，流火铄金一般，炸药绝无不燃之理，万千将士挥汗屏息，等得焦灼不堪。这样过了一个钟头之久，地底连那隐隐雷声都消失了。

过去亦常有不能引发炸药的情事，这一次看起来又是徒劳无功。各营将士，无不失望，正准备先撤退一批部队，分班休息时，突然间，霹雳之声大作，仿佛天崩地裂似的。太平门的一段城墙，约有二十多丈长，随烟直上，耸得老高，成为闻所未闻的奇观。

这有个说法。明太祖建都南京，洪武二年始建都城，征发大量民夫，花了四年工夫，方始完工，周围六十一里，不但比北平城周四十余里、西安城周二十四里都大，而且亦是世界第一大城。

南京城不但大，而且高，平均都在四十尺以上。大与高之外，最大的特色是坚，城以花岗石为基，特为烧制的巨砖为墙，砖与砖之间，用石灰泡糯米浆水砌合。全城告成，再以石灰泡糯米浆水涂敷，所以在城外随便指一处敲击，都会显出白印。五百年来刀枪不入、水火不侵的城墙，毕竟还是敌不过西洋的炸药，只是被炸以后，砖砖相砌，过于坚牢，所以才会造成二十余丈长的整段城墙，飞入空中的奇观。后来知道，这段城墙飞出一里多外，裂成数段落地，打死了数百人之多。

在当时，朱洪章奋身向前，左手执旗，右手操刀，大呼上城。于是九门皆破，有所谓“先登九将”，除朱洪章、李臣典、萧孚泗以外，还有记名总兵武明良、熊登、伍维寿，提督张诗日，记名按察使刘连捷，记名道员彭毓橘。

捷报到京，自然要大赏功臣。据说文宗在日，曾有诺言：平洪、杨者封王。但清朝自三藩之后，异姓不王，甚至封公爵的亦没有。因此，亲贵中颇有人反对实现文宗的诺言，形成难题。最后是慈安太后出了个主意：将一个王爵，析而为四。曾国藩功劳最大，封侯；其次是曾国荃，封伯；接下来是一个子爵、一个男爵，封了李臣典和萧孚泗。

朝旨一下，朱洪章大为不服。论破城当日之功，他实在应该第一，首先登城，生擒伪勇王洪仁达，占领“天王府”。而曾国荃奏报叙功时，却以李臣典居首。据说，当朱洪章占领“天王府”，看守到黄昏时分，李臣典领兵驰到，自道“奉九帅之命接防”。于是“天王府”归李臣典的控制，看守到第二天上午八点钟，光天化日之下，“天王府”无缘无故起火，烧得精光。事后曾国荃奏报，搜索“天王府”除了一颗伪玺以外，什么都没有了。

李臣典叙功居首的奥妙是如此！朱洪章在“先登九将”中甚至不如萧孚泗还落得一个五等爵末位的“一等男”，他所得的恩典，是“无论提督总兵缺出，尽先提奏，并赏穿黄马褂，赏给骑都尉世职”。虽亦不薄，但名列第三，太受委屈。

一口气咽不下，朱洪章去找“九帅”理论。曾国荃大概早有防备，应付之道甚绝，他说：“我亦认为你应居首功。但叙功的奏折，是由我老兄拜发，听说是他的幕友李某捣鬼。”说着，他从靴页子里拔出一把雪亮的刀子，倒持着递向朱洪章，“你去宰了那个姓李的。”

朱洪章为之啼笑皆非。但李臣典亦如黄粱一梦，锡爵之恩，黄马褂、双眼花翎之荣，竟不克亲承宠命，恩旨到时，已经一命呜呼。据曾国荃奏报，说他攻城时，“伤及腰穴，气脉阻滞”，因而于七月初二日不治出缺。却又有人说，李臣典死在“牡丹花下”——破城之日，玉帛子女，任所取携，李臣典一日夜之间，御十数女子，溽暑不谨，得了“夹阴伤寒”，一命呜呼。当然，这是私下的传说，反正死因如出于床笫之间，真相是再也不能水落石出的。

而萧孚泗的封男爵，亦有一段故事。

当城破无可为计时，李秀成在乱军中带着一个亲信书童，出通济门往东南方向逃走，目的是越过茅山，经溧阳、长兴到湖州，与由杭州遁走的长毛会合。

走到一处叫方山的地方，撞见八个樵夫，其中有人认识他，却确不定，便冒叫一声：“忠王！”

李秀成一看行藏被人识破，便长跪相求：“哪位领路带我到湖州，我送三万银子酬谢。”

说着，他与他的书童都将袖子抹了上去。但见四条手臂上，戴满了金镯子，另外有一匹马，驮着一只箱子，看上去并不大，可是压得马的腰都弯了，可以想见其中装的是金银珠宝。

这八个樵夫见此光景，大起贪心，一方面想侵吞李秀成的钱财，一方面还想报功领赏。于是这八个人将李秀成主仆骗入山下的“涧西村”，公推一个姓陶的去向官军报信，目的地是驻扎太平门外的李臣典营中，因为姓陶的有个同族弟兄是李臣典的部下，托他转报，比较妥当。

姓陶的经过钟山，又饥又渴，想起这里是萧孚泗的防区，营中有个伙夫，因为供应柴草的关系而熟识，不妨到他那里歇脚求食。

姓陶的得意忘形，休息闲谈之间，透露了生擒李秀成的经过。这个伙夫便转告亲兵，亲兵转报萧孚泗，姓陶的便注定要做枉死鬼了。

一番秘密嘱咐，将姓陶的好酒好肉款待，萧孚泗自携亲兵二十多人，烈日下疾驰到涧西村，将李秀成手到擒来，价值十余万银子的金银珠宝，亦归掌握。姓陶的被一刀斩讫，借以灭口，不过萧孚泗总算还有良心，没有杀那个伙夫，给了他五颗上好的珠子、一匹好马，暗示他连夜“开小差”，走得越远越好。

萧孚泗之得封男爵，就以生擒李秀成之功。曾国荃到后来才知道真相，吩咐赏那八家樵夫每家一百两银子，结果为亲兵吞没大半，只拿出去一个“大元宝”——五十两银子，由八家均分。

如果李秀成真是为萧孚泗凭一己之力所生擒，这份功劳，就真值得一个男爵了。因为“天京”虽破，“幼天王”却未获，只说已死在乱军之中，对朝廷似难交代。幸好有个李秀成，论实际，其人之重要又过于“幼天王”，差可弥补元凶下落不明之失。

其时曾国藩已由安庆专船到江宁，除抚循将士、赈济百姓以外，另一件大事，就是处置李秀成，委派道员庞际云、知府李鸿裔会审。这李鸿裔，就是曾国荃向朱洪章所说“捣鬼”的“李某”。

从六月二十七到七月初六，十天的工夫，审问的时间少，李秀成在囚笼写“亲供”的时候多。他每天约写七千字，总计约七八万言，却为曾国藩大删大改，所存不过三分之一，方始奏报。其中谈到城破以后，洪秀全两个儿子的下落，说是“独带幼主一人，幼主无好马，将我战马交与骑坐。……三更之后，舍死领头冲锋，带幼主冲由九帅攻倒城墙缺口而出。君臣数百人，舍命冲出关外，所过营塞，叠叠层层、壕满垒固。幼主出到城外，九帅营中，营营炮发，处处喊声不绝，我与幼主两下分离。九帅之兵，马步追赶，此时虽出，但生死未知。十六岁幼童，自幼至长，并未骑过马，又未受过惊慌，九帅四方兵进，定然被杀矣，若九帅马步在路中杀死，亦未悉其是幼主。一个小童，何人知也？”

这段供词，与曾国藩奏报“幼逆已死于乱军之中”，有桴鼓相应之妙，不道弄巧成拙，反显删改之迹——“幼天王”未死，逃到湖州了。

在曾国藩封侯的同时，又有恩旨赏赉东南各路统兵大帅及封疆大臣。亲王僧格林沁，加赏一贝勒；湖广总督官文，赐封一等伯爵，世袭罔替；江苏巡抚李鸿章一等伯爵；陕甘总督杨岳斌、兵部右侍郎彭玉麟赏给一等轻车都尉世职，并赏加太子少保衔；四川总督骆秉章、浙江提督鲍超，一等轻车都尉世职；西安将军都兴阿、江宁将军富明阿、广西提督冯子材，均赏给骑都尉世职。

东南大员，向隅的只有左宗棠和江西巡抚沈葆桢，上谕中特为交代：“俟浙赣肃清后再行加恩。”这虽是激励之意，但相形之下，未免难堪，尤其是李鸿章封爵，使得左宗棠更不服气。往深一层去想，曾国藩节制五省军务，江西、浙江亦在其列，这两省既未肃清，就是曾国藩责任未了，何以独蒙上赏？

再有一件事，使左宗棠气恼的是，江宁溃败的长毛，只有往东南一路可逃，因而湖州一带，本来打得很顺利的，忽然增加了沉重的压力。如果事先密商，曾国荃定于何时破城、进兵围剿的策略如何，都能让左宗棠知道，先期派兵填塞缺口，伏路拦截，又何至于让溃败的长毛如山倒堤崩般涌过来？然则曾军只顾自己争功，竟是“以邻为壑”了！

朝中当国的恭王，以及上获信任、下受尊重、确能公忠体国为旗人中贤者的军机大臣文祥，却不知东南将帅之间存着如此深刻的矛盾，紧接着大赏功臣的恩诏之下，又有一道督责极严的上谕，让左宗棠看了，更不舒服。

上谕中说“江宁克复，群丑就歼，无逸出之贼”，这几句话，便使左宗棠疑心。而曾氏弟兄奏报克复江宁的战功，不知如何铺张扬厉，夸大其词，因此左宗棠对于后面“着李鸿章将王永胜等军，调回长兴，协防湖郡，左宗棠当督率各军，会合苏师，迅将湖州、安吉之贼，全行殄灭，克复坚城，勿令一贼上窜”的要求，越起反感。

“你看，”他对胡雪岩说，“曾氏兄弟，不但自己邀功，还断了别人的建功之路。照字里看，大功已经告成，浙江可以指日肃清，湖州长毛如毛，攻起来格外吃力，即使拼命拿下来，也讨不了好。因为有曾氏兄弟先入之言，说江宁的‘群丑就歼，无逸出之贼’，朝廷一定以为我们虚报军功。你想，可恨不可恨？”

胡雪岩当然只有劝慰，但泛泛其词，不能发生作用，而谍报一个接一个，尽是长毛的某王某王由皖南广德窜入浙江境界，越过天目山直奔湖州的消息。最后来了一个消息，是难民之中传出来的，飞报到杭州，左宗棠一看，兴奋非凡。

这个报告中说，“幼天王”洪天贵福，在江宁城破以后，由“干王”洪仁玕、“养王”吉庆元、“誉王”李瑞生、“扬王”李明成“保驾”，六月二十一那天，到达广德，然后由守湖州的“堵王”黄文金，在五天以后亲迎入湖州城内。同时长毛已得知“忠王”李秀成为官军所获的消息，改封洪仁玕为“正军师”。

这一下，左宗棠认为可以要曾氏弟兄的好看了，当即嘱咐幕友草拟奏稿，打算飞骑入奏，拆穿曾国藩所报“幼逆已死于乱军”中的谎言。而正当他意气洋洋、解颜大笑之际，胡雪岩正好到达行辕，听得这个消息，不能不扫左宗棠的兴，劝他一劝。

“大人，这个奏折，是不是可以缓一缓？”

“何缓之有？元凶行藏已露，何敢匿而不报？”左宗棠振振有词地说。

胡雪岩知道用将帅互讦、非国家之福的话相劝，他是听不入耳的，因而动以利害。“我们杭州人有句俗语，叫作‘自搬石头自压脚’，大人，你这块石头搬不得！”他说，“搬得不好，会打破头。”

“这是怎么说？”

“大人请想，这样一奏，朝廷当然高兴，说是‘很好！你务必拿幼逆抓来，无论如何，不准漏网，抓到了封你的侯’。大人，若抓不到呢？”

“啊，啊！”左宗棠恍然大悟，“抓不到，变成元凶从我手中漏网了！”

胡雪岩是有意不再往下说。像左宗棠这样的聪明人，固然一点就透，无烦词费，最主要的，还是他另有一种看法使然。

他这一次上海之行，听到许多有关曾氏兄弟和李鸿章的近况，皆由曾、李的幕友或亲信所透露。有许多函札中的话，照常理而论，是不容第三人入耳的，而其居然亦外泄了，这当然是曾、李本人毫无顾忌，说与左右。深沉的只为知者道，浅薄的自诩接近大僚，消息灵通，加枝添叶，说得活灵活现，无端生出多少是非，也没来由地伤害了好些人的关系。因为如此，胡雪岩对左宗棠便有了戒心。

他在想，这位“大人”的口没遮拦，也是出了名的。如果自己为他设计，离间曾、李之间的感情，说不定有一天，左宗棠会亲口告诉别人如何如何。这岂非“治一经、损一经”？无缘无故得罪了曾、李，就太犯不着了！

而左宗棠有胡雪岩这句话，已经足够，当时很高兴地，一迭连声地说：“吾知之矣！吾知之矣！”

这样的回答，在胡雪岩却又不甚满意。他希望左宗棠有个具体的打算说出来，才好秉承宗旨，襄助办事，因而追问一句：“大人是不是觉得愚见还有可采之处？”

“什么愚见？你的见解太高明了！”左宗棠沉吟着说道，“不过，在我到底不是翻手为云覆雨的人，而况李少荃一向为我——”

他也没有再说下去，只是知道他平日言论的人，都能猜想得到。李鸿章一向为他所藐视，如今与他修好，仿佛有求于人似的，未免心有不甘。

胡雪岩认为从正面设词规劝，与在私底下说人短处不同，即令密语外泄，亦是“台面上”摆得出去的话，并无碍于自己的名声，因而决定下一番说词，促成左李的合作。

“大人，”他有意问道，“如今唯一的急务是什么？”

“你是指公事，还是指我自己的事？”

“公事也是如此，大人的私事也是如此。一而二，二而一，无大不大的一件大事是什么？”

“自然是肃清全浙。”

“是，肃清全浙只剩一处障碍，就是湖州。拿湖州攻了下来，就可奏报肃清。那时候，大人也要封侯拜相了。”

“拜相还早，封侯亦不足为奇。果然膺此分茅之赏，我是要力辞的。”

胡雪岩不知道他这话是有感而发，还是故作矫情，反正不必与他争辩，唯有顺着他的语气想话来说，才能打动他的心。

“大人这一着高！”他翘着大拇指说，“封侯不稀罕，见得富贵于我如浮云，比曾相、李中丞都高一等了。不过，朝廷如无恩命，大人又怎能显得出高人一等的人品？”

“这话倒也是。”左宗棠深深点头。

左宗棠终于松了口，胡雪岩也就松了口气。至于如何与李鸿章合作，就不用他费心了，一切形势，左宗棠看得很清楚，而且谈用兵，亦不是他所能置喙的。他只提醒左宗棠一点，会攻江宁，李鸿章忤了朝旨，目前急图补救，所以即使左宗棠不愿与他合作，他自己亦会派兵进窥湖州，表示遵从朝廷所一再提示的“疆臣办贼，决不可有畛域之分”的要求。

左宗棠亦实在需要李鸿章的支持。

第一是兵力。湖州已成为东南长毛的渊薮，残兵败将集结在一起，人数超过左军好几倍。而且逼得急了，会作困兽之斗，决不可轻视。

第二是地形。湖州四周，港汊纵横，处处可以设伏邀击，本是易守难攻之地，当年赵景贤孤城坚持，因势制宜，将地形的利用，发挥到了极致。如今长毛守湖州的主将黄文金，亦非弱者，且假“幼主”洪天贵福的名号以行，指挥容易。而且湖州所贮存的粮食，据报可以支持一年，这又比赵景贤当时的处境好得多了。

这进取湖州的两大障碍，都不是左宗棠独力所能克服的，而亦唯有李鸿章可以帮助他克服这两大障碍。论兵力，有苏军的协力，才可以完成对湖州的包围——当然不是像曾国荃攻金陵那样的四面包围。如果采取这样的方略，即使兵力部署上能够做得到，亦是不智之举，从古以来，围城往往网开一面，因为不放敌人一条生路，必然作生死的搏斗，就算能够尽歼敌人，自己这方面的伤亡，亦一定是惨重无比。反过来看，留下一个纵敌的缺口，正可以激起敌军的恋生之念，瓦解他的斗志。而况在预先安排好的敌人逃生路上，可以处处设伏，反为得计。

论地形，湖州外围的第一要隘是北面出太湖的大钱口，当年赵景贤雪夜失大钱，导致湖州的不守。以今视昔，情势不殊，要破湖州须先夺大钱，而夺大钱，苏军渡太湖南下，比左军迂道而北要方便得多。同时最大的关键是，攻大钱必须要用水师，而这又是左军之所短、苏军之所长。

李鸿章当然要用他之所长，尽力有所作为，既以弥补常州顿兵之咎，亦以无负锡封爵位之恩。左宗棠自与胡雪岩深谈以后，默默打算，自己这方面地利、人和都不及李鸿章，如果不能大包大揽，放下诺言，限期独力攻克湖州，就不能禁止李鸿章驰驱前路，自北面攻湖州。两军若不能合作，便成争功的局面。李鸿章争不过无所谓，自己争不过，让李鸿章喧宾夺主，那就一世英名付之流水了。

他想来想去，因人成事，利用李鸿章相助，是为上策。自己只要尽到了地主的道理，客军不能不处处情让，即使苏军先攻入湖州，李鸿章亦总不好意思径自出奏。只要光复湖州的捷报由自己手中发出，铺叙战功，便可以操纵了。

打定了主意，暂且做一个能屈能伸的大丈夫，左宗棠亲自提笔，写了一封极恳切的信给李鸿章，在商略扫荡东南余孽的策略中，透露出求援之意。李鸿章亦很漂亮，答应将他部下的“郭刘潘杨”四军，全数投入湖州战场。

郭刘潘杨——郭松林、刘铭传、潘鼎新、杨鼎勋四军，是淮军的中坚。其实李鸿章投入湖州战场的，还不止这四军，另有以翰林从军的刘秉璋与曾国藩的小同乡江南提督黄翼升的水师，亦奉委派，分道助攻。李鸿章的心思与左宗棠大致相同，有意大张声势，将进攻湖州一役看得不下如金陵之复。一方面像押宝似的，希望能俘获“幼逆”，掘得“金穴”，一方面亦是有心扫扫曾军的兴头。

在湖州的长毛，号称二十万，至少亦有六折之数。左李两方，正规军合起来不下八万，加上随军的文员、夫役，总数亦在十万以上。彼此旗鼓相当，发生恶战是意中之事，但胜负已如前定，而且长毛败退的情况，大致亦在估计之中。因为由于地形的限制，进取的方向，只能顺势而行。左宗棠所部由湖州东南、西南两方面进逼，苏军则由东北、西北分攻，并从正北进扼大钱口，以防长毛窜入太湖。湖州的东面，是东南最富庶的地区，有重兵防守，而且东到海滨，并无出路。在湖州的长毛唯一的出路只是向西，如能冲过广德，则江西有李世贤、汪海洋，都是长毛中有名的悍将，能会合在一起，或者还有苟延残喘的可能。

战场如棋局，不但敌我之间，尔虞我诈，就是联手的一方，亦在勾心斗角——李鸿章毕竟还是下了一着专为自己打算的棋，将刘铭传的二十营陆续拔队，指向浙皖之交，名为进攻广德，断贼归路，其实是想拦截黄文金，俘“幼逆”，夺辎重。

湖州终于在七月二十六克复了。

如事先所估计的，黄文金果然开湖州西门遁走。大队长毛分三路西窜，到了广德，又分两路，一路向皖南，一路是由黄文金带着“幼逆”，由宁国过西天目山，经开化、玉山窜入江西境内。刘铭传窜追不舍，其他各军为了争功，亦无不奋勇当先。连追五日五夜，长毛溃不成军，黄文金死在乱军之中了。

但是洪天贵福却还是下落不明。比较可靠的传说是他由江西南下，打算与窜至广东、福建边境的李世贤、汪海洋会合，然后西趋湖北，与“扶王”陈德才联结，自荆襄西入陕西，在关中另起一个局面。这当然是一把如意算盘，但即令打不成功，这样窜来窜去，如与安徽、河南的捻匪合流亦是大可忧之事。因此，朝廷对两次三番、穷追猛打而竟未能捉住“幼逆”置之于法，深为恼火。

更恼火的是左宗棠。“全浙肃清”的折子已经拜发，而洪天贵福未获，就不能算克竟全功，一时还难望分茅之赏。

辨明了“十万军”之说，再论究起参部下的责任，言词更为犀利：“至云杭城全数出窜，未闻纠参，尤不可解。金陵早已合围，而杭州则并未能合围也，金陵报‘杀贼净尽’，杭州报‘首逆实已窜出’也！”仅是这两句话，便如老吏断狱，判定曾国荃有不容贼众逸出的责任，而曾国藩有谎报军情的罪过。但在结尾上，却又笔锋一转，故弄狡猾：“臣因军事最尚质实，故不得不辩。至此后公事，均仍和衷商办，臣断不敢稍存意见，自重愆尤。”这段话是所谓“绵里针”，看来戒慎谦和，其实棱角森然，句句暗隐着指责曾国藩的意思在内。

这通奏折发出，不过半个月便有了回音。由恭王出面的“廷寄”，措词异常婉转，不说一时还不能封左宗棠的爵，却说“左宗棠自入浙以来，克复城隘数十处，肃清全境，厥功甚伟。本欲即加懋赏，恐该督以洪幼逆未灭，必将固辞，一俟余孽净尽，即降恩旨”。这是在很明显地暗示，左宗棠封爵，不过迟早间事。

关于他与曾国藩的争辩，亦有温谕："朝廷于有功诸臣，不欲苛求细故。该督于洪幼逆之入浙，则据实入告，于其出境则派兵跟追，均属正办。所称此后公事仍与曾国藩和衷商办，不敢稍存意见，尤得大臣之礼，深堪嘉尚。朝廷所望于该督者，至大且远，该督其益加勉励，为一代名臣，以孚厚望。"

上谕中虽未责备曾国藩，但是非好恶已表现得很清楚。而许左宗棠以"一代名臣"，更是上谕中难得一见的字样。总之这一场御裁的笔墨官司，左宗棠占尽上风，而与曾国藩的怨，自然也结得更深了。

曾、左结怨，形诸表面的，是口舌之争，暗中拼命抵拒的，是地盘之争。而其中既在夹缝中受挤，又首当其冲的是曾国荃。

曾国荃的本职是浙江巡抚。用兵之时，为了鼓励将帅，不按建制任职，此省大员在他省领兵，事所常有。但战事告一段落，情形就不一样了。

照常理而论，曾国荃即令破江宁以后有过失，到底百战功高，应该让他赴浙江巡抚本任，才是正办。无奈左宗棠以闽浙总督兼署浙江巡抚，绝无退让之意。而曾国藩为曾国荃告病，虽由于忧谗畏讥，以急流勇退作明哲保身之计，其实亦是看透了老弟有"妾身不分明"的隐衷，估量他决不能到任，不如自己知趣。

这在朝廷却又有左右为难之苦。一方面东南军务结穴于湖州克复、全浙肃清，不能不敷衍左宗棠的面子；一方面却又觉得真个让簇新的一位伯爵解甲归田，不是待功臣之道。因此，朝廷对于曾国荃告病，一直采拖延着不作明确的处置，希望曾左之间，能够消释嫌怨，言归于好，由左宗棠出面奏请交卸抚篆，饬令曾国荃到任。

这是个不能实现的奢望。朝廷看看拖着不是回事，决定成全曾国藩的心愿，许曾国荃辞职，可是空出来的浙江巡抚这个缺由谁替补，却颇费斟酌。

朝廷也知道左宗棠的意思，最好是让蒋益澧由藩司升任，而浙江藩司一缺，则由左宗棠保荐。无奈蒋益澧的资望还浅，并且这样处置，在曾国藩的面子上太难看。朝廷调和将帅，决不肯轻易予人以偏袒某人的印象，所以左宗棠的意愿是不考虑的了。

要考虑的是：第一，新任浙江巡抚确需清廉练达的干才——因为洪、杨所蹂躏的各省，浙江被祸最惨，善后事宜亦最难办，非清廉干练，不足以胜任；第二，此人要与左宗棠没有什么恩怨，而又能为曾国藩，甚至李鸿章所支持，然后浙江的善后事宜，才能取得邻省的援助；第三，大乱已平，偃武修文，浙江巡抚是洪、杨平后委派的第一员封疆大吏，也是恢复文治的开始，所以此人最好科甲出身。如果有过战功，更为理想。

结果选中了一个很理想的人。此人名叫马新贻，字谷山，先世是回回，从明太祖打天下有功，派在山东卫所当武官，定居曹州府荷泽县，已历四百余年之久，因此，马新贻除了信回教以外，彻头彻尾是个山东土著。

在马新贻的新命传至浙江的同时，江西来了一个重要而有趣的消息，“幼逆”洪天贵福终于落网了。

* * *

收束平洪、杨的军务，却还有相当艰巨的戡乱大任需要部署。

照恭王、文祥的计议，犹有三处叛乱要平服，才能臻于太平盛世。这三处叛乱是：第一，南窜的洪、杨余孽；第二是扰乱中原的捻匪；第三是荼毒生灵、为患西陲的回乱。

幸好人才之盛，冠绝前朝，恭王与文祥决定托付四个人去平这三处的叛乱。

第一个仍然是曾国藩。在十月初一曾国荃功成身退，率领裁撤的湘军回湖南的同时，朝中有一道廷寄递到江宁，说“江宁已臻底平，军务业经蒇事，即着曾国藩酌带所部，前赴皖鄂交界，督兵剿贼，务期迅速前进，勿少延缓”。这所谓“贼”，便是捻匪。

捻匪原以皖北为老巢，自经僧王全力攻剿，流窜到湖北、河南一带。

张洛行虽死，但他的侄子张总愚亦非弱者，加以陈玉成的旧部赖文光由关中回窜，因为“天京”已破，成了丧家之犬，自然而然地与捻匪合流，大为猖獗。朝廷深知僧王的马队追奔逐北将捻匪撵来撵去的打法，并非善策，一旦疲于奔命，为捻匪反扑，非大败不可。同时，又因为僧王的身份尊贵，连西宫太后都不能不格外优容，是位极难伺候的王爷，若指授方略，则“将在外君命有所不受”，稍加督责又怕惹恼了他，害怕他索性独断独行。因此，倒不如设法让他交卸军权，回京享福，才是公私两便之计。

能代僧王指挥数省的，只有一个曾国藩。他不仅威望足够，而且他那“先求稳当，次求变化”，以静制动，稳扎稳打的作风，亦正可救僧王之失。至于筹饷之责，朝廷也想到了一个必不可少的人。

这个人就是李鸿章。上谕派他接替曾国藩暂署两江总督，江苏巡抚则调慈禧太后的恩人漕运总督吴棠署理。上谕中虽未明言，曾国藩带兵驻扎皖鄂交界，后路粮台由李鸿章负其全责，可是这样部署的用意是很明白的。第一，曾李为师生，“有事弟子服其劳”，天经地义；第二，李鸿章带兵，曾国藩替他筹过饷，如今曾国藩带兵，自然该李鸿章筹饷；第三，两江最富，是海内最主要的一处饷源，所以谁当两江总督，都有筹饷的责任。

这样的安排，就大局而言，不能算错，只是委屈了曾国藩，便宜了李鸿章与吴棠，可也就顾不得那么许多了。

再有一个是杨岳斌。他是与彭玉麟齐名的水师名将，本名杨载福，因为同治皇帝这一辈，玉牒谱系上第一字为“载”，不免有犯讳的不便，所以改名岳斌。当江宁未克复以前，他已升任陕甘总督，朝廷打算赋以敉平回乱的重任。回乱不仅生于陕甘，也生于云南与新疆。云南将次平服，而新疆方兴未艾，朝廷寄望于新封子爵的鲍超，特降温旨，认为新疆平乱“非得勇略出群如鲍超者，前往剿办，恐难壁垒一新”，所以命曾国藩传旨鲍超，在他回籍葬亲的两月假期一满，“即行由川起程，出关剿办回乱”。恭王和文祥知道鲍超好名，特地拿乾嘉名将杨遇春与他相提并论，很灌了一番米汤。

上谕中说：“从前回疆用兵，杨遇春即系川省土著，立功边域，彪炳旂常。鲍超务当督率诸军，肃清西陲，威扬万里，以与前贤后先辉映。该提督忠勇性成，接奉此旨，必即遵行，以副朝廷委任。”话说得很恳挚，而命曾国藩传旨，亦有暗示他帮着催劝之意。无奈曾国藩对湘军的急流勇退，明哲保身，早有定算——鲍超是他的爱将，当然要加意保全，所以只是照例传旨，并不劝驾。

再有一个朝廷寄以重望的，便是左宗棠。他是现任的闽浙总督，由江西瑞金为鲍超所败而窜入福建境内的李世贤、汪海洋两大股，顺理成章地该由他负责清剿。

左宗棠不是怕事的人，对此亦自觉当仁不让，义不容辞。可是朝廷一连串的处置，却使他既气又急，愤愤不平。

首先令他大失所望的是，浙江巡抚派了马新贻，蒋益澧落了空，也就等于是他失去了浙江这个地盘；其次是李鸿章调署两江，名位已在己之上，使他很不舒服；复次是在江西的陕甘总督杨岳斌，奉旨迅即到任，朝廷责成浙江每月拨给陕甘协饷十万两，并先筹措八万两银子，作为杨军的开拔费用。

为此，左宗棠的肝火很旺，每日接见僚属，大骂曾国藩、李鸿章和郭嵩焘。他这样骂了几天，怒火稍减，想想既不肯辞官归田，就得有声有色地大干一番。军务是有把握的，就是饷源越来越绌，得要找个足智多谋的人，趁马新贻未曾到任以前，好好筹划妥当。

这个人自然非胡雪岩莫属。“雪翁，”他说，“你看，挤得我无路可走了！你算算看，我该到哪里筹饷？哪里都难！”

两个人将十五行省一个一个地算。除开穷瘠的省份，有饷可筹的富庶之地，都已为他人早着先鞭。江苏、安徽是两江辖区，曾李师徒的势力根深蒂固；江西沈葆桢，对待曾军的前例，足以令人望而却步；山东山西供应京饷，而且两省巡抚阎敬铭、沈桂芬清刚精明，都不是好相与的人；湖北食用川盐，在沙市设局征盐厘，收入相当可观，可是官文是督抚中唯一的一个旗人，有理无理，皆受朝廷袒护，不容易打得进去；至于天府之国的四川，有骆秉章在那里，顾念旧日宾主之谊，自然不好意思唱一出“取成都”。

“福建穷得很，我能筹饷的地方，只有贵省与广东了。广东该给我的饷不给，可恨郭筠仙，心目中只认得曾涤生、李少荃。此恨难消！”左宗棠停了一下又说，“至于马谷山，听说倒还讲理，不过既是曾涤生所保，又是李少荃的同年，不见得肯助我一臂。雪翁，你看我该怎么办？”

胡雪岩默然，因为他觉得自己的处境很难。左宗棠的知遇要报答，而浙江是自己的家乡，为左宗棠设谋划策，可不能挨地方父老的骂。

胡雪岩一向言词爽利，而且不管天大的难事，一诺无辞，像这样迟疑不答的情形，可说绝无仅有。左宗棠微感诧异，不免追问缘故。

“不瞒大人说，我很为难。大人现在只有浙江一个地盘，粮饷当然出在浙江，筹得少了不够用，筹得多了，苦了地方。说起来是我胡某人出的主意，本乡本土，我不大好做人。”胡雪岩又说，“如果大人兼署浙江巡抚，我还可以出出主意，截长补短，见机行事，总还兼顾得到。现在换了马中丞，我又是分发江西的试用道，是大人奏调我在浙江当差。大人一离浙江，我当然不能再问浙江的公事，善后局的差使亦要交卸，何况其他？”

他一路说，左宗棠一路点头，等他说完，做个“少安毋躁”的手势答道：“你刚才所说的情形，我完全清楚，我们要好好谈谈。万变不离的宗旨是：雪翁，你仍旧要帮我的忙。怎么个帮法，我们回头再商量，现在先谈你的难处。诚如所言，我现在只有浙江一个地盘，粮饷只有着落在浙江，而且要定一个确数，按月一定汇到，连日子都错不得一天。雪翁，凡事先讲理，后讲情，情理都站得住，还争不过人家，我当然也有我的手段。”

胡雪岩不知他最后这几句话意何所指，只能就事论事，问一声：“大人预备定一个啥数目？”

“你看呢？”左宗棠放低了声音说，“我们自己人，我告诉你实话：我的兵，实数一万八千，不过筹饷要宽，照两万三千人算。”

胡雪岩的心算极快。士兵每人每月饷银、军粮、器械、弹药，再加上营帐、锅碗等杂支，平均要五两银子，两万三千人就是十一万五千两。另加统帅个人的用途，文案、委员的薪水伙食，送往迎来的应酬费用，每个月非十五万银子不可。

这笔巨数，由浙江独力负担，未免太重，胡雪岩便很婉转地说道：“闽浙一家。福建拨给浙江的协饷，前后总计，不下三百万两之多，如今福建有事，当然要帮忙。而况大人带的又是浙江的兵，理当由浙江支饷。不过，浙江的情形，大人是再明白不过的，如果能够‘量出为入’，事情就好办了。”

成语是量入为出，胡雪岩却反过来说，倒也新鲜，左宗棠便捻着八字胡子，含笑问道：“何以谓之量出为入？倒要请教。”

“譬如一碗汤，你也舀，他也舀，到嘴都有限。”

“啊！”左宗棠抢着说道，“我懂了！我亦本有此意。第一，陕甘的协饷，决不能答应；第二，广东解浙江的协饷，有名无实，我要奏请停拨。”说到这里，他眼珠打转，慢慢地笑了，笑得极其诡秘。

这一笑，大有文章。胡雪岩觉得非搞明白不可，便有意套问一句：“广东的协饷是个画饼，虽不能充饥，看看也是好的。”

“不然！奏请停拨，就是要让朝廷知道，这是个画饼。雪翁，”左宗棠突然兴奋了，“你看老夫的手段！画饼要把它变成个又大又厚、足供一饱的大面饼。你信不信？”

“怎么不信？”胡雪岩紧接着问，“大人变这套戏法，可要我做下手？”

“当然！少了你，我这套平地抠饼、外带大锯活人的戏法就变不成了。”

“大锯活人”四字，虽是戏言，却也刺耳，胡雪岩便用半开玩笑的语气问道：“大人，你要锯哪一个？”

“哪一个？”左宗棠有种狞笑的神色，“锯我那位亲家。”

胡雪岩骇然。他早知左宗棠跟郭嵩焘有心病，而此心病，不但未能由时光来冲淡，反有与日俱深之势，但何至于说出“大锯活人”这样的话来？因此一时愣在那里作声不得。

左宗棠的脸上，也收起嬉笑之态，变得相当认真，眼睁得好大，嘴闭得好紧，但眼神闪烁，嘴唇翕动，竟似心湖中起了极大的波澜似的。这就使得胡雪岩越发贯注全神，要听他如何“大锯活人”了。

“雪岩！”左宗棠第一次改口，以别字相呼，表示对胡雪岩以密友看待，“你的书读得不多，我是知道的，不过‘世事洞明皆学问’，照这一层来说，我佩服你。”

“不敢当。”胡雪岩有些局促，但也很率直，“大人有什么话要说，尽管吩咐，拿顶‘高帽子’套在我头上，就有点吃不消了。”

“你我之间，何用要什么送高帽子的手段？我的意思是，我的为人、我的处世，只有你能明白五分。还有五分，你不但不明白，或许还会大不以为然。这就因为你少读书，如果你也多读过一点书，就会明白我那另外五分，而且谅解我不得不然，势所必然！”

原来如此，胡雪岩倒有些受宠若惊了。“大人，”他说，“你老跟我谈‘大学之道，在明明德’，我是不懂的。”

“我不跟你谈经，我跟你谈史。雪岩，我先请问你两句成语，‘大义灭亲’‘公而忘私’怎么讲？”

胡雪岩无以为答，觉得也不必答，老实回复：“大人不要考我了。就从这两句成语上头，谈你老的打算。”

“我不是考你，我的意思是，我的行事，照世俗之见，或许会大大地骂我。不过，我的行事，于亲有亏，于义无悖，于私有惭，于公无愧。这都非世俗之见所能谅解，而只有读过书的人，才会在心里说一声：左某人命世之英，不得不然。”

这段话很掉了几句文，不过胡雪岩也大致还能听得懂，而且听出意思：他对郭嵩焘要下辣手了！但所想不通的是，他有何辣手可对郭嵩焘？

胡雪岩的疑问，立刻得到了解答。左宗棠起身坐在书桌前面，伸毫铺纸，很快地画成一幅地图，在那些曲线、圆点之中，写上地名，胡雪岩看出是一幅闽粤交界的形势图。

“李世贤在漳州。漳州是九月十四沦陷的，总兵禄魁阵亡，汀漳龙道徐晓峰殉难。李世贤大概有八千多人，不可轻敌。”左宗棠又指着长汀、连城、上杭这三角地带说，“汪海洋在这一带，照我的看法，他比李世贤更凶悍。然而，不足为虑，贼不足平！雪岩，你这几年总也懂得一点兵法了！你看李、汪二贼的出路在哪里？”

这一下好像考倒了胡雪岩。他仔细看了半天，方始答说：“他们是由西面江西逃过来的，往东是出海，有好长一段路，再说没有船也出不了海。北面呢，大人带兵压了下来，啊，”胡雪岩恍然大悟，很有把握地说，“这两个长毛的出路，只有南面的广东，嘉应州首当其冲！”

左宗棠深深点头，拈髭微笑。“对，”他说，“嘉应州首当其冲！到了那时候充饥的就不是画饼了！”语中有深意。左宗棠没有说下去，胡雪岩不便问——怕自己猜错了，冒昧一问，是大大的失言。

谁知左宗棠毫不忌讳，真的拿胡雪岩当可共极端机密的心腹看待。“郭筠仙一直担心曾涤生‘驱寇入粤’，他没有想到‘驱寇入粤’的是他的亲家。”他说，“雪岩，到那时候，又另是一番局面了。”

胡雪岩不自觉地打了个寒噤，觉得左宗棠的手段真是太辣了些！虽然，这正是他所猜想到的，但测度是测度，听别人亲口证实，感觉又自不同。

“雪岩，”左宗棠问道，“你倒说说看到那时候是怎么样的一番局面？”

“是。”胡雪岩想了想说，“到那时候，朝廷当然借重大人的威望，拜钦差大臣，节制福建、浙江、广东三省的军务。郭中丞——”他没有再说下去，意思是郭嵩焘在左宗棠“大锯活人”的摆布之下，非吃足苦头不可。

“不错，此亦是势所必然之事。到那时候，雪岩，我不会再累浙江了，不怕郭筠仙不乖乖替我筹饷。不过，”左宗棠沉吟了好一会儿，“也说不定！郭筠仙愚而好自用，怕他仍旧执迷不悟。”

“果然如此，大人又怎么办？”

“那就不能怪我了！可惜！”

前后两句话不接气，胡雪岩再机敏也猜不透他的意思，只以此事于减轻浙江的负担，关系甚大，不能不追问："大人，可惜些什么？"

"可惜，我夹袋里没有可以当巡抚的人物。"

这是说，如果将来郭嵩焘不能替左宗棠筹得足够的饷，他不惜攻倒他派人取而代之。这样做法，却真是"公而忘私""大义灭亲"了。

"到时候看吧！言之还早。"左宗棠对着他手绘的地图凝视了好一会儿，突然拍案而起，"对，就是这么办！"

接着，左宗棠谈了他的突如其来的灵感。他指着地图为胡雪岩解释，自己的兵力还不够，倘或想用三面包抄的办法，将长毛向广东方面挤，相当吃力。万一有个漏洞填塞不住，长毛一出了海，不管在福建或浙江的海面，自己都脱不了干系，岂不是弄巧成拙？

因此，左宗棠想请李鸿章的淮军助以一臂。克复湖州之役，彼此合作得还满意，如今再申前请，想来李鸿章不至于拒绝。

"不过，这话我不便开口。"左宗棠说，"如果是我出面相邀，就得替客军筹饷，譬如他派一万人，一个月起码就得五六万银子，再加上开拔的盘缠，第一笔就非拨十万银子不可，实在力有未逮。倘或朝廷有旨意，让淮军自备粮饷，来闽助剿，我们至多备五万银子作犒赏，面子上也就很好看了。雪岩，你说，我这把如意算盘如何？"

"是好算盘。不过淮军自备粮饷，恐怕李中丞不肯。他出饷，我们出粮，李中丞就没话好说了，因为他的军队闲摆在那里，一样也是要发饷的。至于请朝廷降旨，只有请福建的京官在京里活动。"

"那怕不行。"左宗棠摇摇头，"福建京官，目前没有身居高位的，说话不大有力量。闽浙唇齿相依。浙江在京的大佬，雪岩你倒想想看，有什么人可托？"

"浙江在京的大佬，自然要数许六大人，不过，他的吏部尚书交卸了。倒是他的大少爷在南书房很红，还有他一位侄少爷，是小军机，专管军务……"

“对！对！”不等胡雪岩话完，左宗棠便抢着说，“这条路子再好都没有，请你替我进行。许家是杭州望族，你总有熟人吧？”

“他家的人很多，我倒认得几位，不过像这样的大事，也不好随便乱托人。”胡雪岩想了一会儿说，“大人，我想到上海去一趟，去看许七大人。一面拿大人交办的事托他，一面想拿许七大人搬到杭州，出面来办善后。”

左宗棠想了一下，觉得胡雪岩这个办法极好。所谓“许七大人”就是小刀会刘丽川起事之时的江苏巡抚许乃钊，如今逃难在上海。他的胞兄，也就是胡雪岩口中的“许六大人”许乃普，以吏部尚书致仕，如今因为闹长毛不能南归。许乃普在京里是浙江同乡的“家长”，因是科名前辈，又久掌文衡，故京中大佬颇加尊礼。许乃普的长子许彭寿，是李鸿章的同年，也是道光二十七年丁未这一榜的会元。许乃普还有个胞侄许庚皋，在“辛酉政变”中出过大力，如今是极红的“小军机”军机章京领班之一，熟谙兵事，精于方略，对军务部署有极大的发言权。所以走这条路子，路路皆通，必要时还可以请许彭寿以同年的交情，写封切切实实的信给李鸿章，更无有不能如愿之理。

至于将许乃钊请回杭州来主持善后，这也是一着非下不可的好棋。因为马新贻一到任，胡雪岩有不得不走之势，而要找替手，最适当的人选就是许乃钊。第一，他做过封疆大吏，科名是翰林出身，是名副其实的“缙绅先生”；第二，马新贻不仅是许乃钊的后辈，而且与他的胞侄许彭寿同榜，以“老世叔”的身份去看马新贻，照例应受“硬进硬出”开中门迎送的礼遇，这样为地方讲话就有力量得多了；第三，许乃钊公正廉洁，德高望重，足以冠冕群伦。

因此，左宗棠欣然接纳胡雪岩的建议，而且自己表示，要亲笔写封很恳切的信，向许乃钊致意。

谈完了公事谈私事，而私事也就是公事：胡雪岩的出处。左宗棠打算将他调到福建，但不必随他一起行动，专驻上海，为他经理一切。胡雪岩毫不迟疑地答应了下来。

从第二天起，左宗棠便照商定的步骤，积极开始部署，除了战报以外，一连拜发了好几道奏折。第一道是，浙江的兵饷军需，十分困难，自顾不暇，应该拨给陕甘的协饷，请饬户部另筹改拨。第二道是，请饬新任浙江巡抚马新贻，从速到任，至于马新贻未到任前，浙江巡抚请由藩司蒋益澧“护理”。第三道是，奉旨拨解杨岳斌的“行资”八万两，于无可设法之中，勉强设法筹拨半数。

第四道奏折与浙江无关。每到夏秋之交，户部照例催各省报解“京饷”，京饷不止于发放在京八旗禁军的粮饷，举凡王公大臣，文武百官的廉俸，大小衙门办公的经费，宗庙陵寝的祭祀费用，以及专供两宫太后及皇帝私人花用，每年分三节呈上的“交进银”，无不出在京饷之内，所以协饷可欠，京饷不可欠。福建欠海关税银十万两、茶税二万两，上谕催解：“务于十二月内，尽数解齐。倘仍饰辞宕延，致误要需，即由户部查照奏定章程，指名严参。”

虽奉这样的严旨，但左宗棠仍要欠上一欠。因为非如此，不足以表示福建之穷，必须浙江接济。当然，欠有欠的方法，不是硬顶可以了事的。左宗棠的方法是，哭穷之外，将他闽浙总督应得的“养廉银”一万两，由票号汇到户部，作为京饷报解。

第五道是请停止广东解浙的协饷。主要的作用是借此机会让朝廷知道，广东的协饷，对浙江来说是个“画饼”。所以，停止的理由，不过“现在浙省军务肃清，所有前项协饷，自应停止”这样一句话，而“停止”以前的账目，却算得很清楚——从同治元年正月到这年八月，连闰共计三十三个月，广东应解浙江协饷三百三十万两，可是实收仅二十八万。其中由厘金所拨者是二十二万两，曾国藩奏道，广东厘金开办起至这年八月底止，共收一百二十万，是则浙军“所得不过十成之二”。

第六道是部署到福建以后的人事。奏折的案由是“办理饷需各员，请旨奖励”，附带请求调用。其中当然有胡雪岩，他本来是“盐运使衔”的“江西试用道”，左宗棠奏请“改发福建以道员补用，并请赏加按察使衔”，这报奖的文字，看来并不如武官的“请赏戴花翎”“请赏加巴图鲁称号”来得热闹起眼，其实是帮了胡雪岩很大的一个忙，因为由“试用道”改为“以道员补用”，只要一准，立刻可以补任何实缺，而“赏加按察使衔”，便可以署理臬司，成为实缺道员更上层楼的“监司大员”。对左宗棠来说，这一保，起码等于三年的劳绩。

不过左宗棠拜发这道奏折时，胡雪岩并不知道，因为他人已到了上海。拿着左宗棠的亲笔函件去见“许七大人”，谈得十分融洽。他将左宗棠所托之事，一一办妥，只不过耽搁了两夜，陪老母谈一谈劫后的西湖，与古应春盘桓了半天，便即原船回到杭州。

回到杭州，第一个要想见他的不是左宗棠，而是藩司“护理抚篆”的蒋益澧。蒋益澧早就派人在阜康钱庄留下话，等胡雪岩一到，立刻通知，以便会面。

“雪翁，”与胡雪岩见着了面，蒋益澧哭丧着脸说，“你非帮我的忙不可！大帅交代下来了，浙江每个月解福建协饷二十万两，按月十二号汇出，迟一天都不准。这不是强人所难吗？”

听得这话，胡雪岩也吓一跳。洪、杨之乱，浙江遭劫特深，满目疮痍，百废待举，何来每月二十万两银子，供养入闽之师？当时估计，每月能凑十万两银子，已经至矣尽矣，不想左宗棠狮子大开口，加了一倍，而且日子都不准拖，这就未免太过分了。

“雪翁，”蒋益澧又说，“于公于私，你都不能不说话。私，老兄在大帅面前，大帅对你言听计从；公，俗语说的‘羊毛出在羊身上’，真是逼得非解这个数目不可，只有让地方受累。雪翁，你也于心不忍吧！再说，我到底不过是藩司。”

最后这句话，才是蒋益澧真正的苦衷。目前巡抚的大印握在手里，令出即行，办事还容易，等马新贻一到任，认为协饷数目太大要减，他当藩司的，不能不听命。而另一方面左宗棠又是一手提拔他的恩主，且有承诺在先，不能不维持原数。这一下岂非挤在夹缝里轧扁了头？

想了一会儿，胡雪岩觉得这个麻烦非揽下来不可，便点点头说："好的。我来想办法。"

"这一来有救了！"蒋益澧如释重负，拱拱手问说，"雪翁，谅来胸有成竹了。是何办法，可以不可以先闻为快？"

"当然，当然！原要请教。"胡雪岩答说，"第一，我想请左大人酌减数目。"

"酌减？"蒋益澧问，"减多少？"

"总得打个七折。"

"打个七折，每月亦还得要十四万两。"蒋益澧说，"如今军务肃清，我这个藩司不必带兵打仗，要在本分上做点事。你看——"

蒋益澧细数他该做的事，最有关国计民生的要政，便是兴修水利。浙江全境皆是土田，近山者瘠，近水者腴。兼以蚕丝之利，首重栽桑，而桑树的栽培灌溉，与水田的要求，没有什么两样。所以自古以来，在浙江做官而遗爱在民、久留在思的，无不是因为在水利方面大有成就之故。

浙江的水利重在浙西，浙西的水利又重在海塘。乾隆六次南巡，都以巡视浙江海塘为名，可以想见其关系的重大。海塘欲求完固足以捍御海潮，须用石塘。洪、杨作乱以来，海宁一带的石塘没有修过，日渐坍圮，现在要及时修复，估计费用须上百万银子。迫不得已，只有先办土塘，暂且将就。

"就是办土塘，亦要三十万银子。土塘料不贵，人工贵，大乱之后，壮丁少了，就是人工贵。"蒋益澧说，"雪翁，这件事我亦要跟你好好商量，怎么得筹一笔款子，拿海塘修一修？万一海塘溃决，可是件不得了的事！一想起来，我真连觉都睡不着。"

听蒋益澧这样表示，即令是矫饰之词，胡雪岩亦觉得十分可敬。"三代以下唯恐不好名"，他的本心不必问。只听他的语气是想做好官，正不妨与人为善，趁此机会捧他一捧、扶他一扶，拿他逼到好官的路上，亦正是地方之福。

想到这里，他毫不迟疑地答道："请放心。我来策划一下，大家量力捐办，不是难事。"

"那就再好没有。"蒋益澧很欣慰地，"还有西湖的疏浚，也不能再拖了。西湖水利，关乎杭州、海宁的水田灌溉，明年春天以前，一定要整理好，这也得好几万银子。雪翁，你倒想，我这个藩司难做不难做？有啥开源之道，真要好好向你请教。"

"如今只有在盐上动脑筋。"胡雪岩答说，"倘能照我的办法，可以救得一时之急，一年半载，福建军务，告个段落，浙江不必再负担协饷，那时候就轻松了。"

"我也是这么想。不过，盐法我不大懂，大帅倒是内行。"

"左大人是内行？"胡雪岩很惊异地问。

"这也无足为怪的。雪翁，你莫非不知道？大帅是陶文毅公的儿女亲家。"

"啊！啊！原来如此！"

胡雪岩恍然大悟，左宗棠对盐法内行，渊源有自。在他二十六岁时，两江总督陶澍在江西阅兵事毕，请假顺道回湖南安化原籍扫墓，经过醴陵，县官照例"办差"，布置公馆时，请主讲醴陵渌江书院的左宗棠做了一副对联。陶澍一见，激赏不已，问知县官，出自左宗棠的手笔，当时便请来相见。

果然，一谈到浙江的盐务，左宗棠立即表示，在他交卸浙江巡抚兼职以前有几件必办的事，其中之一就是整顿浙江盐务，改引行票，打算从同治四年正月起，先试办一年。

"我的办法，一共四款：第一是缉私，第二是革浮费，第三是减价，第四是清查煎盐的灶户。至于盐课收入，全数提为军饷，除去开销每个月至少有十万银子，够我一半的数目了。"

这就是说，左宗棠的援闽之师，每个月要浙江负担二十万两的饷银。这与蒋益澧的话完全相符。胡雪岩很沉着，暂且放在心，先谈盐务。

“大人这四款办法，后面三条是办得到的，就是缉私有些难处。浙盐行销松江，而松江是江苏地面，鞭长莫及，这一层可曾想过？”

“当然想过。”左宗棠答道，“我正要跟你商量，你不是跟我提过，有个松江漕帮的首脑，人很诚朴能干吗？他肯不肯帮帮浙江的忙？”

“此人姓尤，只要大人吩咐，他一定乐于效劳。”胡雪岩问道，“就不知道这个忙怎么帮法？”

“自然是带队伍缉私。”

胡雪岩是明知故问，等左宗棠有了答复，因话答话，故意摇摇头说：“这怕办不到。他本人是个‘运子’，不是官儿的身份，说到规矩，见了把总都要尊称一声‘总爷’。大人请想，他怎么带队伍？就算他肯带，分拨过去的官兵，也不服他的指挥。”

“这话倒也是。”左宗棠踌躇了，“不过，若非带队伍缉私，又有什么可以借重他之处？”

“漕帮的底蕴，大人向来深知。尤某的手下，都听他一句话，如果有个名义，对松江一带的缉私，成效是一定有的。”

“喔，我明白了。”左宗棠想了一会儿说，“这样办也没有什么不可以，让尤某自己去招人，当然也不能太多，招个两三百人，保尤某一个官职，让他管带。这件事，我交代盐运使去办，尤某那里，请你去接头。至于饷银公费，一概照我营里的规矩，由盐务经费里面开支。”

胡雪岩很高兴，这不但为尤五找到了一条出路，而且于公事亦有裨益，所以欣然应诺。然后他谈到蒋益澧所托之事，亦就是浙江按月协解福建饷银的数目。

“从前浙江靠福建协饷，前后用过三百万之多，如今浙师援闽，饷银自然应该由浙江接济。大人是怎么个主意，请交代下来，好趁早筹划。”

“我已经跟芗泉谈妥当了，浙江每个月接济我二十万。”

“二十万不多，只恨浙江的元气丧得太厉害！”胡雪岩故意沉吟了一会儿，然后突如其来地问说，“大人是不是打算到了福建，要奏调蒋、杨两位去帮忙？”

这话问得左宗棠莫名其妙，立即答说：“我并没有这样的打算。而且蒋杨两位，也巴结到监司大员了，一则福建无可位置；二则，朝廷也未见得会准。再说，我又何苦为马谷山铺路，腾出这么两个紧要缺分，好方便他援引私人？”

这番回答，原在胡雪岩意料之中，尤其是最后一点，更有关系。蒋益澧留任浙江藩司，并保杨昌浚为浙江臬司，原是左宗棠所下的一着“先手棋”，用来钳制马新贻，以保护他在浙江的饷源，岂肯自我退让？而胡雪岩所以明知故问，亦正是因话答话，好引入正题的一种手法。

“这就是了！但愿蒋杨二公，安于其位，就等于大人仍旧兼摄浙江抚篆一样。不过，大人，我有句话，只怕忠言逆耳。”

“不要紧，你我无话不可谈。而况你必是为我打算的好话。”

“是，我是替大人打算，细水长流，稳扎稳打。”胡雪岩很从容地答说，“浙江的收入不但有限，而且没有确数可以预估。地丁钱粮，已经奉旨豁免，盐课收入，总要明年春末夏初才有起色，米捐要看邻省肯不肯帮忙。靠得住的，只有厘金，市面越来越兴旺，收数自然越来越多，但也要看经手人的操守。至于支出，第一是善后，第二是海塘，都要大把花银子。大小衙门，文武官员的经费俸禄，更不能不筹，地方上总也还要养些兵。大人倒想一想看，倘或每个月先凑二十万银子解粮台，藩库一清如洗，什么事都动不了，蒋芗泉这个藩司，怎么还当得下去？”

“这，”左宗棠呆了半晌，方始说下去，“这也不至于如你所说的那样子艰窘吧？”

“当然。我是说得过分了一点。不过，大人，请你也要替马中丞想一想，人家刚刚巴结到方面大员，自然也想做番事业。如果处处捉襟见肘，动弹不得，那时候怎么办？只有逼蒋芗泉，逼蒋芗泉就是逼大人。”胡雪岩停了一下又说，“从前江西沈中丞是曾中堂一手提拔的，本省的厘金说截留就截留，朝廷也不曾责备他耽误了曾家弟兄的‘东征’。马中丞为人虽不如沈中丞那样子刚烈，然而也不是肯得过且过的人。”

提到沈葆桢与曾国藩交恶的往事，左宗棠不能不起警惕之心。他最讲究利害关系，冷静思量下，发现马新贻的脚步站得很稳，亦无弱点可攻，果然为此有所争执，自己不见得能占上风。而且一闹开来，蒋益澧首当其冲，自己一调离了浙江，每月又何有二十万银子可得？

转念到此，左宗棠便心平气和地问道：“那么，雪岩，你说呢？我该怎么办？”

胡雪岩率直答道：“只有减个数目。”

“减多少呢？”左宗棠问。

“这我就不敢说了。”胡雪岩答道，“唯有请大人交代下去，官兵弟兄先委屈些。只要局面一好转，必然补报。”

“好！”左宗棠点点头，“我也不忍太累浙江，就照你的意思，让粮台重新核算，减到减无可减为止。不过，雪岩，我的处境你是知道的，一直孤立无援，总要打开一条出路才好。”

“是！”胡雪岩毫无表情地应声。

“你要大大地帮我的忙！”左宗棠问道，“你看，我的出路该怎么打？”

“大人不是已有成算了吗？”

那是指谋取广东而言。左宗棠微微皱着眉说：“驱郭不难，难在孰可取代？芗泉的资望，当方面之任，总嫌不足。万一碰个钉子，我以后就难说话了。这一层关系很大，没有把握以前，我不便贸然动手。然而，这话又不能向芗泉透露。”

胡雪岩很用心地听着，细细体会，辨出味外之味。蒋益澧如果想当广东巡抚，还得另外去找一份助力。这也就是说，只要朝中有奥援，保证左宗棠将来举荐时不会被驳回，他是乐于出奏的。

想到这里，胡雪岩便又自问：是不是该帮帮蒋益澧的忙？这个忙帮得上帮不上？前者无须多作考虑，能让蒋益澧调升广东巡抚，于公于私都大有好处。至于帮得上忙、帮不上忙，此时言之过早，反正事在人为，只要尽力，就有希望。

他想停当随即说道："大人是朝廷柱石，圣眷一直优隆。我在上海听京里的人说起，恭王很看重大人，醇王尤其佩服。想当初，曾中堂可以保他督办军务有关省份的巡抚，如今大人又为什么不可以？至于说到芗泉的资望，由浙藩升粤抚，亦不算躐等，马中丞不就是个现成的例子？当然，广东因为粤海关的收入与内务府很有关系，情形与他省不同，但是，只要京里有人照应，亦不是没有希望的事。"

"就是这话啰，要京里有人照应！芗泉在这一层上头，比较吃亏。"

"就眼前烧起冷灶来，也还不晚。"

左宗棠深深看了他一眼，沉吟又沉吟，终于说了句："你不妨与芗泉谈谈！"

"是！"

"他的事要靠你。"左宗棠又说，"我更少你不得。你在我这里，既不带兵，又不管粮台，可是比带兵管粮台更要紧。雪岩，等我一走，你也要赶紧动身，长驻上海，粮台接济不上，要饷要粮要军装，我就只靠你一个人了！"

这份责任太重，胡雪岩顿感双肩吃力，可是说什么也不能有所犹豫，便硬着头皮答一声："是！大人请放心！"

"有你这句话，我真的可以放心了。"左宗棠舒了口气，然后问道，"你有什么事，要我替你办的？我预备月底动身，还有半个月的工夫。有话你趁早说。"

胡雪岩早就想过了，左宗棠一走，虽是蒋益澧护理巡抚的大印，有事仍旧可以商量得通，然而究竟不如托左宗棠来得简捷有力。这半年的相处，自己从无一事求他，如今却不能再错过机会了。更何况是他先开口相问，倘再不言，反显得矫饰虚伪，未免太不聪明。

有此了解，便决定“畅所欲言”，先使个以退为进的手法，“想求大人的事情很多，”他说，“又怕大人厌烦，不敢多说。”

“不要紧，不要紧！”左宗棠连连摆手，“一向都是我托你，欠你的情很多，你尽管说。”

“是！”胡雪岩说，“第一件，从前的王中丞，死得太惨。当时蒙大人主持公道，查明经过，据实参奏。不过这一案还没有了，想请大人始终成全。”

“喔，”左宗棠有些茫然，因为事隔两年有余，记忆不清，只好问说，“这一案怎么没有了？”

“就是同治元年四月里，大人所奏的‘讯明王履谦贻误情形’那一案——”

“啊，”左宗棠被提醒了，“你等一下。”

他掀开马褂，从腰带上去取钥匙。钥匙表示权威，大而至于“神机营”“内务府”，被指定为“掌钥”，即表示赋予首脑之任，小而至于一家大户人家的管家——或者像《红楼梦》中的王熙凤，都以掌管钥匙为实权在握的鲜明表示。只是钥匙甚小，不足以显示其权威的地位，所以多加上些附丽之物，通常都是“以多取胜”，弄些根本无用的钥匙拴在一起，甚至弄个大铁环串连，拎在手里“锵朗锵朗”地响，仿佛“牢头禁子”的用心，只要拎着那串钥匙一抖动，就足以慑服群囚。

可是，真正能见钥匙之重的，却往往只有一枚，左宗棠亦是如此。他只有一枚钥匙，用根丝绳子穿起，挂在腰带上，此时往外一拉，以身相就，凑近一个书箱，打开来取出一大叠红簿册。胡雪岩遥遥望去，只见上面写着四个大字：奏稿留底。

检到同治元年四月的那一本，左宗棠戴上墨晶老花眼镜细看了一遍，方始发问：“雪岩，你说此案未了，未了的是什么？”

“请大人再检当时的批回，就知道了。”

批回一时无从检取，左宗棠答说：“想来你总清楚，说给我听吧！”

“是！”胡雪岩倒有些为难了。

因为当王有龄苦守杭州时，主要的饷源是在绍兴，而在籍团练大臣王履谦却不甚合作。同时绍兴有些擅于刀笔的劣绅，包围王履谦，视王有龄以一省大吏征饷为不恤民困，勒索自肥，无形中官民之间竟成了敌对的局面。

因此，绍兴府知府廖宗元的处境极其困难，当长毛由萧山往绍兴进攻时，官军的炮船与团练竟发生了冲突。兵力悬殊，寡不敌众，廖宗元的亲兵被杀了十二个，廖宗元本人亦被打破了头。这本来是应该由王履谦去弹压排解的，而居然袖手旁观。不久，绍兴沦陷，廖宗元殉难，而王履谦则先期逃到宁波，出海避难在福建。绍兴不该失而失，以及王履谦的处处掣肘，不顾大局，使王有龄深恶痛绝，在危城中寄出来的血书，表示“死不瞑目”。胡雪岩亦就因为如此，耿耿于怀，一直想为王有龄报仇雪恨。

当然，就是胡雪岩不作此想，朝廷亦会追究杭州沦陷的责任，不容王履谦逍遥法外。第二年，同治元年春天，闽浙总督庆瑞奉旨逮捕王履谦，解送衢州的新任浙江巡抚左宗棠审问，复奏定拟了充军新疆的罪名。朝旨准如所讲，算是为王有龄出了一口气。

可是这一案中，首恶是绍兴的富绅张存浩，诬赖廖宗元所带的炮船通贼，以及杀亲兵、打知府，都是他带的头。左宗棠在复奏中说：“张存浩等因廖宗元催捐严紧，挟忿怀私，胆敢做出那些不法之事，罪不容赦。应俟复绍兴府后，严拿到案，尽法惩处。”

如今不但绍兴早已光复，而且全浙亦已肃清。可是严拿张存浩到案一节，却无下文。胡雪岩所说的“这一案未了”，即是指此而言。

而此刻他的为难，却是一念不忍。论到乱世中人与人的关系，谁负了谁，谁怎么亏欠谁，本就是难说的一件事。事隔数年，而彼此又都是大劫余生，似乎应该心平气和，看开一步了。

胡雪岩这临时改变的心意，左宗棠当然不会猜得到，便催问着说：“既然你托我的事很多，就一件一件快说吧！不要耽误工夫。”

这一下他不能不说实话了。口中谈着，心中又涌现了新的主意，所以在谈完原来的想法以后，接着又说："张存浩虽可以请大人宽恩饶他，可也不能太便宜他。我在想，他也应该将功赎罪，罚他为地方上做些公益。大人看，是不是可行？"

"当然可行。"左宗棠问道，"此人家道如何？"

"从前是富绅，现在的情况，听说也不坏。"

"那好！我来告诉芗泉，转知绍兴府，传他到案，责令他量力捐输，为地方上做件功德之事。"

"能这样，于公于私都过得去了。至于两次殉难的忠臣义士，善后局采访事迹，陆续禀报，亦要请大人早日出奏，安慰死者。"

"当然。这件事我在动身以前，亦是要做好的。"左宗棠又说，"你再讲第二件。"

第二件是公私牵连，彼此有关的大事。胡雪岩从马新贻的新命下达，浙江政局开始变动之初，就希望不再代理藩库，无奈蒋益澧不肯放他，略一提到，便连连拱手，要求"继续帮忙"。胡雪岩最重情面，不能不勉为其难。

"如今不同了。"胡雪岩谈过前半段的衷曲，接着又说，"大人命我长驻上海，要粮要饷要军械，缓急之际，唯我是问，这个责任太重，没有余力再为浙江藩库效劳了。"

所谓"效劳"，就是青黄不接之际，得要设法垫款。左宗棠当然明白他的意思，但却有不同的看法。"雪岩，浙江藩库每个月要拨我十四万协饷，由你的钱庄转汇粮台。照这样子，你代理浙江藩库，等于左手交付右手，并不费事，何必坚拒呢？"他停了一下又说，"依我看，你代理浙江藩库，对我有利无害，有款子收入，随时可以拨解。如果前方有急用，你调度也方便。"

"不！"胡雪岩说，"第一，我既蒙大人奏调，归福建任用，就不便再代理浙江的藩库；其次，唯其管了大人这方面的供应，我要跟浙江划分得清清楚楚。万一将来有人说闲话，也不至于牵涉到大人的名誉。"

“承情之至！你真是处处为我打算。既然你一定坚持，我关照芗泉就是。”

得此一诺，胡雪岩如释重负。因为整个情况，只有他看得最清楚，援闽之师的协饷虽已减去六万，对浙江来说，仍是极重的负担。新任巡抚莅任后，自必有一番新猷展布，纵不能百废俱举，光是整修海塘，便需一笔极大的经费。眼前霜降已过，河工是“报安澜”的时候，一开了年，可就要立刻动手了！不然从“桃花泛”开始，春夏之交，洪水大涨，可能招致巨祸。那时的藩库，岂是容易代理的？

当然，海塘经费他可以表示无力代垫，但如马新贻说一句“那么福建的协饷请胡道台的钱庄垫一垫”，不论于公于私，他总是义不容辞的吧？事实确是如此，而且即使不代理浙江藩库，他亦仍得为左宗棠垫款。只是同为一垫，说法不同。

在浙江来说，既是代理藩库，理当设法代垫。而在左宗棠来说，胡雪岩是为浙江垫款，他不必见情。这一来落得两头不讨好。倘或浙江解不出协饷，跟他情商代垫，那是私人急公好义，马新贻会感激，左宗棠亦会说他够朋友。而最要紧的是，浙江藩库向他的钱庄借款，有担保、有利息，不会担什么风险。

“还有什么事？你索性此刻都说了吧？”

“不敢再麻烦大人了。”胡雪岩笑嘻嘻地说，“其余都是些小事，我自己料理得下来。”

话虽如此，胡雪岩经管的公事太多，自己的生意，除钱庄以外，还有丝茶，加上受人之托，有许多闲事不能不管。如今政局变动，他又受左宗棠的重托，要长驻上海，因此在浙江的公私事务必得趁左宗棠离浙、马新贻未到任这段期间内作个妥善的安排。因而他忙得饮食不时，起居失常，恨不得多生一张口，多长一双手，才能应付得下来。

* * *

在这百忙里，左宗棠还是时常约见胡雪岩，有一天甚至来封亲笔信，约他第二天上午逛西湖。这下，胡雪岩可真有些啼笑皆非了。但他亦不能不践约，只好通宵不睡，将积压已久、不能不办、原来预定在第二天上午必须了结的几件要紧事务提前处理。到曙色将透之时，他和衣打了个盹。睡不多久，一惊而醒，但见是个红日满窗的好天气，他急急漱洗更衣，坐上轿子飞快地直奔西湖，来赴左宗棠的约会。

轿子抬过残破的“旗营”，西湖在望，胡雪岩忽然发现沿湖滨往北的行人特别多。当时他唤跟班去打听，才知道都是去看“西洋火轮船”的。

胡雪岩恍然大悟：左宗棠并非有逛西湖的闲情逸致，只是约他一齐去看小火轮试航。这件事胡雪岩当然也知道，早在夏天，就听左宗棠告诉过他，已觅妥机匠，试造小轮。他因为太忙，不暇过问，不想三四个月的工夫，居然有了一艘自己制造的小火轮。这是一件大事！能造小轮船就能造大轮船，胡雪岩的思路很宽也很快，立刻便想到了中国有大轮船的许多好处。他越想越深，想得出了神，直到停轿才警觉。

他下轿一看，是在西湖四大名刹之一的昭庆寺前。湖滨一座篷帐，帐外翎顶辉煌，刀光如雪，最触目的是夹杂着的几名洋人，其中一个穿西装，一个穿着三品武官服色，大帽子后面，还缀着一条假辫子。胡雪岩跟他们很熟。这两个洋将都是法国人，一个叫日意格，已改武就文，被委充为宁波新关的税务司，所以换穿便服；另一个叫德克碑，因军功保到参将，愿易服色，以示归顺，颇为左宗棠所器重。

看到湖中，极粗的缆绳系着一条小火轮，已经升火待发。胡雪岩亦随众参观，正在指点讲解时，左宗棠已经出帐，在文武官员肃立站班的行列中，缓缓穿过，直到湖边站定，喊一声：“请胡大人！”

胡雪岩被唤了过去，行完礼，首先道歉：“没有早来伺候。”又笑着说，“曾中堂、李中丞都讲究洋务，讲究坚甲利兵，现在都要落在大人后头了。”

这句话恭维得左宗棠心花大开。“我就是要他们看看！”他摸着花白短髭点头，“所以我特意要请你来看，只有你懂得我的用意。”

胡雪岩不敢再接口。因为随口恭维，无甚关系，但一往深处去谈，便不知道左宗棠到底有什么主意，而且他自己对此道亦还不甚了解，不如暂且藏拙为妙。

好在此刻亦不是深谈的时候，主要的是要看。一声令下，那条形式简陋的小火轮发出“卜卜卜”的响声，激起船尾好大一片水花，但机器声时断时续，就像衰迈的老年人咳嗽那样，有些上气不接下气的模样。

这时在湖边屏息注视的官员、士兵、百姓不下上万之多，都为那条只响不动的小火轮捏把汗，唯恐它动不了。四名负责制造的机器匠，更是满头大汗，不断地在舱中钻进钻出。忙了好半天，终于听得机器声音响亮了起来，而且节奏匀净。胡雪岩蓦地里往前一冲，情不自禁地说了句：“谢天谢地，动了！”

动是动了，却走不快，蹒蹒跚跚，勉强拖动而已。费了有两刻钟的工夫，小火轮在湖面上兜了个圈子，驶回原处。承办的一名候补知府，领着戴了红缨帽的机器匠来交差，脸色很深沉的左宗棠，仍旧吩咐，赏机器匠每人二十两银子。

大家看左宗棠不甚满意，都觉得意兴阑珊，胡雪岩也是如此。站班送走了左宗棠，急急赶回城去忙自己的公私事务。哪知到得傍晚，左宗棠又派了戈什哈持着名片来请，说的是：“大帅要等胡大人到了才开饭。”

胡雪岩到了行辕，很意外地发现两位客卿都在，此外就是一个姓蔡的通事。胡雪岩先见左宗棠，然后与德克碑、日意格行礼，彼此一揖，相将入席。左宗棠虽是主人，但仍据首座，左右两洋将，胡雪岩下首相陪，蔡通事就跟戈什哈一样，只有站立在左宗棠身后的份儿了。

“办洋务要请教洋人。”左宗棠对胡雪岩说，“我请德参将与日税务司下船看过，说仿制的式样，大致不差，机器能够管用，就很难为他们了。

不过，要走得快，得用西洋的轮机。德参将正好有本制船的图册，你不妨看看。”

“是！”胡雪岩试探着问，“大人的意思是？”

“你先听听他们的说法。”左宗棠答非所问，然后略略回头，嘱咐蔡通事，“你问他们，我想造轮船机器，他们能不能代雇洋匠？”

于是蔡通事用法语传译。德克碑与日意格立即作答，一个讲过另一个讲，舌头打卷，既快且急，显得十分起劲。

“回大帅的话，”蔡通事说道，“德参将与日税务司说，不但可以代雇洋匠，而且愿意代办材料，设厂监造。如果大人有意，现在全浙军务告竣，德参将打算退伍回国，专门为大人奔走这件事。”

“喔！”左宗棠点点头，向胡雪岩深深看了一眼。

胡雪岩会意，随即向两位洋客提出一连串的问询，最着重的是经费。德克碑与日意格亦只知大概，并不能有问必答。不过洋人倒是守着中国“知之为知之，不知为不知”的古训，决不模棱两可地敷衍。因此以胡雪岩的头脑，根据已知的确实数字，引申推比，亦能获知全盘的概算。

这一顿饭吃到起更方散。左宗棠送走洋客，留下胡雪岩，邀到签押房里坐定，第一句话就说：“雪岩，我想自己造兵轮。”

胡雪岩吓一跳。“这谈何容易？”他说，“造一个船厂，没有五十万银子下不来，造一条兵轮总也得二三十万银子——也不能为造一条兵轮设个船厂，不说多，算造十条，就是两三百万。闽浙两省，加上两江，也未见得有这个力量。”

“不错！不过，你不要急，等我说完，你就知道我的打算不但办得通，而且非如此打算不可。雪岩，”左宗棠顾盼自喜地说，“李少荃的学问，是从阅历中来的，不过这几年的事，他点翰林，不过靠一部熟《诗经》。我做学问的时候，只怕他文章还没有完篇。说到汪洋大海中的艨艟巨舶，我从道光十九年起，就下过功夫——”

这年林则徐在广东查毁鸦片，英国军舰犯境，爆发了鸦片战争。也就是这一年，陶澍病殁在两江总督任上，左宗棠迁居陶家，代为照料一切，得能遍读印心石屋的遗书。凡唐宋以来，史传、别录、小说以及入清以后的志乘、载记、官私文书，凡是有关海国故事的，左宗棠无不涉猎，所以谈到“汪洋大海中的艨艟巨舶”，他不算全然外行。

“如今洋人的火轮兵船，于古无征，不过举一反三，道理是一样的。海船不可行于江河，不然必致搁浅。可笑的是，衮衮诸公，连这点浅近的道理都不懂，以致为洋人玩弄于股掌之上。说起来，李少荃的洋务，懂得实在也有限。”

这番话在胡雪岩听来，没头没脑，无从捉摸。他跟左宗棠的关系，已到熟不拘礼的程度，当即老实问道：“大人指的是哪件事？”

“不就是咸丰末年跟英国买兵轮那件事吗？”

“喔，我想起来了，是有那么一回事。当时杭州被围，后来杭州失守，我在宁波生一场大病，一切都隔膜了，只知有这样一件事，但对来龙去脉，完全不清楚。”

“我很清楚。这宗公案的始末经过，我细看过全部奏折，可以约略跟你说个大概。是英国人李泰国与赫德捣鬼。英国代办中号火轮三只，小号火轮四只，船价讲定六十五万银子，李泰国擅作主张，一加再加，加到一百零七万银子。至于火轮到后，轮上官兵薪饷、煤炭杂用，每个月要用十万银子。这还不算，火轮上的官兵，都要由英国人管带——”

“我打句岔，”胡雪岩截断了话问，“这为了什么？”

“喏，你看看这个就知道了。”

左宗棠真是有心人，已将前几年购买英国兵轮的有关上谕与奏折，抄辑成册，这时随手翻开一篇，递给胡雪岩，让他自己去细看。

这一篇抄的是同治二年五月间，总理各国事务大臣恭亲王及文祥等人会衔的奏折，一开头就说：

窃臣等前以贼氛不靖，力求制胜之方，因拟购买外洋炮船，以为剿贼之资，于咸丰十一年五月间专折奏明，奉上谕："东南贼势蔓延，果能购买外洋炮船，剿贼必可得力，实于大局有益。"等因，钦此，遵即咨行各该督抚。

旋据两江督臣曾国藩复奏："购买外洋船炮为今日救时第一要务。"

读到这里，就不必再往下看了。胡雪岩说道："如用于剿贼，只需能航行长江的小炮艇，何至于要花到一百万银子？"

"就是这话啰！衮衮诸公昏聩不明，于此可见。你再看这一篇！"

左宗棠指给胡雪岩看的是，同治二年八月下旬曾国荃的一道奏折，说的是：

查前年廷旨购办轮船七号，不惜巨资，幸而有成，闻皆将到海口矣！唯近见总理衙门与洋人李泰国商定往复，除轮船实价百万之外，所用西人兵士每月口粮七万余两，每年大率不下百万两，俱于海关支扣。窃计国家帑藏空虚，倏而岁增巨款，度支将益不给。

当始议购买之时，原以用中国人力，可以指挥自如，且其时长江梗塞，正欲借此巨器，以平巨寇。自今夏攻克九洑洲，仰仗皇上威福，江路已通，江边之城，仅金陵省会，尚未恢复，然长江水师，帆樯如林，与陆军通力合作，一经合围，定可克期扫荡。

臣窃见轮船经过长江，每遇沙渚回互，或趋避不及，时有胶浅之虞。盖江路狭窄，非若大海之得以施展如意。譬犹健儿持长矛于短巷之中，左右前后，必多窒碍，其势之使然也。平时一线直行，犹且如此，临阵之际，何能盘旋往复，尽其所长？是大江之用轮船，非特势力少逊，究亦有术穷之时。今会其入江，实有不藉彼战攻之力，若顿诸海口，则又安闲无所事事。

看到这里，亦可以掩卷了。购造大轮船，非是为了剿匪，当曾国荃上此奏折时，金陵将次合围，苏州亦正由李鸿章猛攻之中，大功之成，已有把握，曾国荃自然不想有人来分他的功。而况他所作的譬喻，如“健儿持长矛于短巷之中，左右前后，必多窒碍”，衡诸海轮行江的实况亦甚贴切。朝廷正以李泰国狡诈，难以与谋，得此一奏，当然会毅然决然地，打消此议。

“然而，今昔异势，”左宗棠说，“福建沿海，非兵轮不足固疆圉、御外敌。雪岩，你以为如何？”

“是！大人见得远。”胡雪岩答说，“督抚担当方面军务，如今内乱将平，外患不可不防。倘或外人由闽浙海面进犯，守土之责，全在大人。如果不作远图，虽不至于闹出叶大人在广东的那种笑话来，可也伤了大人的英名。”

所谓“叶大人”是指“不战不和不守，不死不降不走”客死在印度的两广总督叶名琛。拿他作比，稍觉不伦，但就事论事，却是前车可鉴。左宗棠很起劲地说：“你说得一点不错！益见得我责无旁贷，雪岩，我决计要办船厂。”

“只要经费有着，当然应该办。”

“经费不必愁。当初购船，是由各海关分摊，如今当然仍照旧章。不过，闽浙两海关，格外要出力。”

“那是一定的。不过——”胡雪岩沉吟着不再说下去了。

左宗棠知道，遇到这种情形，便是胡雪岩深感为难、不便明说的表示，可是他也知道，到头来，难题在胡雪岩也一定会解消。如今最要紧的是，让胡雪岩无所顾虑，畅所欲言。

因此，左宗棠出以闲豫的神态。“不必急，我们慢慢谈。事情是势在必行，时间却可不限。”他神秘地一笑，“等我这趟出兵以后，局面就完全掌握在我手里了，要紧要慢，收发由心。”

这最后两句话，颇为费解，就连胡雪岩这样机警的人，也不能不观色察言，细细去咀嚼其中的意味。

看到左宗棠那种成竹在胸而又诡谲莫测的神态，胡雪岩陡然意会：所谓“要紧要慢，收发由心”，是指入闽剿匪的军务而言。换句话说，残余的长毛，左宗棠不但自信必可肃清，并且肃清的日子，是远是近，亦有充分的把握，要远就远，要近就近。

这远近之间，完全要看他是怎么样一个打算。勤劳王事，急于立功，自是穷追猛打，克日可以肃清；倘或残余的长毛有可以利用之处，譬如借口匪势猖獗，要饷要兵，那就必然“养寇自重”了。

想到这里，胡雪岩就得先了解左宗棠的打算。“大人，”他问，“预备在福建做几年？”

“问得好！”左宗棠有莫逆于心之乐，然后反问一句，“你看我应该在福建做几年？”

“如果大人决心办船厂，当然要多做几年。”

“我也是这么想。”

“做法呢？”胡雪岩问，“总不能一直打长毛吧？”

“当然，当然！釜底游魂，不堪一击，迁延日久，损我的威名。不过，也不必马到成功。”

说到这里，左宗棠拈髭沉思，脸上的笑容尽敛，好久才点点头说：“你知道的，广东这个地盘非拿过来不可，兵事久暂，只看我那位亲家是不是见机。他若肯急流勇退，我乐得早日克敌致果，不然就得多费些饷了。你懂我的意思吗？”

“懂！”胡雪岩说，“我就是要明白了大人的意思，才可以为大人打算。”

“那么，如今你是明白了？”

这是提醒胡雪岩该做打算了。胡雪岩精神抖擞地答说：“只要广东能听大人的话，事情就好办了。我在想，将来大人出奏，请办船厂，像这样的大事，朝廷一定寄谕沿海各省督抚，各抒所见。福建、浙江不用说，如果广东奏复，力赞其成。大人的声势就可观了。”

“正是！我必得拿广东拉到手，就是这个道理。南洋沿海有三省站在我这面，两江何敢跟我为难？”

“两江亦不敢公开为难，必是在分摊经费上头做文章。说到办船厂的经费，由海关洋税项下抽拨，是天经地义的事。北洋的津海关，暂且不提，南洋的海关，包括广东在内，一共五大关：上海的江海关、广州的粤海关、福建的闽海关跟厦门关，还有我们浙江的宁波关。将来分摊经费，除闽、厦两关以外，粤海关肯也支持，就是五关占其三，浙江归大人管辖，马中丞亦不能不卖这个面子。这一来，两江方面莫非好说江海关一毛不拔？”

“对了！你的打算合情合理，其间举足重轻的关键，就在广东。雪岩，我想这样，你把我这个抄本带回去，参照当年购船成例，好好斟酌，写个详细节略来，至于什么时候出奏，要等时机。照我想，总要广东有了着落，才能出奏。”

“是的。我也是这么想。”胡雪岩说，“好在时间从容得很，一方面我先跟德克碑他们商量，一方面大致算一算经费的来源。至于筹备这件大事，先要用些款子，归我想办法来垫。”

“好极！就这么办。不过，雪岩，江海关是精华所在，总不能让李少荃一直把持在那里。你好好想个法子，多挖他一点出来！”

“法子有。不过，”胡雪岩摇摇头，“最好不用那个法子！”

“为什么？”

“用那个法子要挨骂。”

“这你先不必管。请说，是何法子？”

“可以跟洋人借债。”胡雪岩说，“借债要担保。江海关如说目前无款可拨，那么总有可拨的时候。我们就指着江海关某年某年收入的多少成数，作为还洋债的款，这就是担保。不过，天朝大国，向洋人借债，一定有人不以为然。那批都老爷群起而攻，可是件吃不消的事。”

这番话说得左宗棠发愣，接着站起身来踱了好一会儿方步，最后拿起已交在胡雪岩手里的“抄本”，翻到一页，指着说道：“你看看这一段！”

指的是恭亲王所上奏折中的一段。据李泰国向恭王面称："中国如欲用银，伊能代向外国商人借银一千万两，分年带利归还。"可是恭王又下结论："其请借银一千万两之说，中国亦断无此办法。"

"大人请看，"胡雪岩指着那句话说，"朝中决不准借洋债。"

"彼一时也，此一时也！"说到这里，左宗棠突然将话锋扯了开去，"雪岩，你要记住一件事，办大事最要紧的是拿主意！主意一拿定，要说出个道理来并不难。拿恭王的这个奏折来说，当时因为中国买船，而事事要听洋人的主张，朝中颇有人不以为然，且恭王已有打退堂鼓的意思，所以才说中国断无借洋债的办法。倘或当时军务并无把握，非借重洋人的坚甲利炮不可，那时就另有一套话说了。第一，洋人愿意借债给中国，是仰慕天朝，自愿助顺；第二，洋人放债不怕放倒，正表示信赖中国，一定可以肃清洪、杨，光复东南财赋之区，将来有力量还债。你想想，那是多好听的话，朝廷岂有不欣然许诺之理？"

这几句话，对胡雪岩来说，就是"学问"。他心悦诚服地表示受教，而左宗棠亦就越谈越起劲了。

"我再跟你讲讲办大事的秘诀。有句成语，叫作'与其待时，不如乘势'，许多看起来难办的大事，居然顺顺利利地办成了，就因为懂得乘势的缘故。何谓势？雪岩，我倒考考你，你说与我听听，何谓势？"

"这可是考倒我了。"胡雪岩笑道，"还是请大人教导吧！"

"有些事，我要跟你请教，有些事我倒是当仁不让，可以教教你。谈到势，要看人、看事，还要看时。人之势者，势力，也就是小人势利之趋。当初我几乎遭不测之祸，就是因为湖广总督官文的势力比湖南巡抚骆秉章来得大，朝中自然听他的。他要参我，容易得很。"

"是的。同样一件事，原是要看什么人说。"

"也要看说的是什么事。"左宗棠接口，"以当今大事来说，军务重于一切，而军务所急，肃清长毛余孽，又是首要。所以我为别的事说话，不一定有力量，但要谈入闽剿匪，朝廷就一定会听我的。你信不信？"

“怎么不信？信，信！”

“我想你一定信得过。以我现在的身份，说话是够力量了，论事则还要看是什么事，在什么时候开口。时机把握得恰到好处，则言听计从。说迟了自误，说早了无用。”左宗棠笑道，“譬如撵我那位亲家，现在就还不到时候。”

“是的。”胡雪岩脱口答道，“要打到福建、广东交界的地方，才是时候。”

左宗棠大笑，笑完了正色说道：“办船厂一事，要等军务告竣，筹议海防时，那才是一件大事。虽也要看时机，不过，我们必得自己有预备，才不会坐失时机。你懂我的意思了吧？”

胡雪岩不但懂他的意思，而且心领神会。他比左宗棠想得更深更远，结合了大局、左宗棠的勋名前程和自己的事业与利益。了解了这一件事，就意味着左宗棠非漂漂亮亮地打胜仗不可！这是一个没有东西可以代替的关键。

由于这个了解，他决定了为左宗棠办事的优先级。不过，这当然先要征得左宗棠的同意，因而他这样说道：“大人的雄心壮志，我都能体会得到，到什么时候该办什么事，我亦大致有数，事先会得预备。如今我要请问大人的是，这趟带兵剿匪，最着重的是什么？”

这句话将左宗棠问住了，想了一会儿答道：“自然是饷！”

“饷我可以想法子垫。不过，并不是非我不可，各处协饷，能够源源报解，何必我来垫借，多吃利息？”

“啊，我懂你的话了。”左宗棠说，“工欲善其事，必先利其器，兵坚而器不利，则能守而不能攻。我要西洋精良兵器，多多益善，雪岩，这非你不可！”

“是！愚见正是如此。”胡雪岩欣慰地答说，“我替大人办事，第一是采办西洋兵器，不必大人嘱咐，我自会留意。至于炮弹子药，更不在话下，决不让前方短缺。第二是饷，分内该拨的数目，不管浙江藩库迟拨早拨，我总替大人预备好。至于额外用款，数目不大，当然随时都有，如果数目太大，最好请大人预先嘱咐一声，免得措手不及。此外办造船厂之类，凡是大人交代过的，我都会一样一样办到，请大人不必费心，不必催，我总不误时机就是。”

“好极了！”左宗棠愉悦异常，“汉高成功，功在萧何。我们就这样说了，你尽管放手去做，一切有我担待。”

第八章

左宗棠在同治三年十月底，交卸了兼署浙江巡抚的职司，在杭州全城文武官员的鸣炮恭送之下，启程入闽督师。

在此以前，援闽之师分三路出发。西路以帮办福建军务的浙江按察使刘典所部新军八千人为主力，会同记名按察使王德榜的两千五百人，由江西建昌入汀州；中路记名提督黄少春、副将刘明灯两部共四千六百人，由浙江衢州，经福建浦城、建宁入延平；东路由署理浙江提督高连升会同候补知府魏光邴，领兵四千五百人，过钱塘江由宁波乘轮船，循海道至福州登陆。

这三路军队的目标都是闽南。李世贤踞厦门之西的漳州，丁太洋在福建、广东、江西三省交界的武平，而汪海洋则在闽南的东西之间流窜。左宗棠的打算是，决不能让他们出海，由北、西、东三面收紧，压迫敌人南窜。

福建之南就是广东。两广总督毛鸿宾与广东巡抚郭嵩焘见此光景，心知不妙。左宗棠如果驱贼入粤，则援闽之师，随贼而至，会形成长毛与“友军”交困的窘境，所以两人非常着急。

可是由两员副将方耀、卓兴所率领的粤军，不过八千之众。福建延建邵道康国器，虽是广东人，新统一军亦多粤籍，却不能算粤军，因为是左宗棠的部下，并不听命于广东大吏。毛鸿宾与郭嵩焘迫不得已，一面派方耀、卓兴入闽会剿，明阻长毛，暗挡左宗棠，一面打算奏请起用守镇江的名将冯子材督办东江军务，自求振作。

在援闽之师未到以前，福建陆路提督林文察已与李世贤接过仗。林文察是台湾彰化人，咸丰八年以助饷剿淡水的土匪，授职游击，做了武官。他所统率的台勇擅用火器，剽悍善战，助林文察当到总兵，获得“巴图鲁”的名号。王有龄被困杭州时，曾奉命援浙，而阻于衢州。以后归左宗棠节制，他很立了些战功，补实为福建福宁镇总兵，不久擢升为福建陆路提督，随即提兵回台，在他家乡平乱。

乱党的首领，是原籍漳州龙溪的戴潮春。他是中国历史上阴魂不散的老牌乱党白莲教的余孽。他在彰化名义上办团练，实际上与长毛是勾通的。

咸同之交，浙江沦陷，在福建的官军，多调闽北浙南。戴潮春认为这是起事的好机会，三月间由其党羽林戆晟在大墩起事，五天以后占领彰化，台湾兵备道孔昭慈被杀。戴潮春自称“东王”，“南王”是林戆晟，此外还有“西王”与“北王”。下面的官职有“大国师”“左右丞相”“六部尚书”等。

这个略仿太平天国建制，沐猴而冠，仿佛戏台出将入相的场面，由于东南战局正在紧要关头，朝廷只应粮道丁日健的力请，派了六百人去攻剿，因而得以维持一时。及至同治二年秋天，左宗棠收复浙江，已有把握，才派林文察回台，号召旧部。福建巡抚徐宗干，亦派久官台湾的丁日健领兵赴援，并授为台湾兵备道，督办全台军务。

于是到了十一月初，彰化收复，继攻下斗六。到了年底，戴潮春被擒于张厝庄、林戆晟败死于四块厝，局面可以算是稳定下来了。

不过肃清残余乱党，亦很费力，尤其是当李世贤占据漳州以后，戴潮春的余党准备接应会合，图谋再举。左宗棠深恐李世贤、汪海洋等人出海，正就是为此。

林文察见此光景，深感为难。他一方面要防止死灰复燃，放不得手，另一方面以福建陆路提督为一省最高武官的地位，对于收复漳州、汀州等地，责无旁贷。他仔细考虑下来，觉得还是应该回福建。因为若能够消灭李世贤，彰化的乱党便失去凭借与指望，不战而自溃。

打定主意，他仓促内渡，同船只带了两百亲兵。他与李世贤交过手不止一次，不敢轻敌，原意到了福建，先作部署，然后出击。哪知李世贤早有准备，在万松关设下埋伏，专等他入网。

而林文察则又改变了主意。因为他自感兵力孤单，虽一路收容了许多散兵游勇，杂凑成军，但只有粮饷充裕、时间从容，而又有得力的帮手的情况下，才可以将此辈渐渐练成劲旅，否则就只有利用他们急于追求出路，或者怀忿报仇的心理，淬厉士气，作背城借一之计。林文察老于兵事，默察情势，认为不得不速战速决，拖下去徒耗粮饷，且难部勒，将不战自溃。

本来左宗棠的檄令，是责成他“力保泉厦”。这是很难的任务，因为漳州以东，直到厦门、泉州，地势平衍，易攻难守，而况彼此兵力众寡悬殊。就方略讲，应该以攻为守；就利害关系来看，以少攻多，虽然吃力，但与其守而败，不如攻而败。因此，在十月初林文察便由泉厦而进，在万松关上扎营。

万松关又名万松岭，在漳州以东二十五里的凤凰山上，为由泉厦渡江入漳的孔道。扎营刚定，李世贤派一队人马来攻，用意在试探虚实，哪知副将惠寿不中用，竟让长毛踩了营盘。林文察迫不得已，退扎到叫作玉洲的地方，隔了两天出队攻击，小胜而回。

就在这时候林文察又接到左宗棠的札子，指示他“深沟高垒，勿浪战求胜，俟浙军到后，协力规复漳州”。林文察这时不能不听命了，驻营在万松岭上，静候援军，另由水师总兵曾玉明，在九龙江近海澄县地方的海口镇，结扎水营，以为犄角之势。

这样守到十月底，左宗棠还未进入福建境内，而先行出发的浙军，三路合围之势，将次形成。李世贤原来是在万松关以西设下埋伏，专候林文察入网，见他按兵不动，而浙军又已入闽，不能不急着打开一条出路，因而在十一月初三，发动突袭。

突袭是分水陆两路进行。袭击水营的长毛，皆以烟煤擦脸，有意扮成狰狞可怖的鬼相，同时亦用作为“自己人”的识别。曾玉明的水师猝不及防，除了用炮艇上的小炮轰击以外，其余各营，都垮了下来。

在西面万松关上的林文察所部，本是越拖越坏的散兵游勇，听说后路被袭，未战先乱。副将惠寿、游击许忠标压不住阵，只有溜之大吉，林文察却不肯逃，结果中枪阵亡。溃散下来的乱兵，勉强集结在九龙江东岸，算是保障泉州门户。

三月以后，左宗棠到了浦城，正式进入福建境界，预定就以此为行辕。行辕所收到的第一件战报，便是林文察兵败殉职。

这不是马到成功的征兆，左宗棠大为不悦。在他看林文察是挫了浙军的锐气，也伤了他的威名，虽非死有余辜，却是决不可原谅的。因而出奏时，便不肯专叙此事，只用一个“督师行抵浦城，现筹剿办情形”的案由，在折子中斥责林文察不听调度，致有此失，幸亏高连升一军已由福州赶到闽南，泉厦可保无虞。至于林文察的恤典，申明另案奏请，但可想而知的，恤典不会优厚。

不过局势很快地稳住了。左宗棠最担心的，就是李世贤向东南横窜入海，所以只要高连升一军能自福州南下，及时拦堵，先挡得一阵，等苏军郭松林、杨鼎勋领兵航海而来，肃清腹地便有十足的把握了。

为此，左宗棠定下东守北攻西压的策略，最先收复闽南偏北的龙岩，接着会同粤军方耀所部，收复闽粤交界的永定。

这两场胜仗打下来，士气大振，指挥更加灵活，左宗棠开始“驱贼入粤”。首先是由毗连江西的汀洲、连城一带开始，将汪海洋部下的长毛，往南撵向与广东交界的武平、上杭一带。其时援闽苏军已陆续到达，与浙军高连升、黄少春所部，划分防区，而以进取漳州为目标，苏军守漳州之南，浙军守漳州之北。这一来，李世贤出海之路是彻底被阻断了。

到了四月中旬，浙苏各军由南北同时出击，会攻漳州。四月二十一日，漳州克复，可是李世贤却开西门而走，与汪海洋会合在一起，成为“困兽”。

当时的形势是东南方面泉、厦、漳沿海一带兵力最厚，西北永定有七千余人防守，东北的漏洞亦已及时防补，唯有西面最弱，左宗棠几乎毫无布置。

西面就是广东的大埔、饶平一带，虽有粤军方耀防守，可是绝非李世贤、汪海洋的对手，是谁都看得出来的。然则，左宗棠之意何居？明眼人自然看得出来。

这个明眼人是远在京城里的军机章京领班许庚身。在五月十二那天，他看到发下来的一个奏折，大为诧异。这个奏折是李鸿章所上，作用是在表功，所以案由是“援闽苏军，会合浙军分路进逼，于四月二十一日克复漳州府城”。奏报进攻情形中，有一句话说“侍逆李世贤潜开西门而遁”。这与同时收到左宗棠的战报，情况不符。

左宗棠的奏折，案由是“进逼漳西大捷，现筹办理情形”，并未提到漳州克复，更未谈到李世贤由漳州西门而遁，只说“李逆世贤经官军迭次击败，势日穷蹙，图由漳北小路绕犯安溪，以抄官军后路；其计未成，又图勾结同安土匪，内讧滋事，经郭松林抽带所部两营驰赴同安，会同道员曾宪德将西塘、上宅、浒井各乡匪巢洗荡”。

再看拜折的日期是四月二十六，拜折的地点是福建省城。福州离漳州不过两三日路程，二十一克复漳州，在福州的左宗棠不应该到二十五还不知道。如果已经知道，二十六拜折何以不报捷？

这是莫大的一个疑窦，但稍作参详，不难明白。左宗棠只为李世贤“漏网”，不肯报捷，先说他想“绕犯安溪”，又想“勾结同安土匪”，最后说由郭松林如何如何，是打算将李世贤“漏网”的责任，轻轻推到郭松林头上。

至于左宗棠想“整”郭松林的缘故，亦可以推想得到。原来从林文察阵亡以后，福建陆路提督一缺便补了福山镇总兵的郭松林。这虽为署任，但总是升官，而如没有左宗棠的奏请苏军援闽，这个武将中最高职衔的提督，未见得轮得到郭松林。照左宗棠的想法，郭松林的升官既由援闽而来，而所升的官又是福建的缺分，则不论感恩图报，还是循名责实，都该照建制归隶他的部下。无奈郭松林虽经福建巡抚徐宗干一再催促，但始终不肯到任。以福建的武官在福建打仗，却自居于客将的地位，在左宗棠是颇难容忍的，只是当郭、杨两军航海南来之前，李鸿章特为声明：郭松林不履任，他亦“不劝驾”。左宗棠曾经同意，此时不便出尔反尔。但他又有所憾于郭松林，因而此时先作一个伏笔，一方面隐约其词地表示追击李世贤是郭松林的责任，另一方面可以看将来的情况。果真同安土匪一时不易收拾，便可正式奏请将郭松林留在福建——以本省的提督剿本省的土匪，天经地义，名正言顺，朝廷不能不准，李鸿章不能不放，郭松林不能不留。

了然于左宗棠暗中的钩心斗角，再来看李鸿章的“援闽获胜，会克漳州府”一折，才会恍然大悟，除表功邀赏以外，还有预先为苏军留下卸责余地的作用。因为折中铺叙战况，对于郭、杨两军的防区及部署说得特别详细。

一则谓：“东山在漳州城南十里，系通漳浦大路，郭松林以八营扼之，又十里为镇门，系东山、海澄、石码适中之地，杨鼎勋以五营扼之。海澄县为两军后路，有山径可通漳浦，复派三营分布县城内外，防贼抄袭。”

再则谓：“总兵刘连捷、臬司王开榜在西北，提督高连升、黄少春等军在东路。自苏军扼扎东山，南路已断。”

三则谓：“败逆向南靖一路纷逃，各营追剿数里，当会同高、黄等军，折回东南，将东关外放子桥、东岳庙及附近南门新桥各贼垒一律荡平。”

处处可以看出，郭、杨两军无论防守还是攻剿，都以担当漳州南面为主，东面其次，然则李世贤开西门而遁，责任谁属？不问可知。这样反复分析下来，许庚身认为左宗棠是在玩弄可怕的权术。从军兴以来，各省带兵大员，以驱贼出境为惯技，而左宗棠则似乎有意以邻为壑，包藏着什么祸心。此非早作纠正不可。

因此，他向恭王与文祥等人，指陈利害，奏明两宫太后，拟发“廷寄”。他首先指出李鸿章已有奏报，漳州克复，“侍逆潜开西门而遁”，接下来便说：“漳州虽经克复，而渠魁仍未授首，必将与汪逆合谋，计图复逞。现在东南两路局势既尚稳固，东北一路亦有刘明灯等联络扼守，而西面之漳浦、云霄、诏安、平和等城，均为贼踞，该逆必思由此路窜走，已无疑义。粤省饶平、大埔一带虽有方耀等军防守，尚恐兵力不敷分布，左宗棠等仍当分拨劲旅，绕赴西路，会同粤军，迎头拦截，杜其窜越之路。”

到此地步，左宗棠知道撵走郭嵩焘的时机成熟了。在此以前，他曾为蒋益澧下过一次伏笔，并用李鸿章作为陪衬，来提高蒋益澧的地位。这一伏笔，下在九月初，瑞麟与郭嵩焘交恶之时，而于“恳请收回节制三省各军成命”的奏折中，附带一提：“恐两广兵事，尚无已时，若得治军之才如李鸿章、蒋益澧其人，祸乱庶有豸乎！”意思是最好将李鸿章调为粤督，而以蒋益澧升任粤抚。这是隐约其词的试探，朝廷即令没有明确的反应，但蒋益澧可当方面之任的印象，却已在西宫太后与军机大臣的脑中留下了。

此时当然还不能明保蒋益澧升调广东，是用夹片的方式，在“陈明广东兵事饷事”中，攻郭保蒋。首先就说：“广东一省兵事实足观，而饷事亦不可问。军兴既久，名省兵事或由弱转强，粤则昔悍而今驽矣！各省饷事或由匮而渐裕，粤则昔饶而今竭矣！”光是这两句话，便将近两年的督抚一起攻击在内，当然，郭嵩焘的责任应更重于瑞麟，因为他在任之日比瑞麟久。

接着便专责饷事，而此正是巡抚的职责，其中并无一语提及郭嵩焘的名字，而大部分的攻击却集中在郭嵩焘身上，特别提到广东富饶之区的潮州厘税。

左宗棠是这样指责：“臣抵大埔，接晤潮郡官绅士民，询及潮郡厘税，合计杂货之厘、洋药之厘、汕头行厘、船捐，每年所得，共止三万余两，是一年所入，不足六千人一月之饷也。潮州为粤东腴郡，而厘税之少如此，外此已可类推。”

这是有意歪曲事实。从钱江创设就货征税的厘金以来，最难办的就是广东，当郭嵩焘莅任之初，就曾会同总督毛鸿宾，奏明广东办厘的情形，有异于他省，主要的原因是洋人的牵掣。广东的形势，“澳门据其西，香港绕其东，所有省河扼要海口，其地全属之洋人，而香港尤为行户屯聚之地。一二大行店皆移设香港，以图倚附夷人，便其私计，一切劝捐抽厘，从不敢一过问。其有意规避捐输者，亦多寄顿香港，希图幸免。统计出入各货，凡大宗经纪，皆由香港转输。是他省但防偷漏之途，而粤东兼有逋逃之薮。”

其次是广东的风气与他省不同。广东的士绅，往往包揽税捐，厘金开办之初，亦由劣绅承包，任令侵渔中饱。而公私交受其病。其后收为官办，则原来包厘的劣绅，因为失去特权，心有不甘，从中煽动捣乱，聚众捣毁厘局之事，不足为奇，官府胆怯怕事，不敢惩办祸首，反而撤去委员，或调动府县地方官，以求妥协。而结果是越迁就，越棘手。

从郭嵩焘到任后，以剔除中饱，讲求合情合理的宗旨整顿厘捐，颇有成效，从未设局的琼州府、廉州以及惠州的河源等地，次第开办。至于潮州，就广东而言，偏处东隅，久成化外，直到汪海洋逼近广东边境时，方由潮嘉惠道张铣设法开办，数目虽少，但总是一个开端。潮州的民风，因势利导，好话说在前面，无事不可商量，强制硬压，则偏不服从。张铣的意思是，只要潮州肯承认厘捐，以后可以陆续增加，而况贼势方急，官府与绅民之间，为此先起争执，是件极危险的事。这个看法，郭嵩焘深以为然，但左宗棠有意抹煞事实，只强调每年只收得三万银子，却不说这三万银子来之不易，而只要能收此三万，以后三十万亦有希望。

最恶毒的是，左宗棠又夸大广东海关的收入：“闻海关各口所收，每岁不下二百万两，其解京之数，无从稽考。此项若能由督抚设法筹办，于正供固期无误，而于该省筹饷大局，实裨益匪浅。特此为二百年旧制，非外臣所敢轻议。”

接下来便是保蒋益澧了。他说：“臣率客军入粤，偶有闻见，自不敢不据实直陈。至兵饷兼筹，任大责重，非明干开济之才，不能胜任。浙江布政使蒋益澧，才气无双，识略高臣数等，若蒙天恩，调令赴粤督办军务，兼筹军饷，于粤东目前时局，必有所济。”

这就是所谓力保。力保之“力”，端在一句话上：“才气无双，识略高臣数等。”以节制三省军务的总督，如此推崇，分量实在太重了。

左宗棠以诸葛武侯自命，目空一切，竟这样降心推崇，也实在不类他的为人。因此有人传出来一个内幕，说是闽浙总督衙门主章奏的幕友，受了蒋益澧一万银子的红包，力主加这“才气无双，识略高臣数等”十个字，如果流言属实，算起来是一字千金。

不过，行贿之说，虽不可知，而就事论事，却非有此十字不可。蒋益澧的才具如何，军机大臣大都了解，无不以为他难当方面之任。是故虽经左宗棠在奏折中暗示，他可代郭而为粤抚，并利用李鸿章作陪衬，来抬高他的身价，而朝廷始终装聋作哑。现在左宗棠的这十个字，分量之重，如雷贯耳，那就装不得聋、作不得哑了。

不过，装聋不许，却可装傻，朝廷有意不理左宗棠的暗示，只如他表面所请，在同治五年正月初八降旨：“着浙江布政使蒋益澧，驰赴广东办理军务，兼筹粮饷。”

当保荐蒋益澧的奏折拜发之时，左宗棠对克复汪海洋所盘踞的嘉应州，已有把握。在十二月十二发动总攻，一仗大捷，汪海洋为乱枪所杀，十天以后，克竟全功。左宗棠在年底拜折：“收复嘉应州城，贼首歼灭净尽，余孽荡平。”

这一下等于肃清了长毛余孽，左宗棠本人班师回任，各军遣归本省。然则蒋益澧“驰赴广东”，办何“军务”，筹何“粮饷”？如果有力者作此一问，蒋益澧的新命，就可能撤销。左宗棠当然早就计议及此，于是借题发挥，对郭嵩焘逼得更紧了。

所借的题目是“高连升带所部赴任”。高连升的本职是“广东陆路提督”，如今左宗棠节制三省军务的任务告一段落，自回本省，则高连升亦应在广东履任。提督到职，除本标亲兵以外，无须另带人马，而左宗棠却嘱咐高连升尽携所部赴新任。表面上的理由是大乱初平，民心不定，“以资镇压”，实际上是有意给广东出难题。因为高连升所部有五千人，每月至少亦要三万多银子的饷银，当然归广东负担。

可是，广东欢迎高连升，却不欢迎高连升的部队。于是左宗棠上奏指责广东，大发牢骚，说是“臣扪心自问，所以为广东谋者，不为不至，而广东顾难之。欲臣一概檄饬高连升所部旋闽。兹则臣所不解也。如谓高连升军饷仍应由闽支领，则试为广东筹之，应解协闽之饷，约尚有三十余万两，此次资遣各省难民及嘉应州、镇平县赈恤平粜米粮及臣均拨鲍超一军军米价银，应由广东解还归款者亦约五万余两。即以此款悉数移充高连升军饷，以闽饷济闽军，约足一年之需。一年之后，诸患渐平，陆续裁撤此军，亦未为晚。”

各省协饷，哪一省亏欠哪一省，是笔永远算不清的账，反正能打仗就有理，打胜仗更有理。左宗棠对这一层了解得最透彻，所以能够侃侃而言，气壮更显得理直。

左宗棠的折报，常在最后发议论，此折亦不例外，因为打击郭嵩焘的缘故，殃及广东，亦被恶声：“伏思海疆之患，起于广东，中原盗贼之患，亦起于广东，当此军务甫竣之时，有筹兵筹饷之者，应如何惩前毖后，以图自强？若仍以庸暗为宽厚，以诿卸为能事，明于小计，暗于大谋，恐未足纾朝廷南顾之忧也。合无请旨敕下广东督抚熟思审处，仍檄高连升带所部赴任之处，出自圣裁。”

这个奏折，像以前所保蒋益澧的奏折一样。左宗棠幕府中得了红包的人，密抄折底，寄达浙江。蒋益澧虽是粗材，但毕竟也还有高人，告诉他说：高升之期已不在远。蒋益澧喜不可言，随即刻印了广东巡抚的封条，准备打点上任了。

这个奏折最厉害之处，是在借瑞麟以攻郭嵩焘。事由瑞麟一咨而起，左宗棠的咄咄逼人的笔锋，在前面亦都指向瑞麟。这是暗示，如果攻郭无效，便要转而攻瑞了。瑞麟在广东的政绩如何，朝中大臣，尽人皆知，而恭王与文祥，较之道光、咸丰两朝若干用事的满洲权贵，虽不知高明多少，但亦认为瑞麟必须保全。因为第一，军兴以来，督抚十分之九为汉人，此是清朝开国以来所未有之事，眼前亦仅只湖广、两广是旗人，倘或左宗棠对瑞麟参劾不已，逼得朝廷非调不可，一时却没有适当的旗下大员可以承乏；其次，瑞麟有慈禧太后的奥援，动他不得；第三，瑞麟虽是庸才，但很听话，尤其内务府的经费，跟粤海关有很大的关联，能有个听话的粤督在广州，诸事方便。

因此，朝廷就必须安抚左宗棠，不但为了保全瑞麟，亦因为由“恐未足纾朝廷南顾之忧”这句话而起了警惕。所以上谕中责备瑞麟，措词相当严厉：“左宗棠凯旋后，粤省安插降卒，搜诛土匪，善后之事方多，正当留扎劲兵，以资镇压。瑞麟既咨催高连升赴广东提督本任，何以反令左宗棠将其部曲檄饬回闽？倘闽军凯撤，而降卒土匪又复滋生事端，重烦兵力，该署督其能当此重咎耶？”

接下来便是悉如左宗棠所请：“高连升所部五千余人，计每月饷需不过三万余两。即着左宗棠檄饬该提督带所部赴任，月饷由瑞麟、郭嵩焘按月筹给，不准丝毫短少亏欠，致有掣肘之患！”

瑞麟受这顿申斥，当然很失面子，但前程是保住了，保不住前程的是未受申斥的郭嵩焘。

朝廷的意思是决意保全瑞麟，牺牲郭嵩焘来换取左宗棠的“忠诚”。不过上谕于“用人行政“，动辄申明“一秉大公”，而广东军务的贻误，督抚同罪，不该一个被黜、一个无事，所以运用“打而不罚”。“罚而不打”这个不成文的“公平”之理，对瑞麟严加申饬是已打不罚，而对郭嵩焘之不“打”，正是将“罚”的先声。

不过七八天的工夫，有关广东的政局，一日连发两谕。一道是由内阁“明发”，“着郭嵩焘来京，以蒋益澧为广东巡抚”；另一道是仅次于“六百里加紧”的紧急军报的“廷寄”，分饬浙江、广东及福建，写的是：

马新贻奏：巡视海口情形，酌议改造战船，粤省军事已定，藩司蒋益澧应否前往各一折。官军搜捕洋盗，全赖船械得力，方能奏效。马新贻见拟改造红单广艇三十号，合之张其光原带广艇十只，共计四十号，分派温州等处各要口，并购买外国轮船一两只，以为游击搜剿之用，所筹尚属周妥，均着照所请行。仍着马新贻督饬沿海各将弁，就见有师船，认真巡缉，搜捕余匪，以靖地方，毋得稍涉疏懈。本日已明降谕旨，授蒋益澧为广东巡抚。即着蒋益澧赶紧交卸起程，前赴新任。蒋益澧经朝廷擢膺疆寄，责任非轻，到任后务将军务吏治及筹饷各事宜，力加整顿，以期日有起色，毋得稍蹈因循积习，致负委任。将此由五百里各谕令知之。

左宗棠驱逐郭嵩焘是为了想占得广东这个地盘。这个目的在表面看，算是达到了，其实不然。

朝廷接纳左宗棠对蒋益澧的力保，虽说是要挟之下，不得不然，但到底集众人之力对付独断独行的左宗棠，毕竟有其深谋远虑的过人之处。没有多久，明眼人都可以看得出来，到头来是朝中用事的人，棋高一着。

第一，朝廷已有初步的打算，还要重用左宗棠，因而借他力保蒋益澧这件事上，特加词色，以为笼络；第二，广东的富庶，早就有名，而且一向是内务府公私需索之地。十多年来，洪、杨荼毒遍东南，但广东受灾极轻。不过早年为了筹饷，广东督抚不得不迁就膺专阃之寄的曾国藩的保荐。事平以后，情况不同，收权之时已到，但一则碍着曾国藩，再则以郭嵩焘的出身与居官的绩效，如无重大过失，不能随便调动，尤其是有瑞麟在，相形对比，如说要整饬广东吏治，首先该调的应该是瑞麟而不是郭嵩焘。即令退一步来看，至少亦该瑞郭同调，否则谕旨中一再申明的“用人行政，一秉大公”等冠冕堂皇的话，就变成欺人之谈了。

难得左宗棠力攻郭嵩焘，却好可用来作为收权的途径。黜郭不易，要黜蒋益澧容易得很。因为论他的出身资望与才具，都不适方面之任，将来一纸上谕，轻易调动，绝不会有人说闲话。

再有层好处，便是有蒋益澧的比照，瑞麟当两广总督，便显很够格了。所以八月间降旨，瑞麟的两广总督真除，由署理变为实授。

同一天——同治五年八月十七，另有两道上谕。一道是陕甘总督杨岳斌奏："才力不及，病势日增，恳请开缺"，调左宗棠为陕甘总督。

另一道说："杨岳斌于人地不甚相宜，办理未能有效，眷顾西陲，实深廑系。左宗棠威望素著，熟谙韬略，于军务地方，俱能措置裕如，因特授为陕甘总督，以期迅扫回氛，绥靖边陲。"是特为表明，赋左宗棠以平服西北的重任。

照历来的规制，封疆大臣的调动，往往先将预定的人选召赴到京，陛见称旨，方始明发上谕，然后"请训"出京。如果不经这一番程序，直接降旨调补，那么新任就该自请陛见请训，意思是此一调动，必含有除旧布新的整顿之意在内。朝廷的希望如何，必先探询明白，所以应该请训。当然，亦有例外，例如军情紧急，不容耽误，便可在上谕中明示："即赴新任，毋庸来京请训。"对左宗棠的新命，即是如此。

不过，这是表面的看法，实际上另有文章。因为左宗棠由东南旧任赴西北新任，绕道京师，由山西入秦陇，并不算太费事，而况回乱势缓，已经历相当时日，与防患将然，深恐一发不可收拾，愈早扑灭愈好的情况不同。而所以阻止他赴京请训，只为左宗棠的手段，军机处及各部院都领教过了，要饷要人，需索不已，一旦到京，非满足他的要求不到任，岂不麻烦？所以索性不要他上京。

* * *

调任的上谕到达福州时，已在二十天之后。其时左宗棠正在大办"保案"，肃清福建广东残匪，出了力的人，固然个个有份，不曾出力的，亦千方百计，夤缘请托，希冀在保案上加个名字。一时福州城内"冠盖云集"，热闹非凡，及至传出左宗棠调督陕甘的消息，在福建候补，已搭上了线，可以借军功升官补缺的人，无不大为失望，因为靠山虽然未倒，却已移了地方，无可倚恃了。

胡雪岩这时也在福州。左宗棠为了酬谢他在上海接济军火粮饷的功劳，特地备好一个“附片”，等他到了，方始随折拜发。这个“附片”是专保胡雪岩加官，不列入名单而单独保荐，称为“密保”，效用与开单“明保”大不相同，措词当然极有分量，说是：“按察使衔福建补用道胡光墉，自臣入浙，委办诸务，悉臻妥协。杭州克复后，在籍筹办善后，极为得力，其急功好义，实心实力，迥非寻常办理赈抚劳绩可比。迨臣自浙而闽而粤，迭次委办军火军糈，络绎转运，无不应期而至，克济军需。”是故恳请“破格优奖，以昭激励，可否赏加布政使衔”。

加官自是胡雪岩所希望的，不过，使他特别兴奋的，还不在布政使这个衔头，而是加了布政使衔，便可改换顶戴。原衔按察使臬司是正三品，戴的是亮蓝顶子，布政使藩司是从二品，便可以戴红顶子了。

捐班出身的官儿，戴到红顶子，极不容易，买卖人戴红顶子，更是绝无仅有的事，除非像乾隆年间的盐商那样出自特恩，但亦只有一两个人。是故饮水思源，想起将有得戴的红顶子，虽出自左宗棠的保荐，但没有王有龄，何有今日？因而他又特地到王有龄的老家去了一趟——赡恤王氏遗属，是胡雪岩逢年过节的第一件大事，这次登门，完全是感念旧情，哭奠一番。

胡雪岩本来还想亲谒墓门，无奈有件大事在办，忙得不可开交，只好等公事完了再说。

这件大事就是打算自己造轮船。左宗棠的意志强毅，蓄志之事，非见诸实行，不能甘心。当时奉命入闽督师，不能躬亲料理，却并未搁下，委托了一个他最信任的人，就是胡雪岩。

有关跟洋人打交道的事，胡雪岩必求教于古应春，他的路子很广，认为造轮船不必找日意格、德克碑。方今泰西各国，讲到轮船、铁路、火器的精良，美国有后来居上之势。同时美国人不似英国人的狡猾、法国人的蛮横、德国人的顽固、日本人的阴险，比较易于相处。

可是胡雪岩另有看法。外国在华势力，英国最大，法国其次。要制抑英国的势力，只有利用法国，美国与英国同种，所以与美国合作，等于帮助英国扩张势力。同时，日意格与德克碑是原始创议之人，无故背弃，道义有亏。

其实胡雪岩还有一层没有说出来的意思，古应春与他多年相处，亦能揣摩得到。左宗棠与李鸿章争权夺利，几已成不两立之势，李鸿章办洋务，倚总税务司英国人赫德为重，然则左宗棠如果再请教英国人，将会逃不了仍由赫德经手，而赫德与李鸿章互为表里，说不定会向总洋务的恭王与文祥建议，制造轮船事务以由两江经办为宜。那一来岂不是给李鸿章开了路？

因此，古应春不再有何主张，只实心实力地做胡雪岩跟日意格、德克碑打交道的助手——实际上只跟日意格一个人接头，因为德克碑已经退伍回国了。一切建船厂的计划、图样及预算，都由德克碑在法国托人办理，寄给日意格，再找胡雪岩、古应春洽谈，一年多下来，已经策划得很周详了。

到得左宗棠由广东班师，胡雪岩立即陪着日意格到了福州，左宗棠一看图说详明，非常高兴，亲自去视察日意格所建议的设厂之地。地在福建海口、马尾罗星塔一带，水清土实，宜于开槽建坞。兼以密迩省城，稽查方便，所以一看便即中意。

剩下来的事，就是筹划经费。造厂买机器、雇募师匠，预算开办费要三十多万银子，厂成开工、材料薪水，每月须银五六万两，一年就是六七十万，预计两年以后造出第一艘船，要花下去一百五十万银子。不过以后就可以省了，五年通计，不过三百多万。

这三百多万银子，从何筹集？当然煞费周章。左宗棠的意思是先办起来再说，只要有一百万银子，能应付得了头一年，此后欲罢不能，不愁朝廷不想办法。如果朝廷拿不出办法，好在有胡雪岩，一定可以想出一条维持得下的路子来。

因而粗粗计算，福建海关及本省厘税，提用之权在自己手里，浙江分属自己管辖，不会袖手，广东蒋益澧是自己一手提拔，更当效劳。有此三处财源，尽可放手办事了。

因此，左宗棠在五月中旬，便先奏陈“拟购机器，雇洋匠，试造轮船大概情形”。同时应诏陈言，以为剿捻宜用车战，平回则千里馈粮，转运艰难，应该采用屯田之策。

复旨对车战、屯田之议，不见得欣赏，试造轮船则以为“实系当今应办急务”，所需经费，准予在闽海关关税中酌量提用，如果不够，准再提用福建厘金。同时指示：“所陈各条，均着照议办理，一切未尽事宜，仍着详悉奏。”

有此一旨，左宗棠便密锣紧鼓地干了起来，一面关照胡雪岩通知已调汉口江汉关税务司的日意格与在安南的德克碑，商酌一切细节。

日意格是七月初冒暑到达福州的。他第一件事是勘察船厂地址，择定马尾山下，潮平之时水深亦达十二丈的地方设厂，然后议土木、议工匠、议经费，大致妥协，订立草约，担保人照胡雪岩的建议，由法国驻上海的总领事白来尼担保。当然，这个差使必然又落在胡雪岩肩上。

到了八月下旬德克碑直接由安南到达福州，与左宗棠晤见之下，对于所订草约，并无异词，但对所选定的建厂地点，却有意见，认为马尾山下是淤沙积成的一场陆地，基址不够坚固。因而左宗棠决定邀请白来尼、日意格到福州作客，作一个最后的，也是全面的商议，作成定案，正式出奏。

主意既定，先写信找胡雪岩到福州来谈。正在起劲的时候，左宗棠忽然奉到调督陕甘的上谕。这在左宗棠虽觉突兀，但稍一细想，便知事所必然，势所必至，并非全出意外。同时他想起历史上许多平定西域的史实，雄心陡然，跃跃欲试，相当兴奋。

在胡雪岩却是件非常扫兴的事，而且忧心忡忡，颇有手足无措之感。因此，到总督衙门向左宗棠道贺时，虽然表面从容，一切如常，但逃不过相知较深的人的眼光。

其中有一个是他的小同乡吴观礼。此人字子俊号圭庵，本来是一名举人，才气纵横，做得极好的诗，后由于胡雪岩的推荐，入左宗棠幕府，深得信任，担任总理营务处的职司。他是闽浙总督衙门唯一参赞军务，可说是运筹帷幄的一位幕友。

吴观礼对左宗棠所了解的，是胡雪岩所不能了解的，这就因为是读书多少的缘故。他看到胡雪岩的眉宇之间有落寞之色，当然也就猜想得到他内心的想法。

“雪岩，”吴观礼问道，“你是不是怕左公一去西北，你失掉靠山？”

话问得很率直，胡雪岩也就老实答道：“是的！以后无论公私，我都难了！”

“不然！不然！”吴观礼大为摇头。

照吴观礼的看法，出关西征，总得三年五载才能见功，这当然是一次大征伐，但情势与剿捻不同。捻匪窜扰中原，威胁京畿，在朝廷看，纵非心腹之患，但患在肘腋，不除不能安心，所以督兵大臣，必得克日收功。事势急迫，不容延误。

西征则在边陲用兵，天高皇帝远，不至于朝夕关怀，其势较缓，公事自然比较好办。至于私事，无非胡雪岩个人的事业，有近在东南的左宗棠，可资荫庇，处处圆通。一旦靠山领兵出关，远在西陲，鞭长莫及，缓急之际呼应为难。吴观礼认为此亦是过虑。

“你要晓得，从来经营西北，全靠东南支持，此后你在上海的差使，会更加吃重，地位也就更非昔比。事在人为。”吴观礼拍拍胡雪岩的肩说，“你没有读过《圣武记》，不知道乾隆年间的‘十大武功’。经营边疆，从前都是派亲贵或者满洲重臣挂帅，如今派了我们左公，是件非同小可的事。洪、杨以来的元戎勋臣，曾相高高在上，左李两位其次，从此以后，只怕曾左要并称了。”

最后一句话，点醒了胡雪岩。他的满腔忧烦，顿时一扫而空。靠山虽远，却更高大稳固，了解到这一层，就不必发什么愁了。

“多承指点。”胡雪岩很高兴地说，“索性还要费你的心，西北是怎么个情形，请你细细谈一谈。”

“我们先谈造轮船。”左宗棠极坚决果断地说，“不管朝廷催得怎么紧，要我赶快出关，这件事非在我手里先定了局，我不会离开福建。”

“是的。”胡雪岩问道，“定局以后，交给哪位？”

“着！你问在要害上了。我蓄志三年，辛苦数月，才能有此结果。倘或付托非人，半途而废，我是不甘心的。这一层，我还在考虑，眼前还要请你多偏劳。”

“那何消说得。不过，我亦只能管到大人离福建为止。”

“不然。我离开福建，你还是要管。”左宗棠说，“管的是船厂。这件事我决不能半途而废，为李少荃所笑。而且我不知道盘算过多少次，这件事办成，比李少荃所办的洋务，不知道要好过多少倍。”

这就很明白的了，左宗棠是出于争胜之心。他的好胜心是决不因任何人的规劝而稍减的，胡雪岩知道自己难卸仔肩，非“顶石臼做戏”不可了。不过，刚才那句“问在要害”上的话，左宗棠并无答复，还得追问。

“大人这么说，当然只有遵命。”胡雪岩说，“就不知道将来在福建还要伺候哪位？”

“不要说什么伺候的话。雪岩，你最聪明不过，没有什么人不能相处的。唯其我付托了这个人，更得借重你——”

左宗棠没有再说下去，胡雪岩却完全懂了他的意思。他所付托的，是个很难“伺候”的人。这就更急着要问：“是哪位？”

“沈幼丹。”

原来是丁忧回籍守制的前任江西巡抚沈葆桢。这在胡雪岩却真有意外之感。细想一想，付托倒也得人，不过以本省人做本省官，而且必是大官，为法例所不许。兼以丁忧，更成窒碍。不知左宗棠是怎么想来的，他只有付之默然了。

“我知道你的想法，我给你看个奏稿。”

奏稿洋洋千言，畅论造船之利，最后谈到主题：

臣维轮船一事，势在必行，岂可以去闽在迩，忽为搁置？且设局制造，一切繁难事宜，均臣与洋员议定，若不趁臣在闽定局，不但头绪纷繁，接办之人无从咨防，且恐要约不明，后多异议，臣尤无可诿咎。臣之不能不稍留三旬，以待此局之定者，此也！唯此事固须择接办之人，尤必接办之人能久于其事，然后一气贯注，众志定而成功可期，亦研求深而事理愈熟。再四思维，唯丁忧在籍前江西抚臣沈葆桢，在官在籍，久负清望，为中外所仰。其虑事详审精密，早在圣明洞鉴之中。现在里居侍养，爱日方长，非若官辙靡常，时有量移更替之事，又乡评素重，更可坚乐事赴功之心。若令主持此事，必期就绪。商之英桂、徐宗干亦以为然。臣曾三次造庐商请，沈葆桢始终逊谢不遑。可否仰恳皇上天恩，俯念事关至要，局在垂成，温谕沈葆桢，勉以大义，特命总理船政，由部颁发关防，凡事涉船政，由其专奏请旨，以防牵制。其经费一切，会商将军督抚随时调取，责成署藩司周开锡，不得稍有延误。一切工料及延洋匠、雇华工、开艺局，责成胡光墉一手经理。胡光墉才长心细，熟谙洋务，为船局断不可少之人，且为洋人所素信也。

“好！我就交给你了！”左宗棠站起身，一面走向书案，一面说道，“现在要跟你谈第一件大事了！”

* * *

他的第一件大事，便是西征。而凡有大征伐，首先要筹划的是兵、饷二事。左宗棠连日深宵不寐，灯下沉思，已写成了一个筹划的概略，此时从书案抽斗中取了出来，要胡雪岩细看。

这个节略先谈兵，次筹饷。而谈兵又必因地制宜，西北与东南的地势，完全不同，南方的军队，到了西北，第一不惯食麦，第二不耐寒冷。因此，左宗棠在东南转战得力的将领部队，特别是籍贯属于福建、广东两省的，都不能带到西北。

带到西北的，只有三千多人，另外他预备派遣原来帮办福建军务，现已出奏保荐帮办陕甘军务的刘典回湖南，招募三千子弟兵，带到西北。这六千多人，左宗棠用来做亲兵，至于用来作战的大批部队，他打算在本地招募，要与“关中豪杰”共事业。

看到这里，胡雪岩不由得失声说道：“大人，照你老人家的办法，要什么时候才能平得了回乱？”

“你这话，我不大懂。”

“大人请想，招募成军，不是一朝一夕的事，练成精锐，更是谈何容易？这一来，要花一两年的工夫。”

“岂止一两年？”左宗棠说道，“经营西域，非十年不足以收功。”

“十年？”胡雪岩吓一跳，“那得——”

他虽住口不语，但左宗棠也知道，说的是要费多少饷。左宗棠笑笑说道：“你不要急！我要在西北办屯垦，这是长治久安之计。就像办船厂一样，不能急功图利，可是一旦见效，你就知道我的打算不错了。”

“是！”胡雪岩将那份节略搁下，低着头沉思。

“你在想什么？”

“我想得很远。”胡雪岩答说，“我也是想到十年八年以后。”

“着！”左宗棠拊掌欣然，“你的意思与我不谋而合，我们要好好打算，筹出十年八年的饷来。”

胡雪岩暂且不答，捡起节略再看，大致了解了左宗棠在西北用兵的计划。他要练马队，又要造“两轮炮车”，开设“屯田总局”——办屯垦要农具、要种子、要车马、要垫发未收成以前的一切粮食杂用，算起来这笔款子，真正不在少数。

“大人，”胡雪岩问道，“练马队、造炮车是制胜所必需，朝廷一定会准。办屯垦，朝廷恐怕会看作不急之务吧？”

“这，你就不懂了。”左宗棠说，“朝中到底不少读书人，他们会懂的。”

胡雪岩脸一红，却很诚恳地说：“是！我确是不大懂，请大人教导。”

于是左宗棠为胡雪岩约略讲述用兵西域的限制，自秦汉以来，西征皆在春初，及秋而还。因为第一，秋高马肥，敌人先占了优势；其次就是严寒的天气，非关内的士兵所能适应。

“就是为了这些不便，汉武帝元朔初年征匈奴，几乎年年打胜仗，而年年要出师，斩草不能除根，成了个无穷之累。”左宗棠一番引经据典以后，转入正题，“如今平回乱，亦仿佛是这个道理。选拔两三万能打的队伍，春天出关，尽一夏天追奔逐北，交秋班师，如当年卫霍之所为，我亦办得到。可是，回乱就此算平了吗？”

“自然没有平。”胡雪岩了然了，“有道是‘野火烧不尽，春风吹又生。’只要花大工夫拿那块地彻底翻一翻，野草自然长不出来了。”

“一点不错！你这个譬喻很恰当。”左宗棠欣慰地说，“只要你懂我的意思，我就放心了。你一定会把我所要的东西办妥当。”

这顶“高帽子”出于左宗棠之口，弥觉珍贵，然而也极沉重。胡雪岩知道左宗棠的意思是要他负筹饷的主要责任。他凝神细想了一会儿，觉得兹事体大，而且情况复杂，非先问个明白不可。

“大人，将来要练多少营的队伍？”

“这很难说，要到了关外看情形再说。”

第一个疑问，便成了难题，人数未定，月饷的数目就算不出来。胡雪岩只能约略估计，以五万人算，每人粮饷、被服、武器，以及营帐锅碗等等杂支，在五两银子以内开支，每月就要二十五万两。

于是他再问第二问：“是带六千人出关？”

“是的。大概六千五百人。”左宗棠答说，“三千五百人由闽浙两省动身，另外三千人在湖南招募成军以后，直接出关。”

“行资呢？每人十两够不够？”

“我想，应该够了。”

“那就是六万五千两，而且眼前就要。”胡雪岩又问第三问，“大人预备练多少马队？”

“马队我还没有带过，营制也不甚了然。只有初步打算，要练三千马队。”

“那就至少要有三千匹马。”胡雪岩说，“买马要到张家口，这笔钱倒是现成的，我可以垫出来。”

“怎么？你在张家口有钱？”

“是的。”胡雪岩说，“我有十万银子在张家口，原来打算留着办皮货、办药材的，现在只好先挪来买马。”

“这倒好。”左宗棠很高兴地说，“既然如此，我立刻就可以派委员去采办了。”

“是！大人派定了通知我，我再派人陪着一起去。”胡雪岩又问，“两轮炮车呢？要多少？”

“‘韩信将兵，多多益善’。塞外辽阔，除精骑驰骋以外，炮车轰击，一举而廓清之，最是扫穴犁庭的利器！”

听这一说，胡雪岩觉得心头沉重。因为他也常听说，有那不恤民命的官军，常常拿炮口对准村落，乱轰一气。窝藏在其中的盗匪，固然非死即伤或逃，而遭受池鱼之殃的百姓，亦复不少。

左宗棠所部的洋枪洋炮，多由胡雪岩在上海采办，推原论始，便是自己在无形中造孽，为了胡雪岩的购办杀人利器，胡老太太不知道劝过他多少次，胡雪岩十分孝顺，家务巨细，母命是从，唯独谈到公事上头，不能不违慈命。好在胡老太太心地亦很明白，知道不是儿子不听话，实在是无可奈何。因此，只有尽力为他弥补“罪过”，平时烧香拜佛不在话下，夏天施医施药施凉茶，冬天舍棉衣、散米票，其他修桥铺路，恤老怜贫的善举，只要求到她，无不慷慨应诺。

但是，尽管好事做了无其数，买鸟雀放生，总抵偿不了人命，所以胡老太太一提起买军火，便会郁郁不乐。胡雪岩此时听左宗棠说得那么起劲，不由得便想起了老母的愁颜，因而默不作声。

“怎么？”左宗棠当然不解，“你是不是觉得我要造两轮炮车，有困难？”

“不是。我是在想，炮车要多少，每辆要多少银子，这笔预算打不出来。”

“那是以后的事。眼前只好算一个约数，我想最好能抽个二十万银子造炮车。”

“那么办屯田呢？请问大人，要筹多少银子？”

“这更难言了。”左宗棠说，“好在办屯田不是三年五载的事，而且负担总是越来越轻。我想有个五十万银子，前后周转着用，一定够了。”

“是的。”胡雪岩心里默算了一会儿，失声说道，“这样就不得了！不得了！”

“怎么？”

“我算给大人听！”胡雪岩屈指数着，“行资六万，买马连鞍辔之类，算他一百二十两银子一匹，三千匹就是三万六千。造炮车二十万。办屯田先筹一半，二十五万。粮饷以五万人计，每人每月五两，总共就是二十五万，一年三百万。合计三百五十四万，这是头一年要筹的饷。”

这一算，左宗棠也愣住了。要筹三百五十四万两的饷，谈何容易？就算先筹一半，也得一百七八十万，实在不是一笔小数目了。

“而且我想，西北运输不便，凡事都要往宽处去算。这笔饷非先筹好带去不可！大人，这不比福州到上海，坐海轮两天工夫就可以到，遇有缓急之时，我无论如何接济得上。西北万里之外，冰天雪地之中，那时大人乏粮缺食，呼应不灵，岂不是急死了也没用？”

“说得是，说得是！我正就是这个意思。雪岩，这笔饷，非先筹出来不可，筹不足一年，至少也要半年之内不虞匮乏才好。”

“只要有了确实可靠的‘的饷’，排前补后，我无论如何是要效劳的。”

接着，胡雪岩又分析西征军饷，所以绝不能稍有不继的缘故。在别的省份，一时青黄不接，有厘税可以指拨，有钱粮可以划提，或者有关税可以暂时周转，至不济还有邻省可以通融。西北地瘠民贫，无可腾挪，邻省则只有山西可作缓急之恃，但亦有限，而且交通不便，现银提解，往往亦须个把月的工夫。所以万一青黄不接，饥卒哗变，必成不可收拾之势。

这个看法，亦在左宗棠深思熟虑的预见之中，因而他完全同意胡雪岩的主张，应该先筹好分文不短，一天不延的“的饷”，也就是各省应该协解的“甘饷”。

谈到这一层上头，左宗棠便很得意于自己的先见了。如果不是撵走了他的“亲家”郭嵩焘，便顶多只有福建、浙江两个地盘，而如今却有富庶的广东在内。要筹的饷，自然先从这三省算起。

三省之中，又必先从福建开始。福建本来每月协济左宗棠带来的浙军军饷四万两，闽海关每月协济一万两。从长毛余孽肃清以来，协浙的四万两，改为协济甘肃，现在自是顺理成章归左宗棠了。至于海关的一万两，已改为接济船厂经费，此事是他所首创，不能出尔反尔，这一万两只得放弃。

其次是浙江。当杨岳斌接任陕甘总督，负西征全责时，曾国藩曾经代为出面筹饷，派定浙江每月协解两万。上年十月间左宗棠带兵到广东，“就食于粤”的计划既已实现，在胡雪岩的侧面催促之下，不得不守减除浙江负担的诺言。在浙江等于每月多了十四万银子，马新贻是很顾大局的人，自请增拨甘饷三万两，每月共计五万银子。

“浙江总算对得起我，马谷山为人亦很漂亮，每月五万银子协饷，实在不能算少了，不过，”左宗棠停了一下说，“有两笔款子，在浙江本来是要支出的，我拿过来并不增加浙江的负担，你看如何？”

“这要看原来是给什么地方。”

“一笔是答应支持船厂的造船经费，每月一万两。现在设厂造船，全由福建关税、厘金提拨，这一万两不妨改为甘饷。”

这是变相增加福建负担的办法。胡雪岩心里好笑，左宗棠的算盘，有时比市侩还精，但只要不累浙江，他没有不赞成之理。因而点点头说：“这一层，我想马中丞决不会反对。”

“另一笔协济曾相的马队，也是一万两。照我想，也该归我。雪岩，你想想其中的道理。”

“曾相从前自己定过，江苏协济甘饷，每月三万，听说每月解不足。大人是不是想拿浙江的这一万两，划抵江苏应解的甘饷？”

“是呀！算起来于曾无损，为什么不能划账？”

就事论事，何得谓之“于曾无损”？胡雪岩本想劝他，犯不上为这一万两银子，惹得曾国藩心中不快。可他转念又想，若是这样开口一劝，左宗棠又一定大骂曾国藩，正事便无法谈得下去，因而将到口的话又缩了回去。

这下来就要算广东的接济了。广东的甘饷，本来只定一万，造船经费也是一万，仿照浙江的例子协甘，共是两万。左宗棠意思，希望增加一倍，与福建一样，每月四万。

“这一定办得到的。”胡雪岩说，“蒋中丞是大人一手提拔，于公于私，都应该尽心。事不宜迟，大人马上就要写信。”

“这倒无所谓，反正蒋芗泉不能不卖我的面子，现在就可以打入预算之内。”

“福建四万、浙江七万、广东四万，另加江海关三万，目前可收的确数是十八万，一年才两百十六万。差得很多。”

“当然还有。户部所议，应该协甘饷的省份，还有七省。江西、湖北、河南三省，等我这次出关路过的时候，当面跟他们接头，江苏、河南、四川、山东四省的甘饷，只有到了陕西再说。我想，通扯计算，一年两百四十万银子，无论如何是有的。”

“那，我就替大人先筹一半。”胡雪岩若无其事地说。

“一半？”左宗棠怕是自己没有听清楚，特意钉一句，“一半就是一百二十万银子。”

“是，一百二十万。”胡雪岩说，“我替大人筹好了带走。”

“这，”左宗棠竟不知怎么说才好了，“你哪里去筹这么一笔巨数？”

“我有办法。当然，这个办法，要大人批准。等我筹划好了，再跟大人面禀。”

左宗棠不便再追着问。他虽有些将信将疑，却是信多于疑，再想到胡雪岩所作的承诺，无一不曾实现，也就释然欣然了。

“大人什么时候动身，什么时候出关？”

“我想十一月初动身，沿途跟各省督抚谈公事，走得慢些，总要年底才能到京。”

“到京？”胡雪岩不解地问，“上谕不是关照，直接出关？”

“这哪里是上头的意思，无非有些人挟天子以令诸侯。他们怕我进京找麻烦，我偏要去讨他们的厌，动身之前，奏请陛见。想来两宫太后决不至于拦我。”左宗棠停了一下又说，“至于出关的日期，现在还不能预定。最早也得在明年春天。”

“那还有三四个月的工夫。大人出关以前，这一百二十万一定可以筹足，至于眼前要用，二三十万银子，我还调度得动。”

“那太好了！雪岩，我希望你早早筹划停当，好让我放心。”

这又何消左宗棠说得？胡雪岩亦希望早早能够定局，无奈自己心里所打的一个主意，虽有八成把握，但到底银子不曾到手。俗语说的“煮熟了的鸭子飞掉了”，自是言过其实，但凡事一涉银钱，即有成议，到最后一刻变卦，亦是常有之事。一百二十万两不是个小数目，西征大业成败和左宗棠封爵以后能不能入阁拜相的关键都系于此，关系真个不轻。倘或功败垂成，如何交代？

兴念及此，胡雪岩深深失悔，何以会忘却“满饭好吃，满话难说”之诫？如今既不能打退堂鼓，就得全力以赴加紧进行。

所苦的是眼前还脱不得身，因为日意格、德克碑与中国官场打交道，大至船厂计划，小至个人生活，都要找他接头。左宗棠对洋人疑信参半，而他有些话怕一说出来，洋人戆直，当场驳回，未免伤他的身份与威望，因而亦少不得胡雪岩这样一个居间曲曲转达的人。

这就难了！胡雪岩左思右想，一时竟无以为答，坐在那里大大发愣。这是左宗棠从未见过的样子，不免诧异，却又不好问得。主宾二人，默然相答，使得侍立堂下的戈什哈亦惊愕不止，因为平日总见左宗棠与胡雪岩见了面，谈笑风生，滔滔不绝，何以此刻对坐发呆？

于是，有个左宗棠亲信的戈什哈上前问道："可是留胡大人在这里便饭？"

这下使胡雪岩惊醒了。"不，不，多谢！"他首先辞谢，"我还要到码头去送客。"

"送什么人？"左宗棠问。

"福州税务司布浪。"

"喔，他到上海去？"

"是的。"胡雪岩答说，"是驻上海的法国总领事白来尼找他谈公事。"

"谈什么公事？"左宗棠问道，"莫非与船厂有关？"

胡雪岩灵机一动，点点头答说："也许。"

"那可得当心。"左宗棠说，"洋人花样多。日意格、德克碑办理此事，起先越过他们总领事，直接回国接头，白来尼当然不高兴。而此刻一切合同，又非白来尼画押不可，恐怕他会阻挠。"

"大人深谋远虑，见得很是。我看——"胡雪岩故意踌躇着，"办不到的事。算了！"

"怎么？"左宗棠问，"什么事办不到？"

"我想最好我也走一趟，盯住布浪。只是这里不容我分身。"

左宗棠摸着花白短髭，沉吟了一会儿，徐徐说道："速去速回，亦自不碍。"

听得这话，胡雪岩精神一振，“是！”他立即答说，“我遵大人吩咐，速去速回。如果布浪谈的公事与轮船无关，不过三五天工夫，就可以回福州。”

“好！”左宗棠说，“你就请吧！我还有好些大事，跟你商量，尤其是那一百二十万银子，一天没有着落，我一天心不安。”

胡雪岩这一次不敢再说满话了，只答应尽速赶回。至于在福州，唯一不放心的日意格与德克碑有萌退之意，深恐事生周折，斡旋无人，以致决裂。而左宗棠却劝他不必过虑，同时拍胸担保，必定好言相劝，善为抚慰。如果有什么意见不能相合之处，自会暂且搁下，等胡雪岩回到福州以后再说。

得此保证，胡雪岩才算放心，回到寓处，匆匆收拾行装，赶到码头，与布浪同船，直航上海。

到上海第一件事是访古应春密谈。

古应春近年又有新的发展，是英商汇丰银行的买办，照英文译名，俗称“康白度”。这在银行中是华籍职员的首脑，名义上只是管理账目及一切杂务，其实凡与中国人的一切交涉，大至交接官场，小至雇用苦力，无不唯买办是问。而中国人上外国银行有业务接头，更非找买办不可。因此，古应春在汇丰银行权柄很大，他又能干而勤快，极得洋东信任，言听计从，这就是胡雪岩所以首先要找他的缘故。

“我要请几家外国银行的‘档手’吃饭。”他一开口就说，“你倒替我开个单子看！”

“小爷叔，”古应春问道，“是不是为船厂的事？”

“不是！我要跟他们借钱。”

平时向外国银行借钱，一二十万银子，只凭胡雪岩一句话，就可以借到。如今特为要请洋人吃饭，可见得数目不小。古应春想了一下，拿出一本同治四年的洋商行名簿，翻到“银行”这一栏问道：“是不是十家都请？”

胡雪岩看这十家外国银行：

一，阿加剌银行；二，利中银行；三，利商银行；四，汇泉银行；五，麦加利银行；六，汇隆银行；七，有利银行；八，法兰西银行；九，汇丰银行；十，丽如银行。

这一着，他倒踌躇了。因为通称外国银行，而国籍不同，尤其英法两国，一向钩心斗角，各自扩张势力，如今为了左宗棠设厂造船，更加不和。如果请在一起，彼此猜忌，不肯开诚布公相见，岂不是白费工夫？

于是他问："分开来请如何？"

"当然可以。不过，小爷叔，照我看，只请有用的好了。一次弄妥当了，其余的就不必理了。"

"那么，你说，哪些是有用的呢？"

古应春提笔在手，毫不考虑地在五、七、九三家银行上面一勾。这也在胡雪岩意中，因为汇丰银行在古应春是必不会少的。既有汇丰，便有麦加利与有利两家，因为这两家是英国银行，与汇丰的渊源较深。

但是，汇丰银行却并非纯然英国银行。它原名"香港上海银行有限公司"，同治三年创设总行于香港，资本定为港币五百万元，由英国的怡和洋行、仁记洋行，美国的旗昌洋行，以及德国、中东的商人投资。华商亦有股份加入，古应春即是其中之一，而且以此渊源，得以充任上海分行的买办。

香港上海银行的上海分行，较总行迟一年成立，派来的总经理名叫麦林，是英国人，与古应春是旧识，久知他干练可靠，且又是本行的股东，因而延揽他出任买办。古应春接事后第一个建议是"正名"，香港上海银行的名称，照英文原名直译固无错误，但照中国的习惯，开店不管大小，总要取个吉利的名字，而用地名，而且用两个地名作为银行的名称，令人有莫名其妙之感。如果"香港上海银行"之下，再赘以"上海分行"四字，更觉不伦不类，文理不协，难望成为一块"金字招牌"。

麦林从善如流，接纳了古应春的意见，依照中国"讨口彩"的习俗，取名香港上海汇丰银行，简称汇丰银行或汇丰，无论南北口音，喊起来都很响亮。而且南北口音，都无甚区别，不比麦加利银行的麦加二字，在上海人口中便与北方人并不一致。

古应春的第二个建议是，股东的国籍不同，彼此立场不同，就会意见分歧，形成相互掣肘、无可展布的不利情况。所以主张以英国为主体，逐渐收买他国股份，同时联络友行，厚集势力，相互支持。亦为麦林所欣然接纳。

汇丰所联络的两家友行，当然是英国银行，亦就是麦加利与有利两行。有利是上海资格最老的外国银行，创设于咸丰四年。它是英国的海外银行之一，总行设在伦敦，在印度孟买及上海都有分行。

麦加利银行是英皇发布敕令，特许在印度、澳洲、上海设立分行的股份有限公司。总行设在伦敦，咸丰七年在上海开设分行，广东人称它为“喳打银行”。喳打是英文“特许”一词的音译，可是上海人却嫌“喳打”二字拗口，索性以它第一任总经理麦加利为名，叫它麦加利银行。

麦加利银行完全是为了便利英商在印度、澳洲、上海的贸易而设，所以跟胡雪岩在阜康钱庄的同行关系以外，还有“销洋庄”生意上的往来。

“这三家银行当然有用。”胡雪岩踌躇说，“只怕还不够。”

“还不够？”古应春这时才发觉，谈了半天是怎么回事。还没有弄明白事情，只凭彼此相知既久，默契已深，猜测着谈论，毕竟是件可笑的事，因而扼要问道，“小爷叔，你要借多少银子？”

“至少一百二十万。”

“这是银行从来没有贷放过的一笔大数目。”古应春又问，“是替谁借？当然是左大人？”

“当然！”

“造轮船？”

“不是！西征的军饷。”

即令是通晓中外、见多识广的古应春，也不由得愣住了。“向外国人借了钱来打仗，似乎没有听说过。”他很坦率地说，“小爷叔，这件事恐怕难。”

“我也知道难。不过一定要办成功。”古应春不再劝阻了。胡雪岩从不畏难，徒劝无效，他知道自己唯一所能采取的态度，便是不问成败利钝，尽力帮胡雪岩去克服困难。

于是他问：“小爷叔，你总想好了一个章程，如何借，如何还，出多少利息，定多少期限？且先说出来，看看行得通行不通。”

“借一百二十万，利息不妨稍为高些。期限一年，前半年只行息，下半年拔月还本，分六期拨还。”

“到时候拿什么来还？”

“各省的西征协饷。”胡雪岩屈指算道，“福建四万、广东四万、浙江七万，这就是十五万，只差五万了。江海关打它三万的主意，还差两万，无论如何好想法子。”

“小爷叔，你打的如意算盘。各省协饷是靠不住的！万一拖欠呢？”

“我阜康钱庄担保。”

“不然！”古应春大摇其头，“犯不着这么做！而且洋人做事，讲究直截了当，如果说到阜康担保的话，洋人一定会说：‘钱借给你阜康钱庄好了。只要你提供担保，我们不管你的用途。’那一来，小爷叔，你不但风险担得太大，而且也太招摇。不妥，不妥！”

想想果然不妥，很能服善的胡雪岩深深点头。“外国银行的规矩，外国人的脾气，你比我精通得多，你看，是怎么个办法？”他说，“只要事情办通，什么条件我都接受。”

“洋人办事跟我们有点不同。我们是讲信义通商，只凭一句话就算数，不大去想后果。洋人呢，虽然也讲信义，不过更讲法理，而且有点‘小人之心’，不算好，先算坏。拿借钱来说，洋人第一件想到的事是，对方将来还不还得起？如果还不起又怎么办？这两点，小爷叔，你先要盘算妥当，不然还是不开口的好。”

“我明白了。第一点，一定还得起，因为各省的协饷，规定了数目，自然要奏明朝廷。西征大事，哪一省不解，贻误戎机，罪名不轻。再说，福建、广东、浙江三省，都有左大人的人在那里，一定买账。这三省就有十五万，四股有其三，不必担心。”

“好，这话我可以跟洋人说。担保呢？”

“阜康既然不便担保，那就只有请左大人自己出面了。”

“左大人只能出面来借，不能做保人。”

“这就难了！”胡雪岩灵机一动，“请协饷的各省督抚做保，先出印票，到期向各省藩司衙门收兑。这样总可以了吧？”

“不见得！不过总是一个说法。”古应春又说，“照我看，各省督抚亦未见得肯。”

“这一层你不必担心，左大人自然做得到。‘挟天子以令诸侯’的花样，他最擅长。”

“好的。只要有把握，就可以谈了。”古应春说，“我想，请吃饭不妨摆在后面，我先拿汇丰的大板约出来跟小爷叔见个面，怎么样？”

“大板”是“大老板”的简称，洋行的华籍职员都是这样称他们的“洋东”。汇丰的“大板”麦林，胡雪岩也曾会过，人很精明，但如上海人所说的很“上路”，凡事只要在理路上，总可以谈得成功。所以胡雪岩欣然表示同意。不过还有些话要交代明白。

“老古，”他说，“我的情形本来瞒不过你，这年把你兼了汇丰的差使，对我个人的情形有些隔膜了。我如今是个‘空心大老倌’，场面扯得太大，而且有苦难言。福建这面，现银接济跟买军火的垫款，通扯要亏我二三十万，浙江这面，代理藩库的账，到现在没有结算清楚。有些账不好报销，也不好争，因为碍着左大人的面子，善后局的垫款，更是只好摆在那里再说。这样扯算下来，又是二三十万，总共有五十万银子的宕账在那里，你说，怎么吃得消？”

“有这么多宕账！”古应春大吃一惊，“转眼开春，丝茶两市都要热闹，先得大把银子垫下去。那时候，小爷叔，阜康倘或周转不灵，岂不难看？”

“岂但难看？简直要命！”胡雪岩紧接着又说，“说到难看，年内有件事铺排不好，就要显原形。我是分发福建的道员，本不该管浙江的盐务，不过浙江总算闽浙总督管辖，勉强说得过去。如今我改归陕甘总督差遣了，将来必是长驻上海，办西北军火粮饷的转运，浙江盐务，非交卸不可。要交卸呢，扯了十几万的亏空，怎好不归清？”

“这就是说，年内就要十几万才能过门。”

“还只是这一处，其他还有。一等开了年，阜康总要五十万银子才周转得过来。如果这笔借款成功，分批汇解，我可以先用一用，一到明年夏天，丝茶两市结束，货款源源而来，我就活络了。”

古应春松了口气。“好！”他毅然决然地说，“我一定想法子，拿这笔借款弄成功。”

“有你，一定可以成功。老古，我还有点意思，说给你听。第一，这件事要做得秘密，千万漏不得一点风声，不然，京里的‘都老爷’奏上一本，坏事有余。我告诉你吧，这个做法连左大人自己都还不知道——”

此言一出，古应春大为诧异。“那么，”他忧虑地说，“到谈成功了，如果左大人说‘不行’，那不是笑话！”

“你放心！绝不会闹笑话，我有十足的把握，他会照我的话做。”

“好！再说第二件。”

“第二件，我想托名洋商，其实，有人愿意放款，也不妨搭些份头，多赚几个利息。”

“这要看情形，如今还言之过早。”

“只要你心里有数就是。”胡雪岩说，“左大人的功名、我的事业，都寄托在这笔借款上了。”

为了保持机密，古应春将麦林约在新成立的“德国总会”与胡雪岩见面，一坐下来便开门见山地谈到正题。麦林相当深沉，听完究竟，未置可否，先发出一连串的询问。

“贵国朝廷对此事的意见如何？”

“平定回乱在中国视为头等大事。”胡雪岩透过古应春的翻译答说，“能够由带兵大臣自己筹措到足够的军费，朝廷当然全力支持。”

“据我所知，中国的带兵大臣，各有势力范围。左爵爷的势力范围，似乎只有陕西甘肃两省，那是最贫瘠的地方。”

“不然。”胡雪岩不肯承认地盘之说，“朝廷的威信，及于所有行省，只要朝廷同意这笔借款，以及由各省分摊归还的办法，令出必行，请你不必顾虑。”

“那么，这笔借款，为什么不请你们的政府出面来借？”

“左爵爷出面，即是代表中国政府。”胡雪岩说，“一切交涉，要讲对等的地位，如果由中国政府出面，应该向你们的‘户部’商谈，不应该是我们在这里计议。”

麦林深深点头，但紧接着又问：“左爵爷代表中国政府，而你代表左爵爷，那就等于你代表中国政府。是这样吗？”

这话很难回答。因为此事，正在发动之初，甚至连左宗棠都还不知道有此借款办法，更谈不到朝廷授权。如果以讹传讹，胡雪岩便是窃冒名义，招摇辱国，罪名不轻。但如不敢承认，便就失去凭借，根本谈不下去了。

想了一会儿，他含含糊糊地答道：“谈得成功，我是代表中国政府，谈不成功，我只代表我自己。”

“胡先生的词令很精彩，也很玄妙，可是也很实在。好的，我就当你中国政府的代表看待。这笔借款，原则是我可以同意，不过，我必须声明，在我们的谈判未曾有结论以前，你们不可以跟任何另一家银行去谈。”

“可以，我愿意信任你。”胡雪岩说，“不过我们应该规定一个谈判的限期，同时我也有一个要求，在谈判没有结果以前，你必须保守秘密。”

“那是彼此都应该接受的约束。至于限期，很难定规，因为细节的商谈，往往需要长时间的磋商。”

“好！我们现在就谈细节。”

这等于已确定麦林是作了借款的承诺，连古应春都笑了。“小爷叔，”

他说，“我看交涉是你自己办的好，我只管传译。麦林很精明，也只有精明的人才能让他佩服。”

于是即时展开了秘密而冗长的谈判，前后三天，反复商议，几于废寝忘食。麦林原来就佩服精明的人，此时更为胡雪岩的旺盛企图心所感动，更为胡雪岩的过人的精力所压倒，终于达成了协议。

这一协议并未订成草约，亦未写下笔录，但彼此保证，口头协议，亦具有道义上的约束力量，决无翻悔。商定的办法与条件是：

第一，借款总数，关平一百二十万两，由汇丰银行组成财团承贷。

第二，月息八厘，付款先扣。

第三，由胡雪岩、古应春介绍华商向汇丰银行存款，月息明盘四厘、暗盘六厘。

第四，各海关每月有常数收入，各税务司多为洋人，因此，借款笔据，应由各海关出印票，并由各省督抚加印，到期向各海关兑取。

第五，自同治六年七月起，每月拔本二十万两，半年清偿。

这五条办法中，第三条是洋商与胡雪岩、古应春合得的好处，明盘四厘，暗盘六厘，即是中间人得二厘的佣金，这也就是说，洋商向中国人借了钱，转借与中国官场，四厘入，八厘出，所得四厘好处，各半均分。

至于印票必出自海关，是麦林坚决的主张。因为他虽相信胡雪岩与左宗棠，却不相信有关各省的督抚，到时候印票如废纸，无可奈何，而海关由洋人担任税务司，一经承诺，没有理由不守信用。

这在胡雪岩却是个难题，因为除江海关每月协解三万两，可以情商上海道先出印票以外，其余各海关并无协饷之责，就不见得肯出印票。想来想去只有一个办法，就是奏明朝廷，每月由各省藩司负责将应解甘饷，解交本省海关归垫。

幸好协饷各省都有海关，每月闽粤两海关各代借二十四万，浙海关代借四十二万两，加上江海关本身应解的十八万两，共计一百零八万两，所缺只有十二万。胡雪岩建议左宗棠要求湖北每月协饷两万，由江汉关出十二万两的印票，合成一百二十万整数。

这些办法，左宗棠完全同意，但等奏准。已在开春，丝茶两市方兴，正须放款，因而利息提高到一分三厘。这是从未有过的高利贷，于是流言四起，说胡雪岩从中渔利。尤其是李鸿章一派的人，不但展开口头的攻击，而且亦有实际的破坏行动。

这个行动很简单，却很有效，就是策动江海关税务司拒绝出具印票。一关如此，他关皆然，几于功败垂成。

经过胡雪岩的巧妙斡旋，这笔大借款还是做成功了。是为中国借外债的开始，而左宗棠的勋业，以及胡雪岩个人的事业，亦因此而有了一个新的开始。但福者祸所倚，“红顶商人”胡雪岩的结局，相当凄惨，种因亦在于此！

（未完待续）

《红顶商人胡雪岩5》精彩看点：

胡雪岩帮助左宗棠西征，立下军功，得赏布政使衔、从二品文官顶戴用珊瑚，慈禧御赐黄马褂，成为一代红顶商人，大富大贵，显赫一时。然而，凡事盛极必衰，在风光无限的背后，胡雪岩的事业已经有了全面崩溃的迹象。在政治上，他被卷入到左宗棠与李鸿章的政治斗争中，李鸿章确定了“倒左必先倒胡”的方针，准备对胡雪岩痛下杀手，危机悄然临近，胡雪岩却对此警惕不足；在生意上，新式缫丝技术的潮流不可遏抑，胡雪岩为了保护江南养蚕人家的生计，决定逆势而行，以一人之力对抗西方工业革命的大潮，悲壮的结局悄然注定。胡雪岩一手创下胡氏商业帝国，享尽世间荣华，却在巅峰时种下隐患，他将如何应付这场前所未有的商业危机？

敬请阅读《红顶商人胡雪岩5》。